AUF WINNETOUS SPUREN

REPORTAGEN UND
VON ABENTEUERLICH
IM AMERIKANISCHEN

W0277236

VON

THOMAS JEIER

1.–10. TAUSEND

KARL-MAY-VERLAG BAMBERG · RADEBEUL

Herausgegeben von Lothar und Bernhard Schmid
© 2000 Karl-May-Verlag, Bamberg
Alle Urheber- und Verlagsrechte vorbehalten
Deckelbild: Falk Klinnert

Satz: Thomas Beyer, Hollfeld
Druck: Jütte Druck GmbH, Leipzig
gedruckt in leipzig
ISBN 3-7802-0156-9

Die Stationen von Thomas Jeiers Reise auf Winnetous Spuren

① Indianerland ② Winnetous Erben ③ Auf den Spuren von Karl May: *Winnetou I* ④ Der Weg nach Fort Bowie ⑤ Blutsbrüder: Cochise und Tom Jeffords ⑥ Geronimo auf dem Kriegspfad ⑦ Auf den Spuren von Karl May: *Winnetou II* ⑧ Im Versteck der Apachen ⑨ Fort Concho ⑩ Sam Hawkens lebt wie ein Indianer ⑪ Auf den Spuren von Karl May: *Llano Estacado* ⑫ Santa Fe, die Stadt der Künstler ⑬ Pueblo Country ⑭ Santa Fe Cooking School ⑮ Weiße werden nur geduldet ⑯ Auf den Spuren von Karl May: *Winnetou III* ⑰ Die mit dem Wolf tanzt ⑱ Geisterstädte in New Mexico ⑲ Im Land der Navajos ⑳ Monument Valley ㉑ Auf den Spuren von Karl May: *Der Ölprinz* ㉒ Die-sich-um-ihre Leute-kümmert ㉓ Der Kampf im O.K. Corral ㉔ John Wayne reitet immer noch ㉕ Im Jeep zur alten Goldmine ㉖ Das Geheimnis des Chaco Canyon ㉗ Außerirdische landen in Roswell ㉘ Der Padre aus Österreich ㉙ In den Stromschnellen des Colorado ㉚ Im Dampfzug durch den Westen ㉛ Die Büffel kehren zurück ㉜ Rendezvous in Fort Bridger ㉝ Auf den Spuren von Karl May: *Old Surehand* ㉞ Fort Laramie ㉟ Der Pferdeflüsterer ㊱ Der Mann aus den Bergen ㊲ Auf den Spuren von Karl May: *Der Schatz im Silbersee* ㊳ Reite den wilden Bullen ㊴ Auf den Spuren von Karl May: *Im Tal des Todes* ㊵ Crow Nation Fair ㊶ Albert Red Bear, Krieger der Oglala ㊷ Die Schlacht am Little Big Horn ㊸ Kein Wort für Freiheit ㊹ Leben nach der Tradition ㊺ Marcus Roubidaux, Indian Artist ㊻ Auf den Spuren von Karl May: *Unter Geiern* ㊼ Auf meiner Ranch bin ich König ㊽ Im Land der Blackfeet ㊾ Auf den Spuren der Sioux ㊿ Auf den Spuren von Karl May: *In fernen Zonen*

SONDERBAND ZU DEN GESAMMELTEN WERKEN KARL MAY'S

AUF WINNETOUS SPUREN

KARL-MAY-VERLAG BAMBERG · RADEBEUL

Inhalt

Vorwort – Auf Winnetous Spuren 7
1. Indianerland – Nationalparks in Utah 9
2. Winnetous Erben – Die Situation der nordamerikanischen Indianer 20
3. Auf den Spuren von Karl May: *Winnetou I* 27
4. Der Weg nach Fort Bowie – Historisches Fort am Apache Pass 35
5. Blutsbrüder: Cochise und Tom Jeffords – Die Geschichte der historischen Blutsbrüderschaft 44
6. Geronimo auf dem Kriegspfad – Der Freiheitskampf der Apachen 50
7. Auf den Spuren von Karl May: *Winnetou II* 67
8. Im Versteck der Apachen – Von Alamogordo nach Las Cruces 72
9. Fort Concho – Buffalo Soldiers im historischen Fort 75
10. Sam Hawkens lebt wie ein Indianer – Ein Trapper im Palo Duro Canyon 79
11. Auf den Spuren von Karl May: Llano Estacado 81
12. Santa Fe, die Stadt der Künstler – Die Hauptstadt der Spanier 91
13. Pueblo Country – Indianerdörfer am Rio Grande 97
14. Santa Fe Cooking School – Wild-West-Küche in New Mexico 105
15. Weiße werden nur geduldet – Pueblo-Indianer tanzen den Truthahntanz 109
16. Auf den Spuren von Karl May: *Winnetou III* 114
17. Die mit dem Wolf tanzt – Cathy Smith, die weiße Indianerin 121
18. Geisterstädte in New Mexico – Geheimnisvolles aus dem Wilden Westen 124
19. Im Land der Navajos – Alltag einer modernen Navajo-Indianerin 130
20. Monument Valley – Die Heimat der Navajos 136
21. Auf den Spuren von Karl May: *Der Ölprinz* 148
22. Die-sich-um-ihre Leute-kümmert – Treffen mit einer Kiowa-Indianerin 159
23. Der Kampf im O.K. Corral – Legendär wie Old Shatterhand: Wyatt Earp 161
24. John Wayne reitet immer noch – Old Tucson und andere Westernstädte 166
25. Im Jeep zur alten Goldmine – In den Bergen von New Mexico 170

26. Das Geheimnis des Chaco Canyon – Prähistorische Indianer in New Mexico 175
27. Außerirdische landen in Roswell – Ein UFO vor Winnetous Pueblo 179
28. Der Padre aus Österreich – Missionen im amerikanischen Südwesten 180
29. In den Stromschnellen des Colorado – River Rafting in Arizona 185
30. Im Dampfzug durch den Westen – Im Daylight von Kalifornien nach Arizona 190
31. Die Büffel kehren zurück – Indianisch essen im Restaurant 205
32. Rendezvous in Fort Bridger – Treffen der Mountain Men 211
33. Auf den Spuren von Karl May: *Old Surehand* 219
34. Fort Laramie – Historisches Fort in Wyoming 226
35. Der Pferdeflüsterer – Der Cowboy, der mit den Pferden spricht 236
36. Der Mann aus den Bergen – Wie ein Trapper um 1820 241
37. Auf den Spuren von Karl May: *Der Schatz im Silbersee* 247
38. Reite den wilden Bullen – Frontier Days in Cheyenne, Wyoming 253
39. Auf den Spuren von Karl May: *Im Tal des Todes* 258
40. Crow Nation Fair – Größtes Pow-wow der Welt 263
41. Albert Red Bear, Krieger der Oglala – Traditioneller Tänzer mit Anliegen 271
42. Die Schlacht am Little Big Horn – Der große Sieg über Custer 275
43. Kein Wort für Freiheit – Auf der Northern Cheyenne Reservation 283
44. Leben nach der Tradition – Interview mit Cheyenne-Indianern 290
45. Marcus Roubidaux, Indian Artist – Indianerkünstler der Lakota 294
46. Auf den Spuren von Karl May: *Unter Geiern* 297
47. Auf meiner Ranch bin ich König – Auf einer Guest Ranch in Idaho 305
48. Im Land der Blackfeet – Zwei Künstler der Blackfeet-Indianer 312
49. Auf den Spuren der Sioux – Unterwegs in South Dakota 319
50. Auf den Spuren von Karl May: *In fernen Zonen* 331
Anhang – Reisen im Wilden Westen. Praktische Tipps für eine Reise auf den Spuren von Winnetou und Old Shatterhand – mit wichtigen Adressen, Hotel-, Campingplatz- und Restaurant-Tipps und einer Liste der wichtigsten Pow-wows (Indianertreffen), Westernfeste und Rodeos. 335

Vorwort: Auf Winnetous Spuren

Ich glaube, ich war zwölf, als die *Winnetou*-Bände auf meinem Weihnachtstisch lagen. Den ersten las ich noch vor Silvester aus. Ich war begeistert von den Abenteuern des stolzen Indianers und folgte Old Shatterhand und Sam Hawkens in die Jagdgründe der unerschrockenen Apachen. Schon damals ahnte ich, dass der amerikanische Westen und die Apachen vollkommen anders gewesen sein mussten. Aber das war bei James Fenimore Cooper ganz ähnlich. Auch sein Lederstrumpf und sein Mohikaner hatten wenig mit der Wirklichkeit zu tun. Sie agierten in einer Fantasiewelt, die dem Ideal des Autors am nächsten kam. So wie bei Karl May. „Wenn du die Wahrheit kennst, drucke die Legende", sagt der Zeitungsverleger in dem Film DER MANN, DER LIBERTY VALANCE ERSCHOSS. Der Western war kein originalgetreues Abziehbild der Geschichte, transportierte immer die Legenden und schuf einen künstlichen Kosmos, der sich in unseren Träumen festgesetzt hat. Karl May versetzte seine Helden in eine mythische Welt, baute Traumschlösser in einem Wilden Westen, der seinen Idealvorstellungen entsprach, und verfolgte niemals die Absicht, den wahren Westen zu zeigen. Er strebte nach einer vollkommenen Welt und einem edlen Menschen, nach Winnetou und Old Shatterhand, die noch heute so beliebt sind, weil sie wahre Helden ohne Wenn und Aber darstellen.

Ich fühlte mich wohl in dieser Welt, lese Karl May heute noch und erfreue mich an den spannenden Abenteuern. Aber ich habe auch früh damit begonnen, nach der Wahrheit hinter diesen Geschichten zu suchen. „Karl May ist an allem schuld" titelte der *GONG* über einem Bericht, der vor einigen Jahren über mich erschien. Sollte heißen, Karl May brachte mich dazu, die Kultur der Indianer und die amerikanische Pioniergeschichte ernsthaft zu studieren. Das Ergebnis waren historische Romane wie *Das Lied der Cheyenne* und *Das Wissen der Bäume* (im Taschenbuch: *Biberfrau*), die ein authentisches Bild des Indianerlebens, aber auch die Traumwelt dieses Volkes zeigten, sich mit seinen Mythen und Legenden beschäftigten. Auch die Träume sind wahr, sagen die Indianer, es gibt andere Welten im Universum.

Um die Heimat der Indianer und die Schauplätze der erbitterten Kämpfe zwischen weißen Soldaten und roten Kriegern kennen zu lernen, fuhr ich viele Male durch den amerikanischen Westen. Über hundertmal war ich in den USA, auf der Recherche für historische Romane und Reisebücher, für Fernsehfilme und Reportagen im Rundfunk. Alle fünfzig Staaten habe ich gesehen. Ein Jugendtraum, den ich mir erfüllt und zu einem Teil meines Berufs gemacht habe. Auf den Spuren von Winnetou und Old Shatterhand reise ich durch Amerika. In den Rocky Mountains, der Wüste und der Prärie. Auf der Suche nach der Wahrheit des amerikanischen Westens und seiner romantisierten Legende. Ich habe

Winnetou und Nscho-tschi gesehen und die Nachfahren von Geronimo und Cochise kennen gelernt. Ich habe die Schauplätze vieler Karl-May-Bücher gesucht und gefunden und einen wahren Westen erlebt, der noch heute lebendig ist. Ich habe in der Wüste geschwitzt, in den Bergen gefroren und auf den weiten Ebenen von Montana gestanden und den Wind gespürt. Um einen historischen Roman zu schreiben, muss ich das Land, über das ich schreibe, gesehen und mit allen Sinnen erfahren haben. Ich muss mit den Menschen gelebt und die Nachfahren der historischen Helden getroffen haben. Das ist meine Art, die Spuren einer längst vergangenen Zeit zu finden.

Das Ergebnis dieser Spurensuche habe ich in diesem Buch zusammengefasst. Abenteuerliche Reportagen und Berichte, aber auch Momentaufnahmen eines Wilden Westens, wie er immer noch existiert. Bei den Nachfahren der Indianer und Siedler, die wirklich gelebt haben, und den Schauplätzen bekannter Karl-May-Romane wie *Winnetou*, *Old Surehand*, *Der Ölprinz* und *Der Schatz im Silbersee*. Fasziniert haben mich das Land mit seiner unendlichen Weite und seinen Naturwundern, aber auch die Menschen, die ich am Wegesrand getroffen habe. Indianer und Weiße. Ihre Geschichten werden in den folgenden Kapiteln lebendig. Im Anhang sind praktische Tipps für alle Leser enthalten, die meinen Spuren in den amerikanischen Westen folgen wollen. Denn das Abenteuer wartet immer noch – wie zur Zeit von Winnetou und Old Shatterhand...

Thomas Jeier

Der Autor im Gespräch mit einem Lakota.

1. Indianerland

Nationalparks in Utah

Der Kojote, ein heiliges Tier der Indianer, wacht über die Felsenparadiese im südlichen Utah. Berühmte Nationalparks wie Bryce Canyon und Zion sind seine letzte Zuflucht und die letzte Möglichkeit für Menschen, die unberührte Natur zu erleben.

Diese Geschichte wird von den Indianern im südlichen Utah erzählt: Vor langer Zeit begegnete der geisterhafte Kojote einem Mann, der schwere Felsbrocken umdrehen konnte, ohne sie zu berühren. „Hab' Mitleid mit mir", jammerte Kojote, „verrate mir dein Geheimnis!" Der Mann erwiderte: „Das will ich tun, aber du darfst die Steine nur viermal bewegen, sonst geschieht ein großes Unglück!" Kojote war einverstanden. Er bewegte die Felsbrocken, war aber so verwirrt, dass er sich verzählte und die Steine fünfmal bewegte. Ein dumpfes Grollen ging durch den Canyon. Ein großer Felsbrocken verfolgte den armen Kojoten und rollte auf seinen Körper. „Hilfe!", schrie Kojote, aber der Mann war längst verschwunden und seine vierbeinigen Freunde waren zu schwach, um den Felsbrocken zu bewegen. Da erschien ein Adler über ihm. „Mein Bruder", rief Kojote verzweifelt, „dieser Stein hat dich beschimpft. Er hat gesagt, dass du einen großen Kopf und einen krummen Schnabel hast und sehr hässlich bist! Als ich ihn zum Schweigen bringen wollte, ist er auf mich gerollt!" Der Adler wurde wütend. Er stieg hoch in den Himmel und stürzte sich mit aller Kraft auf den Felsbrocken. Sein Schnabel traf ihn genau in der Mitte und zersplitterte ihn. Die Felsbrocken flogen nach allen Seiten und türmten sich zu einem gewaltigen Zauberreich, das an Schönheit kaum zu überbieten war. Bis zum fernen Horizont reichte das Gewirr von Schluchten und Tälern. Kojote erhob sich staunend und schwor, jeden in Schwierigkeiten zu bringen, der sein Felsenparadies bedrohte.

Seit jenem Tag wacht er eifersüchtig über sein Reich. Seine Spuren führen durch die versteckten Canyons und sein Schatten geistert über die braunen Felswände. Sein Heulen dringt als vielfaches Echo durch die Schluchten. Der weiße Mann hat einen Teil des Landes unter Naturschutz gestellt, aber jedes Jahr strömen mehr Besucher in die Nationalparks und es wird immer schwerer, die Natur vor der endgültigen Zerstörung zu bewahren. 1983 ließ Kojote einen riesigen Felsbrocken im Zion Canyon von den Bergen stürzen, nur um den Weißen zu zeigen, welche Kräfte sich im Hinterland verbergen. Schmunzelnd beobachtete er, wie verblüfft die Menschen vor dem gestürzten Felsbrocken standen, und mit einem spöttischen Lächeln stellte er fest, dass die Regierung den Autoverkehr über den Scenic Drive verbot und einen Shuttle Service einführte.

Vor tausend Jahren, als prähistorische Indianer im späteren Zion Nationalpark lebten, konnte sich Kojote ungehindert in den verzweigten Schluchten bewegen. Er war allein mit den

Das Zauberreich des Kojoten.

Anasazi, die im Einklang mit der Natur lebten und großen Respekt vor ihren Kräften und der Macht des Großen Geistes hatten. Sie verkrochen sich in ihren Felsenhäusern, wenn sie Kojotes Heulen hörten. Misstrauisch wurde Kojote erst, als 1858 die ersten Mormonen in den Canyons siedelten. Sie gaben der Gegend ihren Namen, weil sie die grünen Täler für den Himmel auf Erden hielten, und verglichen die schroffen Felsengebilde mit den Tempeln, die sie für ihren Gott bauten, aber sie zeigten keine Ehrfurcht und fielen wie ein Krähenschwarm über das Land her. Er wollte allein bleiben und schickte den Mormonen heftige Gewitter und eisige Stürme, bis sie Zion verließen. Nur der Name blieb. Kojote flüsterte ihn den Regierungsleuten zu, als sie das Gebiet 1919 zum Nationalpark erklärten.

Obwohl er ihnen gestattete, eine Asphaltstraße durch sein Reich zu bauen, ist Zion ein geheimnisvolles Paradies geblieben, vielfältiger als der Grand Canyon und der Bryce Canyon und

Im Geländewagen durch die Canyonlands.

voller Überraschungen. Nirgendwo gibt es so gute Verstecke für den Kojoten wie in diesen verzweigten Schluchten. Die farbigen Sandsteinwände ragen bis zu fünfhundert Meter aus dem zerklüfteten Land, der Virgin River treibt Geröll durch dunkle Canyons und an den feuchten Hängen wachsen bunte Wildblumen. Schmale Indianerpfade führen an silbernen Wasserfällen und smaragdgrünen Seen vorbei. In den Bergen trifft Kojote seine Brüder, sogar Biber und Berglöwen. Eidechsen huschen über die Felsen. Schlangen verbergen sich im Schatten des Mesquite. Am Fluss atmet er den süßen Duft der Manzanitas und morgens verharrt er zwischen den weißen Blüten der Zion Lilys, die schon mittags ihre Kelche schließen. Er beobachtet die Besucher, die im Shuttle-Bus über den Scenic Drive kommen, zum Temple of Sinawaya emporblicken und am Ufer des Virgin River entlangwandern. Von der Zion Lodge führt ein Pfad zu den Emerald Pools, umgeben von schattigen Wäldern und rauschenden Wasserfällen. Im

Bildseite 12/13: Steinerne ‚Orgelpfeifen' im Bryce Canyon.

Nordwesten des Parks zieht sich eine wenig befahrene Straße durch die Kolob Canyons, vorbei an den Hurricane Cliffs, dem Horse Ranch Mountain und orangefarbenen Felsen. Am Rockfall Overlook liegen die Überreste des Felsens, den Kojote vor einigen Jahren von den Bergen gerollt hat.

Zur Hauptstraße geht es über den Zion-Mt.Carmel-Highway, der sich in steilen Haarnadelkurven und durch zwei lange Tunnel windet. Im Sommer stauen sich endlose Autoschlangen im Nationalpark. Die Checkerboard Mesa, ein Tafelberg, leuchtet wie ein überdimensionales Schachbrett in der Sonne, in den Bergen öffnet sich der Great Arch of Zion, ein riesiger Steinbogen, wie das Auge eines erstaunten Gottes. Der Asphalt des Highway 89 hat die Spuren eines prähistorischen Volkes verbrannt, das vor tausend Jahren nach Nordosten zog und im sagenumwobenen Bryce Canyon den Zorn des Kojoten zu spüren bekam. Der zottige Bursche verwandelte alle Krieger in Felsen, weil sie vergessen hatten, den Großen Geist um Gnade zu bitten. Wie stumme Wächter stehen sie heute in der Schlucht, von steilen Canyonwänden umgeben und der sengenden Sonne schutzlos ausgeliefert. ‚Rote Felsen, die wie Männer in einer schüsselförmigen Schlucht stehen' heißt der Bryce Canyon bei ihren Nachfahren.

Ihr Klagen ist längst verstummt und einer geheimnisvollen Stille gewichen, die mit dem heißen Atem der Geister durch die Felsen zieht. Der Schatten des Kojoten begleitet die einsamen Wanderer über den Navajo Loop, der vom Sunset Place in die steinerne Schüssel führt und sich zwischen den rotbraunen Orgelpfeifen des Bryce Amphitheater verliert. Die Sonne zerfließt in dem steinernen Labyrinth, schüttet leuchtende Farben über eindrucksvolle Felsformationen wie ‚Thor's Hammer' und die steinernen Wolkenkratzer der ‚Wall Street'. Über den ‚Queen's Garden Trail', nicht so steil und kurvenreich wie der Navajo Loop, geht es zum Sunrise Point am Canyonrand, vorbei an der versteinerten ‚Queen Victoria' und von Wind und Wetter geformten Schlössern. Die weißen Siedler waren ehrfürchtiger als die Indianer und geizten nicht mit großartigen Namen. John Wesley Powell erforschte den Canyon um 1870. Ebenezer Bryce errichtete eine Ranch und zog nach Arizona weiter, weil er in den verwinkelten Schluchten des Bryce Canyon manchmal wochenlang nach verirrten Rindern suchen musste. Als das Gebiet zum Nationalpark erklärt wurde, erinnerte man sich an seinen Namen.

Den Highway 12 zwischen Bryce Canyon und Capitol Reef National Park hütete Kojote jahrzehntelang als Geheimnis. Die unscheinbare Straße schien im Nichts zu enden und die meisten Autofahrer kehrten um und blieben auf den breiten Highways. Der zottige Bursche versteckte sich hinter den roten Felsen und grinste zufrieden. Im Escalante Canyon war er mit den Geistern allein und niemand störte ihn, wenn er auf einem Felsbrocken in der Sonne döste. Das änderte sich vor einigen Jahren, als Wanderer seinen Schatten über

Bildseite 15: Über den endlosen Highway nach Westen.

Steinerne Naturwunder im Arches Nationalpark von Utah.

die Felswände huschen sahen. Die Fahrt über den Highway 12 wurde zum Geheimtipp und der Escalante Canyon rückte in den Prospekten der Reiseveranstalter an prominente Stelle. Lichte Wälder, schroffe Felsen und sprudelnde Wasserfälle säumen die ehemaligen Indianerpfade nach Escalante, von Geisterhand geschlagene Treppen führen in die Felsen und in einem abgelegenen Canyon liegt versteinertes Holz. Vor 150 Millionen Jahren, als die Gegend noch von Seen und Sümpfen bedeckt war, und sogar Palmen und Farne in der feuchten Erde wuchsen, wurden die Bäume von mächtigen Flutwellen entwurzelt und tief unter der Erde von der Sauerstoffzufuhr abgeschnitten. Eine Vielzahl von Mineralien vermischte sich mit dem Holz und ließ es steinhart werden. Am Hole-in-the-Rock bohrten die Siedler um 1880 ein Loch in die Felsen, damit sie mit ihren Planwagen weiterkamen. An Seilen ließen sie die Gefährte in den tiefen Canyon hinunter.

Am Fremont River, bei Fruita im Capitol Reef National Park, entstand eine Oase mit blühenden Obstbäumen. Ein bunter Flecken inmitten braunroter Felsformationen, die wie mächtige Tempel aus dem Boden ragen und im Sonnenlicht ihre Farbe wechseln. ‚The Castle', unerschütterlich wie eine mittelalterliche Festung, der ‚Temple of the Moon', beinahe Furcht einflößend, der Chimney Rock, tiefrot in der untergehenden Sonne. ‚Das Land des schlafenden Regenbogens' hieß Capitol Reef bei den Indianern, wegen seiner bunten Gesteinsschichten.

Mit einem Riff sollen ehemalige Seefahrer die Felsen verglichen haben, und weil ein weißer Felsen der Kuppel des Kapitols ähnelt, nannte man die Gegend ‚Capitol Reef'. 300 Meter ragen die schillernden Sandsteinwände über dem Fremont River empor.

Es soll einen steinalten Medizinmann geben, der gesehen haben will, wie der Schatten des Kojoten über Butch Cassidy lag, als er mit seinem legendären ‚Wild Bunch' durch das Felsenlabyrinth ritt. Der legendäre Bandit, der eigentlich Robert LeRoy Parker hieß und einer kinderreichen Mormonenfamilie entstammte, geriet als kleiner Junge in schlechte Gesellschaft und machte sich als Viehdieb und Bankräuber einen Namen. Am liebsten überfiel er Eisenbahnzüge. Zusammen mit Sundance Kid, seinem Partner, zog er sich mit der Beute nach Capitol Reef zurück und entkam dem Sheriff und seinem Aufgebot. Der ‚Cassidy Arch', ein Felsenbogen in seinem Versteck, wurde nach ihm benannt. Später flohen Butch und Sundance nach Südamerika. Sie wurden angeblich in Bolivien erschossen, so wie es in dem berühmten Film mit Paul Newman und Robert Redford gezeigt wird. Der Schauspieler folgte seinen Spuren über den Outlaw Trail.

Moab ist das kommerzielle Zentrum der Canyonlands. Das Städtchen im südöstlichen Utah wurde zum Ausgangspunkt für Ausflüge in die nahen Arches und Canyonlands National Parks und wimmelt während der Hochsaison von Touristen. Um sich die Leute vom Leib zu hal-

Zahlreiche Pfade führen in das Zauberreich des Bryce Canyon.

Der Bryce Canyon in Utah gehört zu den beliebtesten Nationalparks im amerikanischen Westen.

ten, griff Kojote zum selben Trick wie in Zion: 1940 ließ er einen riesigen Felsbrocken vom ‚Skyline Arch' abbrechen, der das Loch unter dem steinernen Bogen verdoppelte, und 1971 wiederholte er das Schauspiel am ‚Landscape Arch'. Seitdem sind die Menschen vorsichtiger geworden. Die beiden Felsenbögen liegen im Arches National Park, nur wenige Meilen vom geschäftigen Moab entfernt. Über 1.700 dieser Bögen wurden dort gezählt, am berühmtesten sind der ‚Landscape Arch' (89 Meter Spannweite), der ‚Delicate Arch' und die Doppelfenster des ‚Double Arch'. Der 3.600 Tonnen schwere ‚Balanced Rock' balanciert auf einem schmalen Podest. Der ‚Devil's Garden Trail' führt in einem steinernen Garten an sechzig Felsenbögen vorbei. Der ‚Tower of Babel' ragt aus dem zerklüfteten Land, wirft einen langen Schatten über die versteinerten Dünen der ‚Dune Mesa'. Die ‚Park Avenue' führt im Schatten der haushohen Felswände durch eine steinerne Stadt.

An die Entstehung der Goosenecks wird Kojote nur ungern erinnert. Die Legende will wissen, dass er vor den herabstürzenden Felsen floh und in einem wilden Zickzack zum Horizont stürmte. Seine kurvenreiche Spur füllte sich mit dem Wasser des Colorado Rivers. Verschämt zog sich der zottige Bursche in die Canyonlands zurück. Im rauen Hinterland des gleichnamigen Nationalparks begegnet er kaum Wanderern. Lediglich zwei Stichstraßen führen zu Aussichtspunkten in den riesigen Park. Im nördlichen ‚Island of the Sky District' hat man vom Grand

Die Rainbow Bridge am Lake Powell.

View Point Overlook einen atemberaubenden Ausblick auf die Canyons von Green River und Colorado River und beim Needles Visitor Center führen verzweigte Trails zwischen den rotweißen Felsnadeln der südlichen Canyonlands hindurch. Die Felswildnis im ‚Maze District' erreichen nur geübte Wanderer nach einem anstrengenden Marsch über markierte Trails. Sie sehen den Schatten des Kojoten zwischen den turmhohen Felsen und hören sein lang gezogenes Heulen, wenn sie nachts in ihren Schlafsäcken liegen. „Die Anasazi sind nicht ausgestorben", sagen die Navajos weiter südlich, „unsere prähistorischen Vorfahren haben sich in Kojoten verwandelt und schützen das Land vor der endgültigen Eroberung durch den weißen Mann." Kojote weiß es besser: Er war schon auf der Erde, als die Anasazi noch gar nicht im Südwesten waren. Und er wird noch durch die abgelegenen Canyons streifen, wenn alle Menschen gegangen sind und nur noch der Adler über den rotbraunen Felsen kreist.

2. Winnetous Erben

Die Situation der nordamerikanischen Indianer

Die Politik des Weißen Mannes hat Winnetous Erben in die Knie gezwungen, aber nicht besiegt. Die Zahl der Indianer hat sich seit der Landung von Christopher Kolumbus verdoppelt.

Winnetou lebt! Bei den Apachen in Arizona und den Northern Cheyenne in Montana, bei den Schoschonen in Wyoming und den Oglala Lakota in South Dakota. In den Sümpfen von Florida, auf der Prärie von Nebraska und in der Wüste von Kalifornien. In einem Apartmenthaus in Seattle, Washington, auf einer Farm in den Außenbezirken von Phoenix, Arizona, und in einem Vorort von El Paso, Texas. Als Pferdezüchter in Idaho, Lehrer in Pine Ridge, Rechtsanwalt in San Francisco und schwindelfreier Gerüstarbeiter auf einem halbfertigen Wolkenkratzer in New York. Als Krieger der Apachen bei einem traditionellen Pow-wow seines Stammes und Geschäftsmann im Anzug des weißen Mannes. Als Medizinmann der Navajo und Politiker der Northern Cheyenne in Washington. Die Indianer haben ihren Platz in der Welt des weißen Mannes gefunden, auch wenn zahlreiche Stämme ausgerottet wurden und die Zukunft vieler Überlebender auf Kosten ihrer Tradition und ihrer Kultur geht. Die Resignation weicht dem trotzigen Willen, das Erbe des indianischen Volkes zu bewahren und mit der Erinnerung an die Blütezeit der eingeborenen Amerikaner in eine bessere Zukunft zu gehen.

Im Jahre 1492, als Christoph Kolumbus die Neue Welt wieder entdeckte, lebten im nördlichen Teil des Doppelkontinents ungefähr 840.000 Indianer. Der Seefahrer lernte sie als freundliche und freigebige Menschen kennen und nannte sie ‚Indianer', weil er in dem Glauben war, an der Ostküste Asiens vor Anker gegangen zu sein. Er wusste nicht, dass er in Amerika gelandet und der Name ‚Indianer' die erste von vielen Ungerechtigkeiten war, die man diesem Volk zufügte.

Die Indianer kamen vor ungefähr 30.000 Jahren über die damals vereiste Beringstraße nach Nordamerika. In einem Zeitraum von vielen tausend Jahren verteilten sie sich über den ganzen Kontinent. Sie ließen sich als Ackerbauern oder Fischer nieder oder zogen als Nomaden und Jäger über das Land. Die Irokesen und Huronen im Nordosten der späteren Vereinigten Staaten, die Cherokee und Creek im Süden und Südosten des Landes, die Lakota und Cheyenne westlich der Großen Seen, die Comanchen und Kiowas auf den weiten Ebenen im späteren Texas, die Apachen und Navajos im Wüstenland des Südwestens, die Shoshones und Nez Percé in den Rocky Mountains und die Kwakiutl und Chinook an der Nordwestküste. Die Indianer bildeten kein einheitliches Volk, sondern waren in mehrere Sprachgruppen und eine Vielzahl von Stämmen und Gruppen aufgespalten, unterschieden sich wie Norweger und Italiener.

Zu Beginn des 17. Jahrhunderts, als die Besiedlung des nordamerikanischen Kontinents durch die Weißen an der Ostküste begann, stan-

Die Indianer des 21. Jahrhunderts blicken in die Zukunft.

den sich Indianer und Europäer freundschaftlich gegenüber. Die Eingeborenen ahnten nicht, dass den Pilgervätern viele hunderttausend andere Weiße folgen würden, und die Europäer hielten das Innere Nordamerikas für eine große Wüste, die man sowieso nicht besiedeln würde. Man beschränkte sich darauf, voneinander zu lernen und einander zu helfen. Zahlreiche Kenntnisse und Errungenschaften haben wir von den Indianern übernommen und die Indianer erfuhren vieles von den Weißen. Europäische Seefahrer brachten Kartoffeln, Tomaten, Mais, Tabak, Bohnen und getrocknetes Büffelfleisch in die Alte Welt und berichteten von den Anbaumethoden der ‚Wilden'. Die Indianer übernahmen Pferde, Schafe, Metall, Feuerwaffen, Alkohol und Medikamente von den Weißen. Durch diesen Austausch wurde aber auch der Kulturunterschied deutlich, einer der Hauptgründe für die blutigen Kriege zwischen beiden Rassen.

Fertighäuser in der Northern Cheyenne Reservation.

Die Indianer, die teilweise noch in der Steinzeit lebten, müssen durch die Ankunft der Weißen völlig verwirrt und aus dem Gleichgewicht gerissen worden sein. Die sprechenden Feuerrohre und die aus Metall gefertigten Waffen und Werkzeuge beeindruckten die Eingeborenen, aber was waren die Weißen ohne ihre starke Medizin wert? Konnten sie mit den Tieren und Pflanzen reden? Verstanden sie die Macht des Donners und des Blitzes? Waren sie bereit, im Einklang mit den unsichtbaren Mächten zu leben? Für die Indianer bedeutete Religion etwas Alltägliches, sie war untrennbar mit allen Handlungen verbunden. Sie verstanden sich als Teil des übermächtigen Kosmos, strebten nicht danach, sich diese Welt untertan zu machen wie die weißen Eindringlinge.

Der Weiße Mann zeigte keine Ehrfurcht vor der Natur. Das doktrinäre Christentum, die politische Entwicklung in Europa und die puritanische Erziehung bewirkten eine Denkweise, die er auch in der Neuen Welt nicht ablegte und die im 19. Jahrhundert mit dem Schlagwort ‚Manifest

Destiny' umschrieben wurde: Die Eroberung und Urbarmachung des Landes und die Niederwerfung der ,primitiven Wilden' wurden zum Credo einer ganzen Nation und zum religiösen Auftrag von Gottes Gnaden. Selbst Missionare schreckten nicht vor Mord und Versklavung zurück, um die ,armen Wilden' zu ,anständigen Christen' zu machen. Weiße Pelztierjäger erlegten einen großen Teil des Biberbestandes, weil die Menschen in Europa mit den Fellen ihre Kleider verzierten, und die Farmer rissen die heilige Erde auf, um Profit zu erzielen. Selbst der Tabak, der bei den Indianern nur zu zeremoniellen Anlässen benutzt wurde, verkam bei den Weißen zum Produkt und Genussmittel.

Die Indianer verstanden nicht, dass Besitz und Eigentum bei den Weißen als Statussymbole galten und dass sie ihren Besitz nicht mit den Armen und Schwachen teilten. Die amerikanischen Ureinwohner kannten keine Geldwirtschaft und sahen den Sinn des Lebens nicht im Ansammeln von materiellen Gütern. Die Weißen versuchten vergeblich, die Indianer zu Kaufleuten zu machen und in ihr System zu integrieren, und als immer mehr Schiffe vor der amerikanischen Küste ankerten und sich ein Schwall von Einwanderern über das Land ergoss, kam es zu blutigen Kriegen, die mit der Ausrottung ganzer Stämme und der Verbannung in Reservationen endete. Der Indianer wurde abgeschoben, nicht einmal als Feind respektiert und wie ein unmündiges Kind unter die Verantwortung der US-Regierung gestellt.

Die Pow-wows werden von Konzernen wie Coca-Cola gesponsert - ähnlich einer Sportveranstaltung.

Die Indianer besinnen sich auf ihre Vergangenheit und leben von der Erinnerung an die goldene Zeit der Krieger und Jäger.

In den Reservationen vollzog sich die eigentliche Niederlage des roten Volkes. Die Indianer wurden wie Gefangene behandelt, und der Willkür des Bureau of Indian Affairs (BIA), das die Aufsicht übernommen hatte, waren keine Grenzen gesetzt. Das ‚Büro für indianische Angelegenheiten' wurde 1824 gegründet und dem Kriegsministerium unterstellt. Rücksichtslose Agenten wirtschafteten in die eigene Tasche, zweigten Lebensmittel ab und verkauften sie an Weiße, religiöse Zeremonien wurden verboten und zahlreiche Kinder wurden ihren Eltern weggenommen und in viele hundert Meilen entfernte Internate gesteckt. Wer nicht an Heimweh oder gebrochenem Herzen starb, litt unter den Krankheiten des Weißen Mannes, die durch den mangelnden Platz, das schlechte Essen und die fehlenden sanitären Einrichtungen gefördert wurden. Die Indianer wurden von den Weißen abhängig, die alle Posten im BIA kontrollierten. Erst 1849 wurde das Büro dem Innenministerium übertragen und erst seit 1970 werden fast ausschließlich Indianer vom BIA eingestellt, das seitdem für – und nicht mehr gegen – die Stämme arbeitet.

Die Indianerpolitik der USA bewegt sich seit der Landung der Pilgerväter auf sehr unsicheren und gewundenen Pfaden. Am 8. Februar 1887 wurde die so genannte ‚General Allotment Act' erlassen, ein Landaufteilungsgesetz, das die Integration der Indianer beschleunigen und gewaltsam erzwingen wollte. Die Indianer sollten erstmals als Individuen und nicht mehr als Stammesgemeinschaft angesprochen und die Reservationen aufgeteilt und in Privatbesitz umgewandelt werden. Jeder Indianer sollte einen bestimmten Anteil erhalten und das ‚Überschussland' an Weiße abgegeben werden. Besonders die Stämme im Mittelwesten und in Kalifornien litten unter diesem Gesetz. Das ‚Indian Territory', ein abgestecktes Gebiet, wurde aufgegeben und den weißen Siedlern übergeben, die am 22. April 1889 um 12 Uhr den legendären ‚Oklahoma Run' starteten, einen Wettlauf um die besten Parzellen des Indianerlandes. Achtzehn Jahre später wurde Oklahoma zum Staat erklärt.

Im 20. Jahrhundert wich die Regierung keinen Deut von ihrer Politik der Unterdrückung ab. Obwohl viele Indianer für die USA im Ersten Weltkrieg gekämpft hatten, wurde ihnen erst am 2. Juni 1924 die amerikanische Staatsbürgerschaft gewährt. Es dauerte aber zwanzig Jahre, bis dieses Gesetz zur Anwendung kam, und selbst im Zweiten Weltkrieg kämpften viele Indianer für ein Land, das ihnen nicht einmal das Wahlrecht zubilligte. 1934 erreichten die demokratischen Abgeordneten Edgar Howard und Burton Wheeler mit ihrer scharfen Kritik an der Indianerpolitik, dass die ‚General Allotment Act' aufgehoben und durch die ‚Indian Reorganization Act' ersetzt wurde. Das Land wurde den Indianern zurückgegeben und sie durften sich jetzt selbst verwalten.

Unter Präsident Eisenhower in den fünfziger Jahren fand erneut eine Kehrtwendung statt. Unter dem Oberbegriff ‚Termination', der so viel

Zwischen Tradition und Gegenwart. Winnetous Erben kämpfen ums Überleben. Auf den Pow-wows vergessen sie ihre Sorgen.

wie ‚Beendigung‘ bedeutet, wurden die Indianer ihrer Stammesregierungen und ihrer Traditionen beraubt. Sie wurden gleichgemacht und auf den Weg des Weißen Mannes gezwungen. Sie verloren alle Privilegien, die ihnen auf den Reservationen gewährt worden waren, besonders die Steuerfreiheit, und sollten zu ‚vollwertigen Mitgliedern des amerikanischen Volkes‘ werden. Diese ‚Termination Act‘ erlaubte der Regierung sogar, indianisches Land für ‚regierungseigene Zwecke‘ an sich zu bringen, wie in Alaska vor dem Bau der Pipeline geschehen. Natürlich scheiterte dieses Gesetz, sehr zur Verwunderung der Amerikaner, die nicht verstehen konnten, dass Indianer eine weniger kapitalistische Einstellung zu Besitz haben.

Erst während der Amtszeit von Präsident Nixon (1969-1974) wurde der dramatische Schlingerkurs beendet. Unter dem Motto ‚Self Determination without Termination‘ wurden den Indianern ihre Sonderrechte zurückgegeben. Ihre miserable Lage wurde dadurch nicht geändert. Die Armut ist groß, in den meisten Reservationen sind über die Hälfte aller Bewohner arbeitslos und Alkohol und Drogen sind vor allem unter der jungen Bevölkerung zu einem ernsthaften Problem geworden. Die Lebenserwartung eines Indianers ist halb so hoch wie die eines weißen Amerikaners. „Keine aufgeschlossene Nation, keine verantwortliche Regierung, kein fortschrittliches Volk kann wollen, dass diese Zustände bestehen bleiben!“, sagte der ehemalige Präsident Lyndon B. Johnson bereits 1964, aber seitdem hat sich wenig geändert. Auch die gewaltsamen Proteste des ‚American Indian Movement‘ (AIM) am Wounded Knee und in Alcatraz änderten nichts an dieser Misere.

Aber die Indianer haben überlebt. Ihr Stolz und die Erinnerung an die goldenen Zeiten der Krieger und Jäger sind ungebrochen. In vielen Schulen wird wieder die Sprache ihrer Urgroßeltern gelehrt und die traditionellen Tänze und Lieder sind ein fester Bestandteil der farbenprächtigen Pow-wows. Winnetou lebt! Heute leben wieder knapp zwei Millionen Indianer in den USA. Die Apachen gehren zu den Stämmen, die am besten mit der neuen Zeit und dem weißen Mann zurechtgekommen sind. Das kleine Wüstenvolk, das sich am längsten und erbittertsten gegen die Weißen zur Wehr setzte und es schon damals verstand, sich einer veränderten Umwelt auf perfekte Weise anzupassen, brachte es in der White Mountain Reservation sogar zu einem gewissen Wohlstand. Geschäftstüchtige Apachen betreiben Tankstellen, Läden und ein Hotel in der Reservation und die fischreichen Flüsse und Seen im Bergland ziehen Touristen an. Die Apachen stülpen sich sogar Federhauben der Prärieindianer über, um dem Klischeebild, wie es in den Köpfen der meisten Besucher herumspukt, zu entsprechen. „Die Indianer haben unsere Absicht überlebt, sie auszurotten“, schrieb John Steinbeck, „und was noch viel erstaunlicher ist, sie haben unseren guten Absichten widerstanden, und diese können noch tödlicher sein.“

3. Auf den Spuren von Karl May: *Winnetou I*

Auf den Spuren von Old Shatterhand und Sam Hawkens durch den Llano Estacado ins heutige New Mexico, zum Rio Pecos und in die Heimat der Mescalero-Apachen.

Mr. Henry, der legendäre Büchsenmacher aus *Winnetou I* und Erfinder des Bärentöters, heißt Zeo Weinheimer und führt ein Waffengeschäft in Fredericksburg. Die verträumte Kleinstadt liegt im texanischen Hill Country. Dort leben die Nachfahren deutscher Siedler, die nach der gescheiterten Revolution im 19. Jahrhundert eine neue Heimat suchten und sich im zentralen Texas niederließen, weil sie das hügelige Land an ihre Heimat in Baden, Württemberg oder Hessen erinnerte. Die Vorfahren des Waffenschmieds wanderten tatsächlich nach St. Louis aus, wo der ‚wirkliche Mr. Henry' einen Waffenladen führte, und zogen erst später nach Texas weiter, weil ihnen die Stadt am Mississippi zu hektisch wurde. „Um 1850 stammte die Hälfte aller Weißen in Texas aus Deutschland", erklärt Zeo Weinheimer, ein stämmiger Mann mit Brille, der in seiner Safari-Kleidung und mit den beiden ‚Bärentötern', die er mir stolz präsentiert, eher wie ein Großwildjäger wirkt. Er spricht gebrochen Deutsch, hat die alten Ausgaben des *Fredericksburger Wochenblattes* studiert. „Unsere Stadt wurde 1846 gegründet, von einem Baron Ottfried Hans von

Zeo Weinheimer (in seiner Lieblingspose) vor seinem Waffengeschäft im texanischen Hill Country.

„Let´s go to Luckenbach, Texas . . .„

Meusebach, der mit mehreren deutschen Familien in diese Gegend gekommen war. Meine Vorfahren waren nach St. Louis ausgewandert und zogen nach Texas weiter, als sie von der deutschen Stadt in Texas hörten. Unterwegs wurden sie von Comanchen angegriffen und meine Urgroßmutter wurde entführt. Mein Urgroßvater hat monatelang nach ihr gesucht, sie aber nie gefunden.“ Einige Monate später, so erfahre ich, schloss John A. Meusebach, wie er sich jetzt nannte, einen separaten Friedensvertrag mit den Indianern ab. „Die Comanchen standen uns näher als die Apachen“, meint der Waffenschmied, der alle drei *Winnetou*-Bände in seinem Bücherregal stehen hat, „die Mescaleros ließen sich nur selten in unserer Gegend blicken.“

Männer wie Old Shatterhand gab es damals einige in Texas. Sie arbeiteten hauptsächlich als Bauern und Handwerker, aber einige werden auch als Landvermesser gelistet wie der ‚echte Old Shatterhand'. „Du brauchst nur in den alten Zeitungen und Tagebüchern zu stöbern“, empfiehlt

Zeo Weinheimer, der keine Waffen mehr baut, sondern nur noch verkauft und repariert, „die Wahrheit ist so spannend wie Karl May!“ Da wird von tapferen Deutschen erzählt, die sich gegen Banditen und Wegelagerer zur Wehr setzten und gegen feindliche Indianer kämpften. „Die deutschen Siedler waren genauso angesehen wie Old Shatterhand“, berichtet Zeo Weinheimer, „das änderte sich erst während des Zweiten Weltkrieges, als Hitler an der Macht war und die Amerikaner nach Europa einmarschierten. Damals wurde uns verboten, Deutsch zu sprechen, und alles Deutsche wurde aus der Stadt verbannt. Die Zeitung wurde eingestellt und nur unser Männergesangverein überlebte diese Zeit.“ Inzwischen lebt Fredericksburg von seinem deutschen Image, wird mit ‚deutscher Gemutlichkeit‘ geworben, und in den ‚Beergardens‘ wird rheinischer Sauerbraten mit Klößen und Sauerkraut serviert. Selbst Old Shatterhand hätte diesen Braten nicht angerührt.

Nördlich von Fredericksburg folge ich der Route, die Old Shatterhand und Sam Hawkens in *Winnetou I* nahmen. In einem Geländewagen fahre ich am Ufer des Canadian River entlang, über Nebenstraßen durch verstaubte Dörfer und über den brüchigen Asphalt der historischen Route 66, die in den siebziger Jahren des 20. Jahrhunderts vom kreuzungsfreien Interstate überrollt wurde. Viel ist geschehen seit jenen Tagen, als Winnetou, sein Vater Intschu tschuna und sein weißer Lehrmeister Klekih-petra aus den Hitzeschleiern ritten und sich beim Baumeister der geplanten Eisenbahnlinie über den Landraub beschwer-

Das deutsche Brauchtum lebt im texanischen Fredericksburg - auch wenn das Bier aus Colorado kommt und der Sauerbraten nach Pappe schmeckt.

Bildseite 30/31: Route 66 in Flagstaff, Arizona.

WESTERN HILLS
MOTEL
KINGS HOUSE
MOTEL
ENTERPRISE RD

FRONTIER
MOTEL
WELCOME
DIAL PHONE
FREE COFFEE
HBO
LARGE ROOMS
VACANCY
18
66
CIRCLE
Q
WESTERN
WEAR
TO
40
WES
Q

ten. Den staubigen Trails der Siedler und Goldsucher, die im Planwagen nach Westen zogen, folgte die Route 66, die von Harley-Davidson- und 57-Chevy-Fans immer noch als die einzig wahre Straße durch Amerika gepriesen wird, die ‚Mother Road of America', die 1926 dem Verkehr übergeben wurde und durch acht Bundesstaaten über 2.448 Meilen von Chicago nach Los Angeles führte. Eine Straße, die wie der Santa Fe Trail und die anderen Handelswege des Wilden Westens zum Mythos wurde, weil sie für die geplagten Siedler während der großen Wirtschaftskrise in den dreißiger Jahren die letzte Hoffnung war und am anderen Ende in Kalifornien die große Freiheit wartete.

Der Interstate 40 folgt derselben Route, führt mitten durch den Llano Estacado, den Karl May noch als wahre Hölle beschrieb. Das Land war so einsam, dass man die Wege mit Pfählen abstecken musste, um nicht die Orientierung zu verlieren.

„Diese Wüste fordert Opfer, die im Verhältnis zur Ausdehnung dieser Einöde viel zahlreicher und schrecklicher sind als die der Sahara Afrikas und der Shamo Hochasiens", schrieb Karl May. „Menschenleichen, Tierkadaver, Sattelstücke, Wagenreste und andere schauerliche Überbleibsel liegen am Weg und erzählen Geschichten, die zwar das Ohr nicht hören, aber das Auge desto deutlicher bemerken kann. Und darüber schweben hoch in den Lüften die Aasgeier." Inzwischen wurden Erdöl und Helium im Llano Estacado gefunden und ein Teil des Landes wird künstlich bewässert und für die Landwirtschaft genutzt: Im nördlichen Texas werden Weizen, Baumwolle, Gemüse und Sonnenblumen angepflanzt. Eine Entwicklung, die Winnetou und seine Apachen nicht voraussehen konnten. Sie waren Nomaden und betrachteten es als Frevel, wenn man die Erde mit Werkzeugen aufriss.

Auf die Spuren der Apachen stoße ich in Tucumcari, einem winzigen Nest an der Route 66 in New Mexico. Der Besitzer eines Curio Store, in dem Souvenirs der historischen Straße verkauft werden, berichtet von Wautonamah, einem Häuptling der Apachen, der den Tod nahen fühlte und wollte, dass ein besonders fähiger Krieger seine Nachfolge antrat. Er rief Tonopah und Tocom zu sich, die tapfersten Männer des Stammes. „Ich werde bald sterben", sagte er, „und möchte, dass einer von euch die Geschicke unseres Volkes leitet." Der Häuptling wusste, dass beide Krieger in seine Tochter Kari verliebt waren und sich nach einem Kampf sehnten. „Nehmt die großen Messer", fuhr der Häuptling fort, „und kämpft auf Leben und Tod! Der Sieger soll Häuptling werden und meine Tochter zur Frau bekommen!" Er ahnte nicht, dass Kari sich längst für Tocom entschieden hatte. Die Indianerin, die so schön wie Nscho-tschi gewesen sein muss, beobachtete den Kampf und stieß einen lauten Entsetzensschrei aus, als Tocom fiel. Sie rannte aus ihrem Versteck, tötete den verhassten Tonopah und sich selbst. Aber damit war das Blutvergießen noch nicht zu Ende. Wautonamah verzweifelte beim Anblick der Toten, riss seiner Tochter das Messer aus der Brust und brachte sich eben-

‚Wigwam Court' in Holbrook, Arizona.

falls um. „Tocom! Kari!", waren seine letzten Worte. Deshalb heißt die kleine Stadt heute Tucumcari!

Ob Winnetou von dieser Tragödie wusste, ist nicht überliefert, obwohl die Hauptpersonen dieses Schicksalsstückes zu seinem Stamm gehörten und vielleicht sogar in seinem Dorf wohnten. Karl May hat das Pueblo seines legendären Indianerhelden am Rio Pecos nördlich von Roswell angesiedelt, aber weder hat es in dieser Gegend ein Pueblo gegeben noch wohnten die Mescalero-Apachen in den festen Lehmhäusern ihrer nordwestlichen Nachbarn. Die dichterische Freiheit eines Schriftstellers, dem es vor allem darum ging, ein romantisches Epos über den Indianer schlechthin zu verfassen. *Winnetou* ist kein historischer Roman. Umso erstaunlicher erscheint die Erkenntnis, wie genau Karl May viele Sachverhalte und die Landschaft des Wilden Westens kannte. Selbst die schäumenden Fluten des Rio Pecos hat er richtig beschrieben, obwohl der Fluss in der Trockenzeit heute nur noch einem schlam-

Das ‚Fredericksburger Wochenblatt' erschien in deutscher Sprache.

migen Rinnsal gleicht. Ein Ergebnis der Regulierung durch Staudämme, die auch den einst so mächtigen Rio Grande gezähmt hat.

Winnetous Erben leben in der Mescalero Apache Reservation in der Sierra Blanca, nordöstlich von Alamogordo in New Mexico. Ein abgestecktes Gebiet, das den Nachfahren des stolzen Apachenhäuptlings wie ein Gefängnis vorkam. Um 1890 wurden die letzten Krieger besiegt und die weißen Behörden setzten alles daran, die überlebenden Apachen zu integrieren, ‚anständige Weiße' aus ihnen zu machen. Aber die Apachen wollten nicht wie Farmer leben, verabscheuten feste Häuser und ließen sich abseits der Agentur in Tipis nieder, die sie innerhalb weniger Minuten abbauen und woanders wieder aufbauen konnten. Sie nagten am Hungertuch, waren auf die Gnade der Weißen angewiesen. Über siebzig Prozent der knapp zweitausend Einwohner sind heute noch arbeitslos. Erst während der letzten Jahrzehnte gelang es ihnen, eine Einnahmequelle zu erschließen: den Tourismus. Die Forellen im Rio Penasco, die nur mit einem indianischen Angelschein gefangen werden dürfen, sind pfundschwer und in den Bergen wurden Wanderwege markiert und ein Skigebiet angelegt. Mittelpunkt dieses Touristenzentrums ist das ‚Inn of the Mountain Gods', ein riesiges Hotel, das indianische und moderne Stilelemente vereinigt und am Ufer des romantischen Lake Mescalero liegt. „Aber der erste Eindruck täuscht", sagt ein Apache, „wir sind nicht reich. Wir haben lediglich erkannt, dass wir den Weg des Weißen Mannes gehen müssen, wenn wir überleben wollen." Eine Erkenntnis, die auch Winnetou gewonnen hätte, wenn er heute noch leben würde.

4. Der Weg nach Fort Bowie

Historisches Fort am Apache Pass

Auf den Spuren der Apachen durch die einsame Wüste, an einer historischen Poststation vorbei zu den Ruinen von Fort Bowie, einem bedeutsamen Militärposten am Apache Pass.

Wir biegen in Bowie vom Interstate 10 ab und fahren in die Vergangenheit. Über eine unbefestigte Schotterstraße, die zum legendären Apache Pass führt, steuern wir nach Westen. Aus der Wüste, die unter flimmernden Hitzeschleiern liegt, ragen schroffe Felswände empor. Eine dichte Staubwolke hüllt unseren Chevy Blazer ein. Zum Glück funktioniert die Klimaanlage. Wir können uns lebhaft vorstellen, wie den Reisenden zumute gewesen sein muss, die im 19. Jahrhundert mit einer Kutsche der Butterfield Overland Stage nach Mesilla fuhren. Die ehemalige Kutschenstraße führt wenige hundert Meter von uns entfernt durch die Berge, am Wegesrand erkennen wir die Ruine einer Poststation.

Nach einer halben Stunde erreichen wir einen Parkplatz, der kaum als solcher zu erkennen ist. Wir parken neben einem buntbemalten VW-Bus, der aus der Hippie-Ära stammen könnte, und steigen aus. Die Hitze ist beinahe unerträglich. Die Sonne steht hoch über den zerklüfteten Bergen und schleudert ihre Hitze erbarmungslos auf das Land. Einige Kakteen ragen aus dem Geröll. Eine karge und menschenfeindliche Gegend, die zahlreichen weißen Siedlern zum Verhängnis wurde,

Der Weg nach Fort Bowie führt durch die Kakteenwüste des amerikanischen Südwestens.

Die Ruinen von Fort Bowie.

weil sie die Überlegenheit der Natur unterschätzten. Noch vor einigen Jahren kamen einige Touristen ums Leben, weil sie sich ohne einen ausreichenden Wasservorrat in die Wüste wagten und verdursteten. Wir kennen die Gefahren, haben gefüllte Feldflaschen an den Gürteln hängen und studieren das Schild, das am Anfang eines schmalen Trails in den Boden gerammt ist. Abenteuerlustige Wanderer werden darauf hingewiesen, dass das historische Fort Bowie nur über einen anderthalb Meilen langen Pfad zu erreichen ist. Ein weiteres Schild warnt: Klapperschlangen haben Vorfahrt! Wir wissen längst, dass es in dieser Gegend von Klapperschlangen wimmelt, und haben feste Boots angezogen.

Wir sind die einzigen Menschen auf dem einsamen Pfad. Von den Insassen des bunten VW-Busses ist weit und breit nichts zu sehen. Der Weg führt in zahlreichen Windungen durch ein weites Tal, das mit Kakteen und Mesquite bestanden ist und sich unter der lodernden Hitze zu ducken scheint. Auch wir stöhnen in der grellen Sonne, sind ihr hilflos ausgesetzt. Lediglich unsere Schlapphüte spenden etwas Schatten. Alle paar Schritte bleiben wir stehen und trinken aus den Feldflaschen. Nur die Apachen kamen in dieser mörderischen Hitze ohne Wasser aus. Wenn eine Quelle ausgetrocknet war, lutschten sie einen Kieselstein, damit ihr Körper wieder Speichel absonderte und den Durst milderte. Wir probieren es aus und es funktioniert tatsächlich. Aber ganz ohne Flüssigkeit würden wir keine zwei Tage überleben.

Ähnlich müssen sich die ersten weißen Abenteurer gefühlt haben, die in den späten fünfziger Jahren des 19. Jahrhunderts in diese Gegend von Arizona kamen und in den Bergen nach Gold und Silber suchten. Mit dem Unterschied, dass sie jeden Augenblick mit einem Überfall der Apachen rechnen mussten. Ähnlich wie Intschu tschuna und Winnetou waren auch Cochise und die anderen Anführer der Apachen über den Vorstoß der Weißen erbost. Selbst wir wären nicht überrascht, wenn wütende Krieger hinter einem Fel-

Fort Bowie, historische Aufnahme von 1894.

sen lauern würden. In der Einöde geht jedes Zeitgefühl verloren, denn die Wüste hat sich in den letzten hundertfünfzig Jahren kaum verändert. Sobald unser Chevy Blazer und der VW-Bus nicht mehr zu sehen sind, befinden wir uns in vollkommener Abgeschiedenheit. Nur die Hinweisschilder des National Park Service erinnern uns an die Gegenwart. Fort Bowie ist eine ‚National Historic Site' und steht unter Denkmalschutz.

Zu den ‚Sehenswürdigkeiten' am Wegesrand gehört die Ruine einer Poststation, die wir nach einem zwanzigminütigen Fußmarsch erreichen. Die eingefallenen Mauern erinnern an einen der Brennpunkte in der blutigen Auseinandersetzung zwischen der Armee und den Apachen. Hier führte die Route der Butterfield Overland Stage Coach Line vorbei und hier begann der lange Krieg gegen die Indianer. Bereits im September 1857 hatte John Butterfield die Erlaubnis bekommen, eine Postkutschenlinie zwischen Missouri und Kalifornien zu eröffnen. Ein knappes Jahr später wurde diese Station unterhalb des Apache Pass gebaut. Wenige hundert Meter entfernt lag eine Quelle mit frischem Wasser. Mit den Apachen gab es keinen Ärger, die Betreiber der Linie konnten Cochise davon überzeugen, dass keine Siedlungen an der Strecke geplant waren und die meisten Weißaugen nach San Francisco weiterfuhren. Cochise, der weiseste aller Apachenführer und Winnetou am ähnlichsten, vertraute ihnen.

Zum Krieg kam es erst im Oktober 1860, als die Ranch eines gewissen John Ward von Apachen überfallen wurde. Die Krieger entführten einen jungen Mexikaner und stahlen einige Rinder. Der Rancher glaubte, Cochise und seine Krieger erkannt zu haben, und die Armee schickte Second Lieutenant George Bascom mit einer kleinen Einheit ins Feld, um die Feinde aufzuspüren und den Jungen zurückzuholen. Im Februar 1861 lagerten Bascom und seine Soldaten neben der Poststation. Sie ließen den Posthalter im Unklaren über ihre Mission und gaben vor, sich lediglich auf einem Routineritt zu befinden. Das erzählte der Posthalter auch Cochise und einigen seiner Krieger, die kurze Zeit später bei ihm vorbeikamen. Sie hatten Bascom und seine Einheit beobachtet und wollten wissen, warum die Soldaten gekommen waren. Cochise wusste nichts von dem Kidnapping, die wahren Täter gehörten zu einem anderen Stamm im Territorium.

Cochise ähnelte Winnetou, er soll Karl May sogar als Vorbild für den roten Helden gedient haben. Bei seinen Studien muss der Volksschriftsteller auf diese historische Gestalt gestoßen sein und hat sich zumindest an dessen Charakter orientiert. Cochise glaubte an das Gute im Menschen und verspürte keinen Argwohn, als er zum Lager der Soldaten ritt und den Second Lieutenant zu sprechen wünschte. Bascom wähnte sich im Krieg und scherte sich nicht um Etikette. Er ließ den Häuptling und seine Krieger festnehmen, hoffte wohl, eine Medaille für seinen Einsatz zu bekommen. Stattdessen wartete nur Ärger auf ihn. Obwohl Cochise gefesselt war, gelang es ihm, die Rückwand des Armeezeltes zu zerschneiden

Ausritt im Land der Apachen.

und zu entkommen. Die wütenden Soldaten, die ihn sofort verfolgten, führte er in die Irre.

Bascom rächte sich auf grausame Weise. Gegen den Rat eines erfahrenen Sergeants ließ er sechs männliche Gefangene an den nächsten Baum hängen. Er konnte nicht ahnen, dass dieser Tod eines Apachen unwürdig war und nur mit Blut gerächt werden konnte. Cochise ließ nicht lange auf sich warten. Er griff den Second Lieutenant und seine Soldaten mit allen Kriegern an, wurde aber zurückgeschlagen, als die Artillerie anrückte und Kanonen auf die Apachen abfeuerte. Cochise änderte seine Taktik, konzentrierte seine Angriffe auf die Kutschen der Butterfield Overland Stage Line und einsame Farmen. Mit unerwarteter Grausamkeit fielen die Krieger über die verhassten Weißen her.

Mordend und brandschatzend zogen Cochise und seine Chiricahuas durch das Land und nahmen blutige Rache für Bascoms falsches Spiel am Apache Pass. Nirgendwo im Südwesten war man noch sicher, selbst in den großen Siedlungen zit-

Bildseite 40/41: Sonnenuntergang in der Wüste.

terte man vor den Angriffen der Chiricahuas. Die Indianer führten einen unbarmherzigen Krieg, der – nach einer wohl stark übertriebenen Schätzung – ungefähr fünftausend Weiße das Leben gekostet haben soll. Teilweise gaben die Apachen sogar ihre bewährte Guerilla-Taktik auf und griffen in großen Verbänden an.

Als erstes bekamen die Siedler der Santa-Cruz-Senke die Rache des Häuptlings zu spüren. Rauchwolken stiegen aus den Tälern und Frauen und Kinder wurden verschleppt. Goldsucher und Abenteurer, die sich in die Berge wagten, starben einen langsamen und qualvollen Tod. Die Armee hatte keine Zeit, sich um die aufständischen Indianer zu kümmern. Fort Buchanan wurde niedergebrannt, Fort Breckenridge geräumt und der größte Teil der im Südwesten stationierten Soldaten wurde in den Bürgerkrieg zwischen Nord- und Südstaaten (1861-1865) abgezogen. Die Armeeführung hatte andere Sorgen als ‚ein paar wildgewordene Indianer', vom wahren Ausmaß der Auseinandersetzungen hatte vorerst niemand in den Generalstäben eine Ahnung, die Siedler würden schon mit den Roten fertig werden.

Das Gegenteil war der Fall. Cochise nützte seine durch den Truppenmangel bedingte Überlegenheit aus, ging gnadenlos gegen die weißen Eindringlinge vor, obwohl er lange Zeit nichts von dem Bruderkrieg der Weißen wusste, da sich alle großen Schlachten im Osten abspielten. Er schrieb den Truppenabzug seiner geschickten Kriegsführung zu und beeilte sich, den verhassten Weißen den Gnadenstoß zu versetzen. Nicht nur die Chiricahuas hatten das Kriegsbeil ausgegraben. Auch die Mescaleros im Osten bekämpften die Siedler und selbst der inzwischen fast siebzigjährige Mangas Coloradas, ein Anführer der Mimbreno-Apachen[1], ließ sich von Cochise überzeugen und führte seine Krieger auf den Kriegspfad. Bald wurden Silber- und Kupferminen geschlossen, verängstigte Bergleute flohen nach Kalifornien und die Siedler luden ihre Habe auf Karren und fuhren in die großen Städte.

Die Wüste blieb unbeeindruckt von der blutigen Auseinandersetzung, verharrte in stoischer Gelassenheit unter dem blauen Himmel. Seit jenem Krieg hat sich wenig verändert in diesem Land, zumindest abseits der Straßen, wo die Natur noch immer stärker als der Mensch ist. Lediglich die Apachen sind verschwunden. Ihre Nachfahren leben in den Reservationen von Arizona und New Mexico, profitieren vom Tourismus und den Casinos, die auf dem Indianerland gebaut werden dürfen und ein paar Dollar einbringen. Winnetous Erben sind bescheiden geworden, sind schon froh, wenn ihr Überleben gesichert ist.

Wir marschieren weiter durch die sengende Hitze. Die Sonne brennt und vertreibt selbst die Klapperschlangen. Der Weg führt in ein weites

[1] Werner Legères großer historischer Abenteuerroman über das Leben von Mangas Coloradas, *Die Nacht von Santa Rita*, erschien 1997 in der Edition Ustad des Karl-May-Verlags.

Tal, das sich trostlos bis zu den schroffen Bergen ausbreitet. Hier ist es noch heißer als auf den Hügeln. Wir wandern am alten Friedhof des Militärpostens vorbei und erreichen ein ausgetrocknetes Flussbett mit felsigen Steilufern. In diesem Arroyo soll die legendäre Schlacht am Apache Pass stattgefunden haben, also nicht am Pass selbst, der eine Meile weiter westlich liegt. Wir bleiben stehen und blicken zu den Felsen empor. Dort hatten sich die Apachen verborgen, als Captain Thomas Roberts und über hundert Freiwillige der California Volunteers in das Flussbett ritten. Sie waren im Auftrag von Brigade-General James H. Carleton unterwegs, dem Kommandeur der Ersten Kalifornischen Freiwilligen und Major in der regulären US-Kavallerie, der das neue Arizona Territory mit seinen Soldaten besetzen wollte. Im Osten war der Bürgerkrieg ausgebrochen und die Männer sollten die konföderierten Streitkräfte des Südens daran hindern, zu den Goldfeldern im benachbarten Kalifornien vorzustoßen.

Die Apachen betrachteten den Aufmarsch der Soldaten als Kriegserklärung und stellten ihnen beim Apache Pass eine Falle. Am 16. Juli 1862 warteten sie geduldig auf das Anrücken der Weißen. Cochise und Mangas Coloradas boten ihre gesamte Streitmacht auf. Wahrscheinlich wäre der Überfall auch gelungen, hätten die Freiwilligen nicht Haubitzen dabeigehabt. Gegen die Feuerkraft der beiden Kanonen war selbst eine Übermacht von Kriegern machtlos.

Erst nach diesem Überfall wurde Fort Bowie als neues Bollwerk im Apachenland errichtet. Die Häuser aus Adobe-Lehm waren ein wichtiger Stützpunkt in den Kriegen gegen Cochise und Geronimo. Wir sehen nur noch die Überreste dieser Häuser. Die historischen Fotos in dem kleinen Museum der Ranger Station zeigen das Fort, wie es im 19. Jahrhundert ausgesehen hat: ein paar Lehmhäuser und ein Paradeplatz, umgeben von der einsamen Wüste und den Felsenbergen, in denen die Apachen lauerten. Zwischen den Ruinen wird uns klar, wie hart das Leben für die Soldaten gewesen sein muss. Die Hitze, die Einsamkeit, die Indianer – der Dienst in der Kavallerie war kein Zuckerschlecken. Wir rasten an der Quelle, die John Butterfield bewog, eine Poststation unterhalb des Apache Pass zu errichten, und blicken zu den Felsen hinüber. Wenn man lange genug in die Sonne blinzelt, glaubt man, Cochise und seine Krieger auf den Bergkämmen zu sehen. Oder Winnetou, der einige Charakterzüge des Apachenführers geerbt hat und das Glück hatte, wenigstens einen weißen Freund zu treffen – so wie Cochise.

5. Blutsbrüder: Cochise und Tom Jeffords

Die Geschichte der historischen Blutsbrüderschaft

Die Blutsbrüderschaft zwischen Cochise und dem weißen Posthalter Tom Jeffords soll Karl May als Vorbild für die Freundschaft zwischen Winnetou und Old Shatterhand gedient haben.

Thomas J. Jeffords war ein starker Mann mit rotem Haar und einem ebenso roten Bart. Er stammte aus New York, war aber schon als junger Mann nach Arizona gekommen und arbeitete dort mehrere Jahre als Kutscher, bevor er zum Posthalter der Strecke Fort Bowie – Tucson ernannt wurde. Zu dieser Zeit gruben Cochise und seine Chiricahua-Apachen das Kriegsbeil aus und er musste hilflos mitansehen, wie vierzehn Kutscher innerhalb von sechzehn Monaten von den Indianern getötet wurden.

Die Soldaten setzten den Apachen vergeblich nach und Tom Jeffords beschloss, das Problem auf eigene Faust zu lösen. An einem Herbsttag des Jahres 1866 ritt er allein und nur von den Gebeten seiner Freunde begleitet in die Berge, um Cochise aufzuspüren und mit ihm über einen Frieden zu reden. Der Entschluss war ihm nicht leicht gefallen und er wusste, dass seine Chancen mehr als gering waren, aber er ließ sich nicht von seinem Vorhaben abbringen. Schon gar nicht von den Soldaten, die ihn verspotteten und ihm einen grausamen Tod voraussagten.

In den Schluchten der Dragoon Mountains bewegte er sich ohne jegliche Vorsicht. Er wollte den Apachen zeigen, dass er keine Angst vor ihnen hatte, und schwenkte eine weiße Flagge, um ihnen zu beweisen, dass er in friedlicher Absicht kam. Er war sich im Klaren darüber, dass ihn jederzeit ein Krieger aus dem Hinterhalt angreifen konnte, aber er ritt unbeirrt weiter. Er spürte, dass jede seiner Bewegungen von den Apachen beobachtet wurde, und er war dankbar für jede Meile, die er in die Berge vordrang.

Tom Jeffords fühlte sich unbehaglich. Jeden Moment konnte ein Pfeil auf ihn abgeschossen oder ein Messer nach ihm geworfen werden. Warum sollten die Apachen ihn verschonen? Aber es geschah nichts. Der Posthalter sah erst Indianer, als er seinen Braunen wenige Meilen oberhalb des Apachenlagers zügelte. Sechs Apachen traten hinter ihm aus den Büschen hervor.

Der weiße Mann drehte sich vorsichtig im Sattel um. Die Chiricahuas bedachten ihn mit bösen Blicken, hielten schussbereite Gewehre in den Händen. Der Posthalter fühlte sich dem Tod noch nie so nahe wie in diesem Augenblick. „Ich komme in Frieden!", sagte er auf Spanisch, das fast alle Indianer im Südwesten der Vereinigten Staaten verstanden. „Führt mich zu Cochise!"

Die Indianer palaverten einen Augenblick in ihrer Muttersprache. Jeffords liefen kalte Schauer über den Rücken. Wenn sie ihm nicht glaubten, würde er einen qualvollen Tod sterben.

„Enju", meinte einer der Apachen endlich. „Komm mit!"

Bildseite 45: Tom Jeffords im hohen Alter.

Tom Jeffords atmete erleichtert auf. Er folgte den Kriegern über einen felsigen Hügelkamm in einen zerklüfteten Canyon und entdeckte die Wickiups der Chiricahuas im Schatten einiger Bäume. Frauen und Kinder traten aufgeregt aus den Reisighütten, als die Krieger den weißen Mann durch das Lager führten, und einige Hunde sprangen kläffend am Pferd des Posthalters hoch. Die Krieger blieben in angemessener Entfernung stehen.

Jeffords stieg von seinem Braunen.

„Du bist tapfer, weißer Mann!", erklang eine Stimme hinter ihm.

Jeffords fuhr erschrocken herum. Dort stand Cochise, der Anführer der Chiricahuas. Er war für einen Apachen erstaunlich hoch gewachsen und sein Körper wirkte stark und sehnig. Die dunklen Augen in dem kantigen Gesicht mit den hervorstehenden Backenknochen blickten den weißen Mann freundlich an.

„Du bist Cochise?", fragte Jeffords.

Der Apache verschränkte die Arme vor der Brust und blickte den Weißen neugierig an. „Was will der weiße Mann von mir?"

„Ich bin Posthalter in Mesilla!", antwortete Jeffords ruhig. „Ich bin für den Postbetrieb und das Leben der Angestellten verantwortlich. Einige Kutscher wurden von deinen Kriegern getötet, obwohl sie dein Volk nicht angegriffen haben. Das muss aufhören!"

Die schwarzen Augen des Apachen blitzten. „Es ist Krieg!", sagte er laut. „Auf beiden Seiten wird viel Blut vergossen."

„Das stimmt", erwiderte der Posthalter ruhig. „Aber warum sollen unschuldige Männer sterben, die nichts für diesen Krieg können? Die glauben, dass einmal Frieden zwischen Apachen und weißen Männern sein wird? Warum müssen sie büßen?"

Cochise dachte nach. Er war ein kluger Mann und fühlte, dass der weiße Mann mit gerader Zunge sprach. „Auch mein Herz sehnt sich nach Frieden!", sagte er. „Aber die meisten Weißen wollen nicht, dass Apachen in diesen Jagdgründen leben."

„Das ist wahr", erwiderte Jeffords ehrlich, „und ich bin traurig darüber. Aber warum sollen wir beide nicht Freunde werden?"

„Deine Worte sind gut", erwiderte der Häuptling nach einer längeren Pause. „Reite zurück nach Mesilla und sage deinen Postreitern, dass sie keinen Apachen mehr fürchten müssen."

Cochise hielt sein Wort. Im Verlauf des langen Krieges wurde kein Postreiter mehr überfallen. Und zwischen Thomas Jeffords und dem Häuptling der Chiricahuas entwickelte sich eine tiefe Freundschaft, die an die Blutsbrüderschaft zwischen Winnetou und Old Shatterhand erinnert. Manche Forscher behaupten sogar, dass Karl May über diese Freundschaft gelesen hatte und seine Helden nach diesen historischen Vorbildern schuf. Sogar die Beschreibung trifft teilweise auf Cochise und Tom Jeffords zu. Der weiße Mann verbrachte viele Tage im Lager der Apachen.

Den meisten Weißen gefiel natürlich nicht,

was Tom Jeffords über die Apachen und ihren Anführer erzählte. Die Berichte des Posthalters passten nicht in ihre Vorstellung von den kriegerischen und blutdürstigen Wilden. Aber Jeffords kümmerte sich nicht um das Gerede. Auch darum nicht, dass man ihn einen ‚Squawman' und ‚Indianerfreund' nannte. Niemand erfuhr von ihm, wo Cochise und die Chiricahuas sich versteckten, und niemand durfte mit ihm reiten, wenn er die Indianer besuchte.

An einem heißen Sommertag schlossen Cochise und Thomas Jeffords Blutsbrüderschaft – so wie Winnetou und Old Shatterhand. Nur wenige auserwählte Krieger waren zu dieser Zeremonie zugelassen. Einer von Cochises Söhnen brachte zwei Schalen. Mit einem Messer schnitt er in die Unterarme der beiden Männer. Das Blut floss in die Kelche. Dann drückten sie die Wunden aufeinander und tranken von dem Blut des anderen.

„Von nun an leiten uns dieselben Gedanken, Bruder", sagte Cochise ernst. „Wir sind wie die Kinder einer Mutter und ich darf dich Cheekasaw nennen ... mein Bruder. Ich habe gesprochen."

Die Freundschaft zwischen den beiden Männern wuchs, aber der Krieg zwischen ihren Völkern nahm kein Ende. General Crook und seinen Apachenscouts gelang es nicht, den Feind aufzuspüren, der immer dort auftauchte, wo man ihn am wenigsten erwartete. Erst als der so genannte ‚Bibel-General' Oliver Otis Howard im Herbst des Jahres 1872 im Apachenland auftauchte, schöpfte man Hoffnung. Diesem als besonders

Teufelstänzer der Apachen bei einer Veranstaltung in Arizona.

Die Jagdgründe der Apachen.

gottesfürchtig bekannten Offizier würde es vielleicht gelingen, Cochise zu einem dauerhaften Frieden zu überreden.

Der Bibel-General schaffte es. Er sprach mit Tom Jeffords und dieser bat seinen Blutsbruder, sich die Vorschläge des weißen ‚Nantan' anzuhören. Cochise willigte ein und im Oktober 1872 ritten Howard, Jeffords, Captain Sladen und die beiden Mimbreno-Scouts Chee und Ponse in das Lager des Apachenführers.

„Cheekasaw!", wurde Thomas Jeffords von Cochise begrüßt. „Ich freue mich, meinen weißen Bruder zu sehen!"

„Sei gegrüßt, Cheekasaw!", erwiderte der Posthalter. „Wir sind gekommen, um dir den Frieden zu bringen!"

„Lass uns darüber reden", erwiderte Cochise.

Die Beratungen zogen sich lange dahin. Mehrere Stunden spachen General Howard und Jeffords mit Cochise, der versuchte, gute Bedingungen für sich und sein Volk zu erlangen.

„Wir verlassen unsere Heimat nicht", meinte

er bestimmt. Schließlich willigte Howard schweren Herzens ein, die Chiricahua Reservation in den Jagdgründen der Indianer zu errichten.

Nach der Beratung erhob sich Cochise und trat vor Howard und Jeffords aus der Hütte. „Wir wollen Yusn befragen", sagte er.

Thomas Jeffords nickte und erklärte dem General, dass Yusn der Gott der Apachen war.

„Auch ich will mit Gott sprechen", meinte Howard ernst.

Wieder vergingen Stunden und die Weißen warteten geduldig, bis die Apachen ihre Zeremonie beendet hatten. „Möge Gott die richtige Entscheidung treffen", murmelte General Howard.

„Keine Bange", erwiderte Jeffords zuversichtlich. „Ihr Gott ist derselbe wie unserer. Die Apachen nennen ihn nur anders."

Als die Sonne beinahe hinter den schroffen Kämmen der Dragoon Mountains verschwunden war, kehrte Cochise zu den wartenden Männern zurück. Vor Jeffords blieb er stehen. „Von nun an", bestimmte er, „wird Frieden sein zwischen unseren Völkern!" Die Legende will wissen, dass er einen gefiederten Pfeil aus seinem Köcher zog und ihn vor seiner Brust zerbrach.

„Enju", sagte Jeffords mit feuchten Augen, „so soll es sein."

Wüste in der Apacheria.

6. Geronimo auf dem Kriegspfad
Der Freiheitskampf der Apachen

Die wahre Geschichte vom verzweifelten Kampf der letzten Apachen um ihre Freiheit. Geronimo und seine Krieger führten die US-Kavallerie monatelang an der Nase herum.

„Ungefähr fünfzig Chiricahua-Apachen unter Geronimo flohen letzte Nacht bei Fort Apache aus der Reservation und ziehen wahrscheinlich nach Mexiko. Truppen haben bereits die Verfolgung aufgenommen, um sie aufzuhalten, aber ich halte es für klug, dass Sie die Bürger des Landes vor den Aufständischen warnen." Diese Meldung sandte General George Crook am 18. Mai 1885 an alle Zeitungen und die Bürgermeister und Offiziere im Apachenland. Nach zweijährigem Frieden hatten Geronimo, Chihuahua und Mangus, der Sohn von Mangas Coloradas, ihr Wort gebrochen und die Reservation verlassen. Sie hetzten Nachez, den alten Nana und einige andere Häuptlinge gegen die Weißen auf und zogen in die Berge, um das Arizona-Territorium zum blutigsten Kriegsschauplatz der Vereinigten Staaten zu machen. Hauptverantwortlicher für den Aufstand der Apachen, so hieß es an der Grenze, war Geronimo, dessen Charakter als ‚verwerflich, bösartig und verräterisch' beschrieben wurde.

Geronimo und seine Krieger wandten sich südwärts und verwischten ihre Spuren so geschickt, dass Lieutenant Gatewood und eine Abteilung Indianerscouts nur mit Mühe die Fluchtrichtung der Apachen herausbekamen. Aber als der Offizier Crook wissen ließ, dass Geronimo und seine Krieger wahrscheinlich Unterschlupf in den verzweigten Schluchten der Black Range von Mexiko suchten, drangen plötzlich alarmierende Meldungen in das Hauptquartier der Armee. Größere Apachenbanden waren bei der Kupferminensiedlung Alma, nahe Silver City, aufgetaucht, hatten einige Bergleute getötet und auf der Ranch von James H. Cook mehrere Pferde gestohlen. Einige Tage später fand man drei weitere Tote, nur drei Meilen von Silver City entfernt.

Zehn Tage nach dem Ausbruch Geronimos, am 28. Mai des Jahres, hatten die Soldaten immer noch keinen feindlichen Apachen eingefangen, sie hatten nicht einmal einen Krieger zu Gesicht bekommen. Machtlos standen sie dem Feind gegenüber, der von Geronimo und Nachez geschickt geführt wurde. Die Presse reagierte bissig und teilweise recht scharf auf die erfolglosen Operationen der Armee. In bösen Schlagzeilen wurden General Crook und seine Soldaten verspottet und bloßgestellt. Eine Zeitung schrieb am 28. Mai. 1885: „Inzwischen wurden Einzelheiten über Geronimos Verbrechen in der Nähe von Silver City bekannt: Die Familie bestand aus Phillips, seiner Frau und zwei Kindern, drei und fünf Jahre alt. An jenem Morgen überfielen Geronimo und seine Bande die Familie und töteten alle außer dem ältesten Kind, einem Mädchen, das sie an einem Fleischerhaken aufhingen. Als einige Bürger aus Silver City sie fanden,

Bildseite 51: Geronimo.

72

lebte sie noch, aber der Haken war bis zum Hinterkopf eingedrungen. Man brachte sie in die Stadt, aber das Mädchen starb nach wenigen Stunden. Nach Meinung der Bürger kommt es ziemlich hart an, dass so etwas in Sichtweite eines Militärpostens und des Militärhauptquartiers geschehen konnte."

General Crook war verzweifelt. Fast alle verfügbaren Soldaten kämmten das Land nach feindlichen Apachen durch, aber keine Einheit bekam den Feind zu sehen, geschweige denn zu fassen. Die Indianer hatten sich in unzählige kleine Banden gespalten und führten einen geschickten Guerilla-Krieg. Die Armee war dieser Taktik nicht gewachsen. Als Mitte Juni die Angriffe vonseiten der Bevölkerung und der Presse immer massiver vorgetragen wurden, entschloss sich Crook zu einem mutigen Schritt. Er sandte zwei riesige Einheiten ins Feld, die dem Feind so lange auf den Fersen bleiben sollten, bis sie ihn gestellt hatten.

Am 11. Juni 1885 verließ Captain Emmet Crawford mit dem A-Trupp der 6. Kavallerie das Fort. Er wurde von Lieutenant Britton Davis und zweiundneunzig Scouts unter Al Sieber begleitet. Einen Monat später folgte ihm Captain Wirt Davis, der mit einem Trupp der 4. Kavallerie, zwei Packzügen und einhundert Indianerscouts unter Lieutenant Matthias W. Day ins Feld zog. Am 23. Juni stießen die Scouts von Crawford am Bavispe River in Mexiko auf frische Spuren der Apachen. Al Sieber deutete nach Süden, wo schwere Regenwolken über den Bergkämmen hingen. „Sie haben höchstens eine Stunde Vorsprung", sagte er. „Wir sollten ihnen eine kleine Abteilung Scouts auf den Hals schicken. Mit den Truppen sind wir in den Felsen viel zu langsam."

Crawford schob seinen Hut ins Genick und grübelte. „Mag sein", erwiderte er nach einer Weile. „Schicken Sie Chatto und dreißig Männer. Sie sollen Gefangene machen, wenn möglich!"

Bereits wenige Minuten später waren die Indianerscouts unterwegs. Chatto, vor einigen Jahren noch selbst von den amerikanischen Truppen gejagt, führte die weißen Soldaten gegen seine ehemaligen Stammesbrüder. Es regnete in Strömen. Regen peitschte auf das ausgedörrte Land und ein böiger Wind trieb den Scouts die Haare ins Gesicht. Riesige Pfützen bedeckten den Boden. „Wir müssen uns beeilen!", rief der Scout hinter Chatto. „Sonst verwischt der Regen endgültig alle Spuren!"

Chatto und seine Scouts ritten, was ihre Pferde hergaben. Ihre scharfen Blicke registrierten jede Spur in dem aufgeweichten Sandboden, ihre Hände umspannten die Kolben der schweren Karabiner. Nebelfetzen trieben vom Fluss herauf. „Bald haben wir sie", brummte Chatto. Er lenkte sein Pferd einen Abhang hinauf und sah sich einem Apachen aus Geronimos Bande gegenüber.

„Chatto!", rief der Krieger überrascht. „Du?"

Chatto riss sein Gewehr hoch und schoss den Indianer vom Pferd. Der Krieger starb, ohne einen weiteren Laut von sich gegeben zu haben.

„Verdammt!", schrie Chatto. „Die Rancheria!"

Die Scouts trieben ihre Pferde an und preschten laut schreiend in das Lager der Aufständischen. Einige Frauen und Kinder rannten in die Büsche und wurden von den Scouts gefangen genommen. Aber Geronimo und seine Krieger hatte der Nebel längst verschluckt. „Beinahe hätten wir sie erwischt!", fluchte Chatto. Er zeigte kaum eine Gefühlsregung, als er die Gefangenen zählte. Fünfzehn Frauen und Kinder und ein toter Krieger.

Wochen und Monate vergingen und die Blauröcke jagten immer noch vergebens hinter den Apachen her. ‚Der Gähnende', wie Geronimo mit seinem indianischen Namen hieß, kannte keinen Schlaf, durchquerte in wildem Zickzackkurs das Land und gab der Armee unlösbare Rätsel auf. Es grenzte fast an Zauberei, wie Geronimo und seine Hand voll Indianer die zahlenmäßig weit überlegene Armee immer wieder an der Nase herumführten.

General Crook versuchte sich vor der Bevölkerung und seinen Vorgesetzten zu rechtfertigen und suchte nach Entschuldigungen: „Das Land ist sehr rau und unzugänglich. Die Indianer kämpfen klüger und besser als je zuvor, teilen sich in mehrere kleine Banden auf und sind ständig auf der Hut. Die Spuren sind so verstreut, dass es beinahe unmöglich ist, sie zu verfolgen."

Im späten Herbst wandten sich Geronimo und seine Krieger wieder nach Norden und zogen mordend und plündernd durch die Chiricahua Mountains von Arizona. Crawfords Soldaten, der Erschöpfung nahe, verfolgten sie, aber als die Apachen ein ganzes Rudel erstklassiger Pferde stahlen, gaben sie die Verfolgung auf und ritten zurück nach Fort Apache.

General Philip Sheridan, der Vorgesetzte General Crooks, tobte vor Wut und bemühte sich selbst ins Apachengebiet. „Diesem sinnlosen Morden muss endlich Einhalt geboten werden!", fuhr er Crook an. „Einfach lächerlich, dass unsere glorreiche Armee nicht mit ein paar Wilden fertig wird!"

„Aber, Sir!", gab Crook zu bedenken. „Geronimo..."

„Ach was!", unterbrach Sheridan den General. „Ab heute führen Sie ein schärferes Ruder hier, oder..."

„Oder was?"

Sheridan winkte ab und stapfte wütend davon. General Crook trat zum Fenster und sah ihm nach, bis er hinter den Stallungen verschwunden war. Dann ließ er Captain Crawford zu sich kommen. „Trommeln sie ihre Leute zusammen, Captain!", befahl er Crawford. „Es geht wieder los ... und diesmal mit allen Männern, die eine Waffe halten können!"

Während Captain Emmet Crawford und eine große Einheit in Mexiko wieder nach Geronimos Apachen suchten, degradierten der weniger bekannte Anführer Chief Josanie und einige Apachen die Armee zu hilflosen Zuschauern. Mit ganzen neun Kriegern zog er durch die Schluchten der Mogollons und tötete Siedler, Rancher und Soldaten. Auch Lieutenant Sam Fountain, der mit einem Trupp Kavallerie und einigen Navajos Scouts nach Fort Bayard unterwegs war, bekam die Kampfkraft dieser kleinen Bande zu spüren. Am 19. Dezember ritten die Soldaten duch einen Hohlweg, der in einen Canyon mündete. Dichtes Schneetreiben behinderte die Sicht und die Pferde schnaubten unwillig. Die Männer sehnten sich nach ihren warmen Quartieren und einer Tasse heißen Kaffee.

„Verdammtes Land!", fluchte ein Soldat namens Babcock, der neben Dr. Maddox, dem Arzt der Truppe, ritt. „Entweder ist es zu heiß oder zu kalt!"

„Das wäre mir egal", erwiderte der Arzt, „wenn sich nur die Rothäute ruhig verhalten würden."

Babcock spuckte einen dicken Strahl Kautabak in den Schnee und schüttelte sich. „Das tun sie doch", sagte er. „Oder haben wir heute vielleicht schon Apachen gesehen?"

Dr. Maddox verzog die Mundwinkel. „Das ist es ja gerade", murmelte er.

Die Soldaten hatten den Canyon erreicht. Stürmischer Wind zerrte an ihren Wintermänteln und wehte dichte weiße Schleier über das Land. Keiner der Männer achtete auf die Felsen. Dort spannten im selben Augenblick zehn Apachen ihre Gewehre.

Die erste Kugel schlug Dr. Maddox in die Brust. Er wurde zurückgeworfen, konnte sich aber noch im Sattel halten. Blut drang aus seinem Mund und tropfte auf den Sattel. Er schwankte. Seine Hände umkrampften die Zügel, sein Atem ging schwer und rasselnd. Schweiß trat ihm auf die Stirn. „Reiten Sie weiter!", stöhnte der Arzt. „Ich lebe nicht mehr lange. Schnell, bevor die Apachen Sie auch noch erwischen!"

Babcock starrte seinen Kameraden nach, die in wilder Panik die Flucht ergriffen hatten. Vier tote Soldaten lagen blutend im Schnee. „By Gosh!", stieß er hervor. „Aber ich kann doch nicht..."

„Reiten Sie!", drängte Maddox keuchend.

Eine zweite Kugel traf ihn in den Kopf und er stürzte tot aus dem Sattel. Babcock gab seinem Pferd die Sporen und galoppierte davon. Kugeln schlugen neben ihm in den Schnee, aber die Schüsse wurden zu unkontrolliert abgefeuert, um ihn gefährden zu können.

„Gott sei Dank!", empfing Lieutenant Fountain ihn zehn Minuten später. „Sie leben wenigstens!"

„Aber fünf gute Männer mussten sterben!", erwiderte Babcock langsam und mit Tränen in den Augen. „Das müssen mindestens fünfzig Apachen gewesen sein."

Inzwischen ritten Josanie und seine neun Krieger weiter nach Westen, um sich Geronimo und seiner Bande anzuschließen.

Obwohl Presse und Bevölkerung ihn immer schärfer attackierten, gab General George Crook nicht auf. Anfang Januar 1886 schickte er Captain Crawford erneut nach Mexiko, diesmal mit First Lieutenant Marion P. Maus und einer großen Einheit Apachenscouts. Tom Horn, der Al Sieber als Chefscout abgelöst hatte, begleitete die Truppe.

Südlich des Haros River in Mexiko stießen die Soldaten erstmals auf den Feind. Nach einem anstrengenden Nachtmarsch, am Morgen des 9. Januar, überfielen sie ein Lager der Apachen und konnten sämtliche Vorräte und mehrere Pferde erbeuten. Obwohl alle feindlichen Indianer entkommen konnten, waren Geronimo und seine Krieger durch den Verlust von Ausrüstung und Reittieren empfindlich geschwächt.

Crawford zog weiter in die Sierra Madre hinein, fest entschlossen, dem Feind innerhalb der nächsten Tage den entscheidenden Stoß zu versetzen. Bevor es jedoch dazu kam, führte das Schicksal eine folgenschwere Begegnung zwischen Crawfords Soldaten und einer mexikanischen Einheit herbei. Die mexikanischen Soldaten wurden von mehreren Tarahumari-Scouts geführt, unter ihnen Mauricio, der vor einigen Jahren den Apachenführer Victorio getötet haben sollte. Die Begegnung fand an einem nebligen Morgen in einer der Schluchten im südwestlichen Teil der Sierra Madre statt. Die Scouts der mexikanischen Armee verwechselten Crawfords indianische Kundschafter mit feindlichen Apachen und eröffneten das Feuer auf die Männer.

Lieutenant Maus schrieb später über diesen tragischen Irrtum, den viele Historiker gar nicht als Irrtum, sondern als reine Absicht der Tarahumaris betrachteten: „Obwohl wir Taschentücher schwenkten und ihnen auf Spanisch zuriefen, wer wir waren, deckten sie uns fünfzehn Minuten lang mit scharfem Feuer ein. Dann schienen sie endlich gemerkt zu haben, dass wir amerikanische Soldaten waren. Einige von ihnen kamen langsam näher und Captain Crawford und ich gingen ihnen fünfzig Yards entgegen, um mit ihnen zu sprechen. Ich rief ihnen auf Spanisch zu, dass es sich bei unserer Truppe um amerikanische Soldaten handelte, und wies auf unsere Uniformen. Crawford sagte mir, ich solle zurückgehen, um unsere Scouts zu beruhigen. Ich drehte mich um, da wurde eine weitere Salve abgefeuert. Ich blickte zurück und sah Crawford mit einer Kopfwunde am Boden liegen. Sein Gehirn war über die Felsen verspritzt. Das alles geschah innerhalb von zwei Minuten. Crawford hatte wahrscheinlich mit seinem Taschentuch gewunken, als der Mord geschah. Mister Horn wurde durch dieselbe Salve verwundet. Es besteht kaum Zweifel, dass diese Männer wussten, dass sie auf amerikanische Soldaten feuerten. Ich übernahm das Kommando...“

Die Apachenscouts brachten Geronimo und seine feindlichen Indianer in arge Bedrängnis. Daran änderte auch dieser tragische Zwischenfall nichts. First Lieutenant Marion P. Maus führte die Truppe geschickt über die unwegsamen Felsenpfade der Sierra Madre und kam den Indianern so nahe, dass der greise Nana die Nerven verlor und sich mit seiner kleinen Schar ergab. „Ich will nicht mehr kämpfen“, sagte der Häuptling leise.

Einige Tage später erschien eine Apachenfrau im Lager der Soldaten. „Geronimo will mit dem weißen Nantan, den wir den Grauen Wolf nennen, über Frieden reden“, berichtete sie.

Bildseite 56/57: Stausee im Apachenland.

Die Lippen des Lieutenants verzogen sich zu einem Lächeln. „Geronimo spricht gute Worte“, sagte er. „Wo soll die Verhandlung stattfinden?“

„Canyon de los Embudos“, antwortete die Frau knapp. „Der Graue Wolf soll mit zwei Blauröcken kommen!“

Maus steckte sich eine Zigarre zwischen die Zähne und überlegte lange. Seine Augen blickten angestrengt in die Ferne. „In Ordnung“, sagte er. „Sage Geronimo, der Graue Wolf wird mit ihm verhandeln.“

General Crook sah auf die Meldung, die ihm der Telegrafist gebracht hatte. „Canyon de los Embudos!“, murmelte er. „Das heißt doch ‚Schlucht der Gauner‘. Schöner Platz für eine Friedensverhandlung!“ Er rief nach Captain John Burke. „Sagen Sie den Leuten Bescheid!“, befahl er. „Wir reiten in einer Stunde!“

Am 25. März 1886 erreichten General Crook, mehrere Offiziere und einige Zivilisten, unter ihnen C. S. Fly, ein Fotograf aus Tombstone, den Canyon de los Embudos. Zwei Apachenscouts begleiteten den General. Lieutenant Maus empfing Crook außerhalb des Wäldchens, in dem die Apachen lagerten.

„Es wird nicht ganz einfach sein“, sagte er zu seinem Vorgesetzten. „Dieser Nachez und auch Chihuahua machen nicht viel Kummer, aber Geronimo stellt sicher harte Bedingungen.“

Crook schob seinen schmalkrempigen Hut ins Genick und wischte sich den Schweiß von der Stirn. „Ich dachte mir so etwas“, sagte er und deutete auf Alchise und Ka-ya-ten-nae, die mit unbeweglichen Gesichtern auf ihren Ponys saßen. „Die Scouts kennen Geronimo und werden sicher mit ihm fertig.“

Am Nachmittag begannen die Verhandlungen. Die beiden Apachenscouts legten ihre Waffen ab und näherten sich dem Lager der abtrünnigen Apachen. Crook und Lieutenant Maus lehnten sich gegen einen Felsen und hielten den Atem an. Was würden die beiden Kundschafter erreichen?

Am nächsten Morgen kehrten Alchise und Ka-ya-ten-nae aus dem Wädlchen zurück. Sie konnten vor Erschöpfung kaum aus den Augen blicken und sanken vor den beiden Offizieren auf einen Felsbrocken.

„Was ist?“, fragte Crook aufgeregt.

Alchise nickte langsam. „Geronimo will Frieden mit dir machen“, sagte er leise. „Er erwartet dich.“

Crook seufzte erleichtert. Er rief nach seinen Offizieren und den Zivilisten, die seine kleine Abordnung nach Süden begleitet hatten. Zusammen gingen sie auf die Lichtung. Geronimo saß mit überkreuzten Beinen auf dem laubbedeckten Boden. Chihuahua und Josanie standen einige Meter entfernt bei den Pferden.

„Ich grüße den Grauen Wolf!“, sagte der Apachenführer. „Es ist an der Zeit, endgültig vom Frieden zu reden!“

Crook ließ sich dem Häuptling gegenüber auf dem weichen Boden nieder, auch die Offiziere und Zivilisten setzten sich. „Geronimo spricht gute Worte!“, sagte General Crook. „Und er wird seinen Entschluss nicht bereuen.“

Einige Stunden später besiegelten Crook und Geronimo den Frieden mit einem Handschlag und der Fotograf C. S. Fly bannte eine der wertvollsten Aufnahmen aus der Geschichte des Westens auf seine Platte.

Der Südwesten atmete auf – aber die Freude über den Frieden währte nicht lange. Ein gewissenloser Schurke namens Bob Tribolett verkaufte Geronimo und Nachez billigen Whiskeyfusel und die beiden Apachen feierten bis spät in die Nacht hinein den Frieden. In volltrunkenem Zustand jedoch revidierten sie ihre Entscheidung. Sie flohen mit zwanzig Kriegern und neunzehn Frauen und Kindern und tauchten in der zerklüfteten Sierra Madre unter.

Crook war verzweifelt, General Philip Sheridan tobte und zog den General am 28. April 1886 aus dem Apachengebiet zurück. Zwar hatte Crook gefährliche Häuptlinge wie Nana, Chi-

Crook (rechts mit Tropenhelm) und Geronimo. Foto von C. S. Fly.

huahua und Josanie zum Frieden überreden können, die beiden hartnäckigsten Anführer aber befanden sich wieder in Freiheit und zu einem letzten entscheidenden Feldzug reichte dem Grauen Wolf anscheinend die Kraft nicht mehr. General Nelson A. Miles übernahm seinen Posten als Befehlshaber der Truppen.

Und wieder zitterte der Südwesten vor aufständischen Apachen. Noch drei Monate lang würden Geronimo und Nachez den Amerikanern zeigen, mit welcher Grausamkeit und erbitterten Entschlossenheit Apachen um ihre Freiheit zu kämpfen wußten.

Am Mittag des 12. April 1886 trat General George Crook aus seinem Quartier und blickte aus zusammengekniffenen Augen dem Wagen entgegen, der von sechs Maultieren in den Hof des Forts gezogen wurde. Staub wallte auf, als der Kutscher an den Zügeln zog und die Kutsche zum Stehen brachte.

„General Miles?", fragte Crook. Ein hoch gewachsener Mann mit buschigen Augenbrauen und kalten, blauen Augen war aus dem Wagen geklettert und klopfte sich den Staub aus der Kleidung. Der Offizier blickte auf und schüttelte Crook die Hand. „So ist es", erwiderte er. „Gibt es Neuigkeiten?"

Crook bat seinen Nachfolger ins Offizierskasino und ließ eine Flasche Whisky bringen. Er schenkte zwei Gläser ein und musterte General Miles, der aus seiner Verachtung kein Hehl machte. „Nur schlechte", brummte Crook und nippte an seinem Whisky. „Geronimo, Nachez und Mangus halten sich mit zwanzig Kriegern und sechzehn Squaws und Kindern in Mexiko versteckt. Wird schwer sein, sie einzufangen."

Miles trank sein Glas leer und wischte sich mit dem Handrücken über die Lippen. „Abwarten", erwiderte er kühl. „Ich habe meine eigenen Vorstellungen, wie man diese verdammten Indianer besiegen kann."

„Und die wären?"

„Kavallerie!", sagte General Miles. „Apachenscouts machen nur Kummer, das hat man ja gesehen."

„Sie wollen auf die Scouts verzichten?", stieß Crook verwundert hervor. „Aber, Sir! Die Scouts sind die einzigen..." Er sah in die kalten Augen von Miles, schluckte trocken und erhob sich, ohne ein weiteres Wort zu sagen.

In den folgenden Monaten stand General Nelson A. Miles im Kreuzfeuer der Kritik. Aber da sich der neue Befehlshaber im Gegensatz zu Crook auf den Mut und die Kampfeserfahrung weißer Männer verließ, standen die Presse und auch Philip Sheridan hinter ihm und verteidigten ihn gegen alle Angriffe aus der Bevölkerung.

Ohne Zweifel besaß Nelson A. Miles militärische Qualitäten und hatte diese auch schon in anderen Indianerkriegen unter Beweis gestellt. Doch Apachen kämpften nicht wie Prärieindianer. Sie führten einen Guerilla-Krieg, streiften in kleinen Banden durch die Berge, um Soldaten und Zivilisten in Hinterhalte zu locken. Nachez und Geronimo war mit konventionellen taktischen Schachzügen nicht beizukommen, man musste sie mit ihren eigenen Waffen bekämpfen, wie Crook richtig erkannt hatte.

Miles' Theorie erwies sich als Fehlkalkulation. Obwohl starke Kavallerie-Einheiten die Berge absuchten und der General ständig durch Sonnenspiegel, die auf den Bergkämmen postiert waren, über den jeweiligen Standort der Truppen informiert wurde, konnten die Soldaten keine aufständischen Apachen ausfindig machen. Die Indianer streiften in zwei Banden, von Geronimo und Mangus geführt, durch die Berge und tauchten immer dort auf, wo man sie am wenigsten erwartete. Sogar bis in unmittelbare Nähe der großen Reservationen wagte sich der Feind.

Anfang Mai ritten zwei kleinere Einheiten unter Captain T. C. Lobo und Captain Hatfield in einen Hinterhalt der Apachen. Lobo verlor einen Soldaten, Hatfield musste zwei Tote beklagen. Geronimo und Nachez triumphierten, denn die Blauröcke des neuen Generals machten es ihnen leicht.

General Miles knirschte vor Wut, als ihm die Nachrichten zu Ohren kamen. Er sank in seinem Stuhl zurück, der Federhalter in seiner Hand zerbrach splitternd und seine Augen funkelten wütend. Nach einigen Minuten erhob er sich ruckartig und rief nach Captain H. W. Lawton.

Der Captain lief eilig über den Hof des Forts und trat aufgeregt in das Zimmer seines Vorgesetzten.

„Kommen wir gleich zur Sache!", sagte Miles schlecht gelaunt. „Suchen Sie die besten Kavalleristen aus und reiten Sie mit ihnen nach Mexiko!"

„Geronimo?", fragte der bullige Captain.

Miles nickte. Er hatte die Hände zu Fäusten geballt. „Diesmal müssen wir ihn erwischen!", presste er hervor. „Sagen Sie auch Captain Wood Bescheid, er soll Sie mit einer Kompanie Infanterie begleiten!"

Captain Lawton salutierte und wandte sich zur Tür. „Und wenn wir die Apachen nicht finden?", fragte er.

General Miles gab keine Antwort, setzte sich hinter seinen Schreibtisch und griff nach einigen Akten, die er längst bearbeitet hatte.

Wochenlang irrten Captain H. W. Lawton und Captain Leonard Wood mit fünfunddreißig ausgesuchten Kavalleristen und einer Kompanie Infanterie durch das mexikanische Bergland. Die Apachen waren wie vom Erdboden verschwunden, eine weitere Suche schien zwecklos. Einige der Soldaten redeten bereits von Rückkehr und nur die beiden Captains schienen noch fest von einem Sieg des weißen Mannes überzeugt.

„Das ist doch ein Witz!", lachte Lawton. „Eine Hand voll Wilder gegen die ganze Armee des Südwestens ... Wir müssen den Krieg einfach gewinnen!"

Der Feldzug hätte wahrscheinlich nie ein Ende gefunden, wenn nicht ein Krieger die aufständischen Indianer verlassen und sich Lieutenant Charles B. Gatewood in Fort Apache ergeben hätte. Gatewood, der sich schon unter Crook hervorgetan hatte und nicht gerade begeistert von Miles' taktischem Konzept war, ließ den Apachen in sein Quartier bringen. „Du hast Geronimo verlassen?", fragte der Lieutenant.

Der Indianer, der von zwei Sergeanten entwaffnet worden war, starrte zu Boden. „Ki-e-ta will Frieden und bittet den weißen Nantan um gerechte Behandlung."

Gatewood, der die Apachen besser als die meisten Offiziere der Armee kannte, dachte nach. Dies war die einzige Möglichkeit, Geronimo und Nachez zum Frieden zu überreden, nur Männer aus ihrem eigenen Volk konnten die beiden alten Haudegen überzeugen.

„Ich verspreche dir gute Behandlung", erwiderte der Offizier. „Aber ich habe auch ein Bitte an den tapferen Krieger."

Der Apache runzelte die Stirn und hob die Augenbrauen. „Wärst du bereit", fragte Gatewood, „der Armee bei ihren Friedensverhandlungen zu helfen?"

„Was soll ich tun?", brummte Ki-e-ta.

„Uns zu Geronimo führen und mit ihm über den Frieden verhandeln!"

Der Apache zuckte zusammen. Er kaute nervös auf seiner Unterlippe und rieb sich über die Wange. „Enju!", sagte er dann.

Lieutenant Charles B. Gatewood fragte General Miles telegrafisch um Erlaubnis für seine Friedensmission und der Befehlshaber zeigte sich einverstanden. Er erkannte nicht, dass er zur Taktik seines Vorgängers Crook zurückkehrte.

Gatewood verließ Fort Apache am 13. Juli 1886. Den hoch gewachsenen, schmalbrüstigen Lieutenant mit der kantigen Nase begleiteten Ki-e-ta, der Apachenscout Martine und eine kleine Einheit ausgesuchter Männer. Die Truppe ritt südwärts, der mexikanischen Grenze entgegen.

Am 3. August stießen sie am Haros River in Mexiko auf Captain Lawton und seine Soldaten. Gatewood unterstellte sich und seine Männer dem Befehl des Captains, denn er wollte sich in Sicherheit wissen, bis seine beiden Apachenscouts die Spuren der Aufständischen gefunden hatten.

Drei Wochen später war es endlich so weit. Die Truppen kampierten unter einigen Bäumen in einer Schlucht nahe der Stadt Fronteras, als ein Mexikaner in das Lager der Soldaten gesprengt kam und vor Lawton aus dem Sattel sprang. Es regnete in Strömen und Wasser tropfte von dem Sombrero des Reiters. „Apachen!", rief er aufgeregt. „Wir haben zwei Squaws in Fronteras getroffen! Geronimo will in unserer Stadt verhandeln!"

„Geronimo kommt nach Fronteras?", fragte Lawton ungläubig.

„Si, si!", antwortete der Mexikaner. „Aber wir bereiten ihnen einen heißen Empfang. Unsere Soldaten verstecken sich in den Häusern, und wenn die Apachen kommen..."

Lieutenant Gatewood sah, wie Lawton rot anlief, und trat neben den Captain. „Lassen Sie ihn gehen", flüsterte er seinem Vorgesetzten zu. „Ich erkläre ihnen gleich, warum."

Als der Mexikaner davongaloppiert war, beruhigte Lieutenant Gatewood die beiden Captains und einige Soldaten, die dem Reiter wütende Schimpfworte nachriefen. „Keine Angst“, sagte er. „Es gibt kein Gemetzel. Die Mexikaner warten vergebens.“

„Und woher wollen Sie das wissen?“

„Ich kenne Geronimo“, erwiderte der Lieutenant. „Der reitet überall hin – nur nicht in eine mexikanische Stadt. Dazu hasst er die Mexikaner viel zu sehr. Wenn er verhandelt, dann mit uns.“

Lawton wiegte bedächtig den Kopf. „Und was wollten die Squaws in Fronteras?“, fragte er.

„Vorräte natürlich“ antwortete Gatewood. „Vielleicht wollen sie uns auch zu ihrem Häuptling führen... Das wäre das Beste.“

„Sie wollen den Frauen folgen?“

„Ja“, erwiderte Gatewood knapp. „Es ist die einzige Chance!“

Lieutenant Gatewood, Ki-e-ta, Martine und zwanzig Indianerscouts ritten achtzig Meilen ohne Unterbrechung, bis sie am Bavispe River

Nachez und Geronimo nach ihrer Gefangennahme.

auf die Spuren der beiden Frauen stießen. Ki-e-ta zeigte nach Norden und der Lieutenant trieb sein Pferd an. Er hielt einen Stock in der Hand, an dem ein leerer Mehlsack flatterte, der als Friedensflagge diente.

„Siehst du Apachen?“ Gatewood blickte Ki-e-ta an, der neben ihm ritt und ständig die schroffen Kämme der Berge absuchte.

Der Scout zuckte mit den Schultern. „Ich sehe keine Krieger, aber Geronimo und Nachez beobachten uns sicher.“

Gatewood starrte auf die Berge und dachte an die alte Grenzerweisheit, dass sich Apachen nur blicken ließen, wenn sie es für richtig hielten. Auf keine Bande traf dieser Satz mehr zu als auf Geronimo und seine Chiricahuas. Die letzten Apachen, wie sie die Zeitungen nannten, kämpften am gerissensten von allen Stämmen.

„Dort!“, sagte Ki-e-ta plötzlich. „Zwei Krieger!“

Gatewood umklammerte den Stab mit der Flagge fester.

Zwei Apachen ritten hinter einigen Felsen hervor und hoben ihre rechte Hand zum Zeichen des Friedens. „Wir grüßen Bay-chen-day-sen, den die Weißen Gatewood nennen“, sagte einer der Krieger. „Geronimo will mit dir über den Frieden sprechen.“

„Auch wir wollen mit dem Häuptling verhandeln“, sagte Gatewood und deutete auf Ki-e-ta un Martine. „Meine beiden Scouts werden mit euch reiten.“

„Nein!“, antwortete der Krieger. „Geronimo will mit Bay-chen-day-sen sprechen und keinem anderen! Er hat Vertrauen zu dem Blaurock mit der gütigen Stimme.“

„Gut“, sagte der Offizier und konnte ein zufriedenes Lächeln nicht verbergen. „Ich komme mit euch!“

Geronimo legte sein Gewehr beiseite und näherte sich Lieutenant Gatewood, der zwischen den beiden Kriegern aus dem Sattel stieg.

„Bay-chen-day-sen ritt einen weiten Weg, um mich zu sprechen“, begrüßte Geronimo den Lieutenant. „Wir haben dich dauernd beobachtet.“

Gatewood ließ sich auf einem Felsbrocken nieder und nahm seinen Hut vom Kopf. Seine Augen blickten ernst auf den Chiricahua-Häuptling, der ihm gegenüber an einem Baumstamm lehnte. Nichts in der Miene des Anführers verriet, was in seinem Innern vorging. Seine Lippen bildeten einen schmalen Strich. „Was hat General Miles uns zu sagen?“, fragte er.

„Ich will ehrlich sein“, erwiderte Gatewood. „Bedingungslose Kapitulation. Danach sollt ihr nach Florida gebracht werden und dort bleiben, bis der weiße Nantan über euch entschieden hat!“

Geronimos Blick wurde hart. „Und wenn wir mit diesen Bedingungen nicht einverstanden sind?“

„Kampf bis zum letzten Atemzug!“

Geronimo erstarrte und auch seine Krieger, die in respektvoller Entfernung auf dem Boden saßen und den Worten der beiden Männer lauschten, zuckten zusammen. „Wir wollen in die Reservation, nicht nach Florida!“, entgegnete

Die Kulisse des Films GERONIMO - AN AMERICAN LEGEND.

Geronimo laut. An seinen Schläfen traten Adern hervor. „Wir verlassen unsere Heimat nicht!"

Der Offizier beruhigte den aufbrausenden Häuptling. „Alle Apachen ziehen nach Florida", sagte er. „Eure Verwandten und Bekannten ... alle eure Freunde."

Geronimo überlegte lange. Er sah auf seine Krieger, blickte in die Augen von Nachez und hob die Schultern. „Was würdest du an meiner Stelle tun?", fragte er den Lieutenant.

„General Miles vertrauen", antwortete Gatewood. „Ja, das würde ich tun! Ich würde nach Florida ziehen und auf die Entscheidung des Präsidenten warten. Und eines Tages würde man mich bestimmt in die Heimat zurückbringen."

„Deine Worte klingen gut", erwiderte Geronimo, „und du hast nie mit gespaltener Zunge gesprochen. Wir kommen mit dir und beschließen mit General Miles den Frieden!"

Gatewood atmete auf und ließ erleichert die

General Nelson A. Miles.

Schultern sinken. Geronimo, der letzte freie Apache, war zum Frieden bereit!

Gatewood und die aufständischen Apachen zogen am San Bernardino River entlang nach Norden, bis sie den Skeleton Canyon in Arizona erreichten. Lawton und seine Einheit hatten sich dem Lieutenant unterwegs angeschlossen. Stürmischer Wind trieb Gestrüpp an die Felswände, als die Soldaten im Canyon ihr Lager aufschlugen. „Miles lässt auf sich warten!“, sagte Gatewood.

Einige Wochen vergingen und General Miles erschien immer noch nicht. Lieutenant Gatewood lief nervös auf und ab, Geronimo zog an einer Zigarre, die ihm ein Soldat geschenkt hatte.

„Warum kommt der General nicht?“, fragte Geronimo ungeduldig. „Ist ihm der Friede so unwichtig?“

„Er kommt bestimmt!“, beruhigte Gatewood den Häuptling.

General Miles erschien am 3. September 1886 im Skeleton Canyon. Eine Einheit Kavallerie begleitete ihn. Die Männer blickten misstrauisch auf die Apachen, die fünfzig Meter entfernt lagerten. „Ich wurde in Tucson aufgehalten“, entschuldigte sich der General. „Stellt Geronimo Bedingungen?“

Gatewood schüttelte den Kopf. „Er vertraut auf den großen weißen Nantan.“

„Sehr gut!“, antwortete Miles. „Dann hätten wir es ja geschafft!“

Die Friedensverhandlingen mit General Nelson A. Miles dauerten nur wenige Stunden. Lieutenant Gatewood hatte gute Vorarbeit geleistet. Dem schmalbrüstigen Mann mit dem kantigen Gesicht gebührt der eigentliche Verdienst um den endgültigen Frieden in der Apacheria.

7. Auf den Spuren von Karl May: *Winnetou II*

Der zweite Teil der *Winnetou*-Trilogie beginnt an der texanischen Golfküste, einer wildromantischen und eigenwilligen Landschaft.

Die ‚Kingfisher' ist wesentlich kleiner als der Clipper, der Old Shatterhand von New Orleans nach Matagorda brachte, und wir brauchen in diesen Gewässern auch keine Angst vor modernen Piraten zu haben. Die „fischreichsten Gewässer der ganzen USA" hat unser Captain angepriesen, bevor er das Boot mit den weißen Aufbauten und der verchromten Reling auf den Golf steuerte, ein wahres Paradies für Fischer und Sportangler, und weil die Küstenwache argwöhnisch über diese Gewässer wacht und die versteckten Buchten nach Drogenhändlern aus Mittel- und Südamerika absucht, droht uns keine Gefahr. In den späten sechziger Jahren des 19. Jahrhunderts, nach dem amerikanischen Bürgerkrieg, als Old Shatterhand einen Schurken durch Texas verfolgte und in die mexikanische Auseinandersetzung zwischen Benito Juarez und Maximilian hineingezogen wurde, war das anders. Gerade die deutschen Siedler, die in Texas sehr zahlreich vertreten und bekannt dafür waren, dass sie mit den Sklavengegnern der Nordstaaten sympathisierten, sahen sich den Angriffen und Schikanen der Sklavenbefürworter und des Ku-Klux-Klan oftmals hilflos ausgesetzt. Old Shatterhand wusste sich zu wehren, fand aber keine Zeit, mit den Fischern von Matagorda aufs Meer zu hinauszufahren und die Einsamkeit des Golfs zu genießen wie wir auf der ‚Kingfisher'.

Wir müssen an den Helden zahlreicher Karl-May-Romane denken, als wir vor der texanischen Golfküste in den Wellen dümpeln, auf einem ähnlichen Kurs, wie ihn der Clipper aus New Orleans nahm. Old Shatterhand stand an der Reling, wie ein Gentleman aus dem Osten in Gehrock und Zylinder gewandet, und freute sich darauf, in den Westen zurückzukehren. Er genoss die frische Luft über dem Meer, den strahlenden Sonnenschein, der ihn an der Küste empfing. Unser Boot ist schneller und wendiger, wurde für Hochseefischer gebaut, die wie Hemingway einem Kingfish oder Barracuda nachstellen wollen. Die Angeln stehen in der Halterung, die 200-Meter-Leinen mit den Ködern schleifen im Wasser. Die stämmigen Texaner, die mit uns an Bord gegangen sind, lassen eine Flasche mit J & B kreisen. Fast hätte einer der Männer seine Angel verloren. Sie biegt sich nach vorn und die Schnur saust von der Rolle. „Yeah!", rufen die anderen Männer. „Der hat hundert Kilo, Mann!" Er hat nur sechzig Kilo, wie sich später herausstellt, aber das reicht, um Reg ordentlich ins Schwitzen zu bringen. Reg, so heißt der glückliche Angler. Er zieht die Angel hoch, macht ein paar Meter gut, schreit jedes Mal auf, wenn der Fisch aus dem Wasser taucht. Der Leib glänzt silbern in der Sonne. „Jetzt hast du ihn!", ruft jemand. Dann holt der Captain den Fisch mit dem Haken aus dem

Wasser und sagt: „Wahrlich, ein fetter Bursche, Mann!"

Auf der Rückfahrt fließt der J & B in Strömen und der erfolgreiche Angler zündet sich eine Zigarre an. Stolz blickt er über das glitzernde Meer und den fernen Strand. ‚Texas Riviera' nennen die Texaner ihre Küste, obwohl es hier kein Cannes und kein Nizza gibt und statt der mondänen Hotelpaläste aus dem 19. Jahrhundert moderne Hiltons und Sheratons und rustikale Ferienhäuser und eher einfache Motels auf die Urlauber warten. Aber an der texanischen Küste ist mehr Platz. Die Sandstrände sind kilometerlang und in zahlreichen Buchten liegt man fast allein in der Sonne. Es gibt keine beflissenen Hoteldiener, die zehn Dollar für einen Liegestuhl verlangen, und in den Naturschutzgebieten auf Padre Island sucht man sogar Imbissbuden und lärmende Eisverkäufer vergeblich. Zwischen den Dünen sieht die Küste noch genauso aus wie vor mehr als hundert Jahren, als Old Shatterhand in Matagorda von Bord ging.

Wir klettern im selben Hafen an Land, verabschieden uns von den angeheiterten Texanern und suchen nach dem Gasthaus, in dem Old Shatterhand und Old Death es mit einer ganzen Bande von Rowdys aufnahmen. Ehemalige Sklavenaufseher, die nach dem Bürgerkrieg ohne Anstellung waren und ihre Wut an den Yankees ausließen, obwohl Jefferson Davis sich längst ergeben hatte. „Matagorda war damals ein kleinerer Ort als jetzt", schrieb Karl May im dritten Kapitel von *Winnetou II*. „Es liegt im östlichen Teil der Bai und ist ein Hafenplatz von weit geringerer Bedeutung als zum Beispiel Galveston. Wie überall in Texas, so besteht auch hier die Küste aus einer ungesunden Niederung, die zwar nicht morastig, aber doch sehr wasserreich ist. Man kann sich da leicht das Fieber holen, und so war es mir nicht lieb, hier lange verweilen zu müssen." Der Volksschriftsteller ging etwas streng mit der Küstenstadt ins Gericht. Matagorda war zur Zeit des Wilden Westens ein bedeutender Warenumschlagplatz, nachdem es im 18. Jahrhundert als beliebter Unterschlupf für Piraten gegolten hatte. Erst 1996 wurde das Schiff des berühmten Entdeckers La Salle geborgen, der im 17. Jahrhundert an der Küste entlanggefahren war. Heute ist Matagorda ein Treffpunkt für Vogelkundler, die in den Sumpfgebieten, die Karl May beschrieb, den seltenen Schreikranich beobachten, und Windsurfer, die sich in der tosenden Brandung tummeln.

„Mein ‚Hotel' glich einem deutschen Gasthof dritten oder vierten Ranges, mein Zimmer einer Schiffskajüte, und das Bett war so kurz, dass ich beim Schlafen entweder den Kopf oder die Beine hinaushängen lassen musste." Heute muss man für ein solches Zimmer, dass Old Shatterhand nur widerwillig mietete, viel Geld bezahlen. Romantische Pensionen, in den USA ‚Bed & Breakfast' genannt, sind an der Küste besonders beliebt, erinnern die Urlauber an die goldenen Jahre, als Matagorda noch von allen großen Schiffen angelaufen wurde. Ehemalige Wohnsitze wohlhabender Kapitäne, die während dieser Zeit großen

Shrimps-Flotte in einem texanischen Hafen.

Reichtum anhäuften und vererbten. Auch wir schlafen in einem viktorianischen Haus, das allen Hurrikanen standgehalten hat, und finden die Kaschemme aus *Winnetou II* am Hafen. „Der Alte führte mich in eine kleine Kneipe, wo Flaschenbier zu einem hohen Preis ausgeschenkt wurde", schrieb Karl May. Mit dem ‚Alten' meinte er Old Death, den spindeldürren Westmann, der ihm bei seinem Kampf gegen die Südstaatler zur Seite stand.

Natürlich gibt es die Kneipe aus *Winnetou II* nicht wirklich, aber Kaschemmen und Seemannslokale mit langen Tresen und Billardtischen gibt es in Matagorda noch immer und das Flaschenbier ist teurer als in mancher Hotelbar. Die Musicbox spielt einen traurigen Countrysong und am Tresen lehnen zwei alte Fischer, die über die strengen Bestimmungen der Behörden jammern. „Das waren noch Zeiten, als es noch genügend Fische in unseren Gewässern gab", ist jeder dritte Satz. Zwei Jungen spielen Billard und schwärmen von der jungen Frau, die am Ende

Fischkutter an der texanischen ‚Riviera'.

des Tresens vor einem Diet Coke sitzt. Sie trauen sich nicht, die Frau anzusprechen, aus Angst, sie könnte ‚eine Professionelle' sein oder sie lachend davonjagen. Wir schlürfen unser Flaschenbier und ich denke darüber nach, was wohl geschähe, wenn ein Indianer die Bar betreten würde. Wahrscheinlich nichts, an der Küste ist man Mexikaner gewöhnt und ein Indianer macht keinen großen Unterschied. Im Wilden Westen war das anders und die Rowdys waren ganz schön wütend, als Winnetou den Schankraum betrat, sich in aller Seelenruhe an einen Tisch setzte und ein deutsches Bier bestellte. Ich muss lachen, als ich an die Szene denke, sehr zur Verwunderung des Wirts, der noch nie etwas von Karl May gehört hat und nicht wissen kann, dass Old Shatterhand, Old Death und Winnetou mit einem guten Dutzend gefährlicher Kerle fertig wurden.

Eine unerwartete Begegnung mit Indianern hatte auch der spanische Entdecker Alvaro Nunez Cabeza de Vaca, der 1528 vor der texanischen

Küste strandete und mit seinen Männern von den Karankawa-Indianern verschleppt wurde. Er lebte mehrere Jahre bei dem Stamm, bis ihm endlich die Flucht gelang und er nach Mexiko zurückkehren konnte. Seine Odyssee durch den amerikanischen Südwesten und seine Begegnungen mit anderen Stämmen wurden in zahlreichen Büchern beschrieben. Jean Lafitte, einer der berüchtigtsten Piraten des 19. Jahrhunderts, lagerte auf derselben Insel wie de Vaca und errichtete eine kleine Siedlung, die er Campeachy nannte. Daraus entwickelte sich die Hafenstadt Galveston. Dort wollte Old Shatterhand eigentlich von Bord gehen, aber sein Schiff segelte daran vorbei und ging im Hafen von Matagorda vor Anker. In Galveston hätte es ihm sicher besser gefallen. Vor dem Bürgerkrieg, zur Blütezeit des Alten Südens, war Galveston eine pulsierende Handelsstadt mit einer breiten Hauptstraße, die ‚Wall Street of the Southwest' genannt wurde, und auch nach dem Bürgerkrieg florierte der Handel.

Für Urlauber ist Galveston die attraktivste Stadt an der texanischen Küste, auch wenn sie häufiger von schweren Hurrikanen heimgesucht wird. Der schwerste Wirbelsturm fegte mit Windgeschwindigkeiten von 200 Kilometern pro Stunde vom Meer herein, zerstörte ein Drittel der Stadt und riss sechstausend Menschen in den Tod. Das war 1900. Seitdem schützt ein hoher Wall vor den meterhohen Wellen. Die Besucher erfreuen sich am nostalgischen Glanz der alten Häuser, die zwischen 1920 und 1940 gebaut wurden, als es

Am Strand von Texas.

zahlreiche Spielcasinos und noble Clubs in Galveston gab und Guy Lombardo und Duke Ellington für die Gäste spielten. Die Häuser wurden restauriert und ganze Stadtteile wie der East Ende Historic District unter Denkmalschutz gestellt. ‚The Strand' ist eine Flaniermeile mit Prachtvillen und Antiquitätenläden. Zur Karnevalszeit feiert man den Mardi Gras, ein fröhliches Maskenfest, ähnlich wie in New Orleans.

Old Shatterhand, Old Death und Winnetou fuhren in einem flachen Boot den Colorado River hinauf, auf der Suche nach Gibson, einem gemeinen Schurken. Dazu führt der Fluss heute zu wenig Wasser. Deshalb bleiben wir an der Küste. Selbst in unserem Mietwagen wäre die Strecke, die Old Shatterhand in *Winnetou II* zurücklegt, von Matagorda nach Mexiko und bis hinauf nach South Dakota, nur in mehreren Wochen zu schaffen.

8. Im Versteck der Apachen

Von Alamogordo nach Las Cruces

Von Las Cruces nach Alamogordo, in einen abgelegenen Canyon im südlichen New Mexico, der während der Indianerkriege ein beliebtes Versteck der Apachen war.

Die Fahrt von Las Cruces nach Alamogordo führt durch das südliche New Mexico. Über die schroffen San Andres Mountains und einen schnurgeraden Highway durch das Tularosa Valley, das außer dem trockenen Wüstenboden und einer bewegten Vergangenheit nicht viel zu bieten hat. Lediglich die eindrucksvolle Weite beeindruckt. Zahlreiche Schilder und Zäune weisen auf die White Sands Missile Range hin, ein streng bewachtes Gelände der US-Armee, auf dem Raketen getestet werden. Um 1980, als das Wetter in Kalifornien keine Landung zuließ, ging dort die Raumfähre ‚Columbia' nieder. Mit dem Militär habe ich wenig im Sinn, also fahre ich zum White Sands National Monument weiter, dessen weiße Dünen aus der Ferne zu sehen sind.

Eine Asphaltstraße führt in die Dünenlandschaft hinein, windet sich durch die sanften Hügel aus feinem Gips. Einige Yuccas ragen aus dem weißen Meer. Ich fahre in das Naturschutzgebiet hinein, werde langsamer, als der Asphalt aufhört und festgefahrener Gips die Unterlage bildet. Wie Schnee kommen mir die Dünen vor. Die Illusion wird vollkommen, als ein Räumfahrzeug entgegenkommt und den weißen Sand zur Seite schiebt. Inmitten des weißen Zauberlandes halte ich an. Die Sonne steht tief über den San Andres Mountains und wirft ihr goldenes Licht auf den hellen Sand, verwandelt die White Sands in eine Traumlandschaft, die auch auf einem anderen Planeten liegen könnte.

Dabei gibt es eine einfache Erklärung für das eindrucksvolle Naturschauspiel: Im Westen des National Monuments ragen die San Andres Mountains, im Osten die Sacramento Mountains aus dem trockenen Land. Auf dem dunklen Fels sind helle Streifen zu erkennen, leuchtende Kalksteinschichten, die Gips enthalten, der sich im Regenwasser wie Zucker oder Salz auflöst und über die Berghänge ins Tularosa-Becken gespült wird. Zwischen den Bergketten gibt es kein Entrinnen für das Regenwasser. Es sammelt sich im Lake Lucero im Südwesten von White Sands. Dort werden die Dünen gebildet. Wenn das Wasser trocknet, bildet sich eine Gipskruste an der Oberfläche. Die Kristalle werden vom Wind erfasst und in White Sands abgelagert.

Ich wandere über den Alkali Flat Trail, einen sieben Meilen langen Pfad, der sich über die Dünen zum Rand des Alkali Flat windet. So wird der ausgetrocknete Grund des Lake Otero genannt, eines prähistorischen Sees, der das Tularosa-Becken während der letzten Eiszeit bedeckte. Einige Yucca-Pflanzen säumen den Weg, recken ihre festen Blätter der Sonne entgegen. Sie wachsen schneller in White Sands, damit sie nicht vom Sand begraben werden. Nur ein Drittel aller Pflanzen, die sonst im Tularosa-Becken wachsen, können

Wie am Strand: Urlauber in White Sands.

zwischen den Dünen überleben, besitzen die Fähigkeit, sich den widrigen Bedingungen in dieser Wüstenlandschaft anzupassen. Den Tieren geht es nicht besser: Tagsüber bleiben sie in ihren kühlen Erdhöhlen, erst nachts wagen sich Kojote, Dachs und Wüstenfuchs nach draußen. Die einzigen Tiere, die ich sehe, sind einige Käfer und eine Eidechse. Ein Falke läßt sich über den Dünen vom heißen Wind tragen.

Alamogordo ist eine typisch amerikanische Kleinstadt und hat außer ein paar Motels und Hamburger-Buden wenig zu bieten. Dafür ist die Umgebung umso schöner und aufregender. Östlich der Stadt ragen die Berge steil empor, zerfallen in felsige Täler und Canyons, in denen sich die Apachen während der Indianerkriege vor der anrückenden US-Armee versteckten. Besonders im nahen Dog Canyon kam es zu zahlreichen Kämpfen zwischen Indianern und Soldaten. Zwischen den Felsen lagerte Nana mit seinen Kriegern, der legendäre Häuptling, der im hohen Alter von siebzig Jahren mit einer Hand voll

Krieger durch New Mexico zog und der Armee immer wieder entwischte. Er wurde nie gefasst und stellte sich erst einige Jahre später, als er erkennen musste, dass sein Volk dem Untergang geweiht war.

Ich erreiche den Eingang des Canyons über eine Sandstraße, die ein paar Meilen südlich von Alamogordo vom Highway 54 nach El Paso abzweigt. Ich parke den Geländewagen, um die Schlucht zu Fuß zu ergründen. Anders kommt man in den Canyon nicht hinein, es sei denn, man verfügt über stämmige Pferde wie Nana und seine Apachen. Ein befestigter Plankenweg führt ein paar hundert Meter in den Canyon hinein, dann muss ich klettern und mir selber einen Weg suchen. Das ist gar nicht so einfach. Ich wate durch einen knöcheltiefen Bach, steige über mannshohe Felsbrocken und reiße meine Kleider an den Kakteen auf, die überall aus den Felsspalten wuchern. Schon nach wenigen Metern läuft mir der Schweiß von der Stirn. Ich bin dankbar dafür, dass ich in der Nähe des schmalen Flusses bleiben kann. Das Wasser ist so frisch und klar, dass man bedenkenlos davon trinken kann. Die versteckte Quelle und die günstige Lage des Canyons waren der Grund dafür, dass die Apachen so gern zwischen den aufragenden Felsen lagerten. Hier konnte man sich überall vor den nachrückenden Soldaten verstecken.

Nach anderthalb Stunden habe ich die erste Biegung des Canyons erreicht und gönne mir eine Rast. Ich setze mich auf einen Felsbrocken und esse die mitgebrachten Sandwiches, bin allein mit der rauen Natur und einigen Vögeln, die aus einem Weidendickicht steigen. Das Wasser des Flusses plätschert leise. Die Sonne steht hoch am Himmel, schleudert ihre Hitze auf die geröllübersäten Hänge. Eine unwirtliche Gegend, in ihrer Unberührtheit aber auch jungfräulich schön und vor allem beruhigend. Ich treffe keinen Menschen in der Schlucht, sehe lediglich auf dem Rückweg einen Wanderer am Rand des Canyons entlanglaufen. Der Frieden ist endlich in den Dog Canyon zurückgekehrt.

9. Fort Concho

Buffalo Soldiers im historischen Fort

Conrad McClure lebt für sein Hobby. Seine Freizeit verbringt er als Quartiermeister im historischen Fort Concho, das 1867 zum Schutz gegen die Comanchen errichtet wurde.

Das Wecksignal schallt über den Paradeplatz. Quartiermeister Conrad McClure schreckt von seiner Pritsche hoch und reibt sich verschlafen die Augen. „Aus den Decken, ihr Faulenzer!", ruft der Sergeant. „Oder meint ihr, die Comanchen warten, bis ihr ausgeschlafen habt?" Er hastet in den Waschraum, spritzt sich Wasser in die Augen und schlüpft in die blaue Uniform. Mit dem Springfield-Karabiner rennt er nach draußen. Die Pferde müssen vor den Proviantwagen gespannt werden. „Hast du schon Munition gefasst?", fährt er einen Soldaten an. „Yes. Sir!", kommt die knappe Antwort. Vor einem Feldzug ist niemand nach Scherzen zumute. Eine Patrouille hat mehr als zweihundert Comanchen aufgespürt. Die Indianer sind wieder auf dem Kriegspfad.

McClure spannt die Pferde an und wuchtet einen Sack mit Vorräten auf den Wagen. Dann greift er nach seinem Karabiner. „So ungefähr ging es hier früher zu", sagt er, „ich bin nur froh, dass es keine kriegerischen Comanchen mehr gibt! Die Indianer waren verdammt gefährlich, das

Conrad McClure auf dem Paradeplatz.

Buffalo Soldier in Fort Concho. Ihren Namen bekamen die schwarzen Soldaten von den Indianern, weil sich ihr Haar wie bei Büffeln kräuselte.

könnt ihr mir glauben!" McClure gehört zur neuformierten 16. Infanterie, die schon im 19. Jahrhundert in Fort Concho stationiert war. Wie seine zwanzig Kameraden hat auch er vierhundert Dollar ausgegeben, um genauso ausgerüstet zu sein wie die Indianerkämpfer im Wilden Westen. „Die Uniform, das Gewehr, die Feldflasche, wir haben sogar alte Karabiner, mit denen man immer noch schießen kann." Er führt mich über den Paradeplatz. „So sah Fort Concho auch während der Indianerkriege aus. Die Häuser wurden restauriert und als Museum eingerichtet. Wir schlafen im selben Raum wie die Soldaten damals. Wir zeigen den Touristen, wie es hier früher zuging, wir sind lebendige Ausstellungsstücke." Er schmunzelt. „Natürlich gehören wir nicht zur regulären Armee. Wir haben alle einen Beruf und machen das hier aus Spaß. Wir führen Flaggenparaden vor und manchmal ziehen wir ins Feld und kampieren auf der Prärie. So lernen wir viel über unsere Geschichte."

Fort Concho wurde 1867 in der Nähe von San Angelo, Texas, gebaut, zum Schutz gegen die Comanchen, die damals auf dem Kriegspfad waren. Der Stützpunkt war Hauptquartier für die 4. und 10. Kavallerie und die 16. Infanterie. „In den Westernfilmen sieht man nie was von der Infanterie", beklagt sich McClure, „da reiten immer alle. Dabei hatte das Fußvolk eine wichtige Funktion. Es gab Gegenden, da kam man mit den Pferden gar nicht hin." Er bleibt im Schatten eines Vorbaudaches stehen und stützt sich auf seinen Karabiner. „War schon ein Hundele-

Soldaten im historischen Fort Concho.

ben damals, ganze dreizehn Dollar bekamen die Jungs im Monat. Wir bekommen keinen Penny, aber dafür werden wir auch nicht erschossen!"

Fort Concho wurde 1889 aufgegeben, als die Indianergefahr vorüber war, und gehört heute zu den besterhaltenen Militärstützpunkten des alten Westens – dank der 16. Infanterie, die sich in beinahe liebevoller Zuneigung der Erhaltung des Forts gewidmet hat. Ohne Soldaten wie Conrad McClure wäre Fort Concho nur ein Denkmal, eine Ruine, mit ihm wird es zu einer lebendigen Erinnerung an die Indianerkriege. Einmal in der Woche gehen die Kinder in historischen Kleidern in die alte Schule und draußen auf dem Paradeplatz werden die freiwilligen Soldaten gedrillt. Die Kommandos von First Sergeant David Johnson schallen über den Paradeplatz und Sergeant Loel Jones lässt seine Buffalo Soldiers in Reih und Glied antreten. So wurden die schwarzen Soldaten von den Indianern genannt, weil ihr schwarzes und lockiges Haar dem Fell eines Büffels ähnelte.

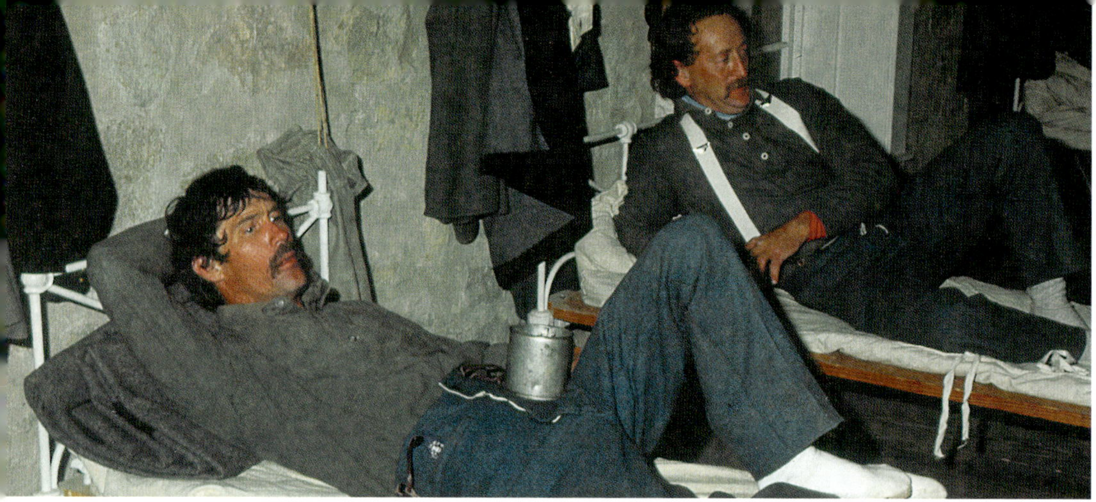

Zur Flaggenparade sind die Kompanien vollzählig angetreten. Sogar die Kavallerie ist erschienen. Die Sergeants salutieren und berichten dem Post Commander. Major Tom Gregg trägt seine beste Uniform. Ein Befehl tönt über den Paradeplatz. Die Soldaten stehen stramm und blicken die Flagge an. Der Trompeter bläst ein Signal. Wieder ein Kommando, dann legen Conrad McClure und seine Infanteristen die Waffen an und schießen einen Salut. Die Schüsse werden als vielfaches Echo von den Wänden der Unterkünfte zurückgeworfen. Es riecht nach Schießpulver. Ein erneutes Trompetensignal und das Flaggenkommando marschiert zum Flaggenmast. Die Männer salutieren. Die Kavalleristen ziehen ihre Säbel. Das Sternenbanner wird heruntergezogen, gefaltet und weggetragen. Die Gestalt des Kommandanten strafft sich und ein schneidiger Befehl lässt die müden Soldaten in die Quartiere wegtreten. Der Paradeplatz wird langsam dunkler und versinkt in der mondlosen Nacht.

In den Baracken legen sich die meisten Männer auf ihre Pritschen. Einige Soldaten reinigen ihre Waffen. Conrad McClure und zwei Freunde spielen Mühle und unterhalten sich über die Comanchen, die es in ihrer Fantasie immer noch gibt. „Die Mordbrenner geben keine Ruhe! Wird Zeit, dass wir ihnen endlich das Maul stopfen!" In den Unterkünften sieht es genauso aus wie im 19. Jahrhundert, die Pritschen, die Tische, die Waschständer. Keine Bierdosen, keine modernen Uhren, keine Marlboro-Schachteln. Nicht mal elektrisches Licht. Der Feuerschein der Petroleumlampen verbreitet warme Helligkeit und spiegelt sich in den Fenstern. Dann ertönt der Zapfenstreich und die letzten Männer legen sich schlafen. Morgen ist ein anstrengender Tag.

Conrad McClure (links) in seiner Unterkunft.

10. Sam Hawkens lebt wie ein Indianer

Ein Trapper im Palo Duro Canyon

Seinen Skalp hat er noch, aber sonst sieht er wie Sam Hawkens aus: „Unter der wehmütig herabhängenden Krempe eines Filzhutes, dessen Alter, Farbe und Gestalt selbst dem schärfsten Denker einiges Kopfzerbrechen verursacht haben würde, blickte zwischen einem Wald von verworrenen, schwarzen Barthaaren eine Nase hervor, die von fast erschreckenden Ausmaßen war und jeder beliebigen Sonnenuhr als Schattenwerfer hätte dienen können. Infolge dieses gewaltigen Bartwuchses waren außer dem so verschwenderisch ausgestatteten Riechwerkzeug von den übrigen Gesichtsteilen nur die zwei kleinen, klugen Äuglein zu bemerken, die mit einer außerordentlichen Beweglichkeit begabt zu sein schienen und mit schalkhafter List auf mir ruhten...

Dieser Kopf ruhte auf einem Körper, der bis auf die Knie herab unsichtbar blieb und in einem alten, bocksledernen Jagdrock steckte, der augenscheinlich für eine bedeutend stärkere Person angefertigt worden war und dem kleinen

Hodie Porterfield, der ‚Sam Hawkens' aus Amarillo.

Mann das Aussehen eines Kindes gab, das zum Vergnügen einmal in den Schlafrock des Großvaters geschlüpft ist. Aus dieser mehr als unzulänglichen Umhüllung guckten zwei dürre, sichelkrumme Beine hervor. Sie steckten in ausgefransten Leggins, die so hoch betagt waren, dass sie das Männchen schon vor zwei Jahrzehnten ausgewachsen haben musste, und gestatteten dabei einen umfassenden Blick auf ein Paar Schaftstiefel, in denen zur Not der Besitzer in voller Person hätte Platz finden können…“ (*Winnetou I*)

Hodie Porterfield gleicht dem legendären Westmann aus den Karl-May-Bänden bis auf den fehlenden Skalp und die gigantische Nase und lässt sogar das nervöse Kichern hören, das Sam Hawkens berühmt gemacht hat. Leider gibt es keine Wagenzüge mehr, die durch den Llano Estacado geführt werden müssen, und auch die Eisenbahn ist längst vermessen, ganz zu schweigen von der US-Kavallerie, die schon lange nicht mehr gegen die Indianer kämpft. Auch die Büffel sind von der Prärie verschwunden und dem spindeldürren Hodie bleibt nichts anderes übrig, als einer ordentlichen Arbeit nachzugehen, oder was er darunter versteht. Seit 1996 arbeitet er für die ‚Big Texan Steak Ranch‘, das berühmtesten Steaklokal von Amarillo. In der Originaltracht eines Trappers, die auch Sam Hawkens vortrefflich gestanden hätte, erzählt er den Gästen von der aufregenden Geschichte des Landes. „Ich hatte einen indianischen Lehrer“, berichtet der fünfzigjährige Hodie stolz, „und wurde von den Cree-Indianern in Kanada adoptiert. Auch unter den Cherokee und den Comanchen habe ich zahlreiche Freunde. Bei den Indianern habe ich viel gelernt und das gebe ich gerne weiter.“

Sam Hawkens alias Hodie Porterfield hat sogar die Lebensweise der Indianer angenommen: Er schläft in einem Indianerzelt, das er während seines Engagements auf einer abgelegenen Wiese hinter dem Motel aufgestellt hat. „Ich lebe wie die Indianer und Trapper vor zweihundert Jahren“, verrät er. „Das einfache Leben gefällt mir besser als die so genannte Zivilisation. Ich brauche die Nähe der Natur, ich kann mit Pfeil und Bogen umgehen und verhungere in der Wildnis nicht. Wenn ich genug von der Steak Ranch habe, gehe ich in den Palo Duro Canyon zurück, südlich von hier – eine einsame Gegend, durch die einst die Comanchen zogen. Dort lebe ich von dem, was die Natur mir gibt.“ Sogar Klapperschlangen stehen auf seiner Speisekarte. „Die Indianer haben mich gelehrt, wie man abseits der Zivilisation überleben kann, und dieses Wissen will ich an andere Menschen weitergeben, besonders an die Kinder.“ Auf seine Ähnlichkeit mit Sam Hawkens angesprochen, meint er: „Ich kenne diesen Burschen nicht, muss aber ein patenter Kerl sein, hihihi…“

11. Auf den Spuren von Karl May: Llano Estacado

Jeder Karl-May-Fan kennt den Llano Estacado, die wüstenähnliche Landschaft im nördlichen Texas. Hier erlebten zahlreiche Helden wie Winnetou, Old Shatterhand und Old Surehand spannende Abenteuer.

Der Llano Estacado gehört zu den bekanntesten Schauplätzen in den Amerika-Romanen von Karl May. In *Old Surehand*, *Winnetou* und der Erzählung *Der Geist des Llano Estacado* in dem Band *Unter Geiern* wird die karge Landschaft ausführlich geschildert. Im ersten Kapitel von *Der Pfahlmann*, einer Geschichte aus dem Band *Halbblut*, schreibt Karl May über den Llano Estacado: „Zwischen Texas, Neu-Mexiko, dem Indianerterritorium und dem nach Nordosten streichenden Ozarkgebirge liegt eine weite Landstrecke, nicht weniger furchtbar als die asiatische Gobi oder die afrikanische Sahara. Kein Baum, kein einsamer Busch gibt dem Auge einen Ruhepunkt; kein Hügel, keine einzige nennenswerte Erhebung unterbricht die todesstarre, eintönige Ebene; keine Quelle erquickt die lechzende Zunge und bringt Errettung vor dem Verschmachten, dem jeder anheim fällt, der aus der Richtung gerät und den Weg nach den Bergen oder einer der grünenden Prärien verfehlt. Sand, Sand und nichts als Sand, und nur zuweilen stößt der kühne Jäger, der sich in diese Öde wagt, auf ein Stück Land, dem ein vorübergehender Regen ein wenig Pflanzenwuchs entlockt hat. Der Fuß meidet diese Felder von scharfem, stacheligem Kaktus, weil dieser ihn verletzt, die Tiere verwundet und kaum einen Tropfen Saft enthält, der die glühende Zunge nur auf einen Augenblick zu kühlen vermöchte.

Und doch durchziehen einige wenige Straßen dieses Land: hinauf nach Santa Fe, an die Creeks, Springs und Goldfelder der Felsenberge und hinunter über den Rio Grande nach dem reichen Mexiko. Aber es sind keine Straßen, wie die Zivilisation sie dem Verkehr bietet, sondern was man dort Straße nennt, besteht in nichts als dürren Stangen, die man von Zeit zu Zeit in den Sand gesteckt hat, um die Richtung anzuzeigen, die der langsam dahinschleichende Ochsenkarrenzug oder der schnellere Trapper und Squatter zu verfolgen hat. Wehe ihm, wenn er diese Zeichen verfehlt, von denen dieser Teil des südwestlichen Nordamerikas den Namen Llano Estacado erhalten hat, oder wenn sie von wilden Indianerhorden oder räuberischen Jägerbanden entfernt wurden, um den Ortsunkundigen in die Irre zu führen…“

Der Llano Estacado bekam seinen Namen von Francisco Vásquez de Coronado und seinen Conquistadores, die 1541 durch das zerklüftete Land zogen und nach den sagenhaften sieben goldenen Städten von Cibola suchten. Nachdem die Spanier das Land in Besitz genommen hatten, sollen sie einen Pfad mit Pfählen abgesteckt haben, um in der eintönigen Wüste nicht die Orientierung zu verlieren. Eine andere Erklärung besagt, dass sie die Pfähle brauchten, um ihre Pfer-

Lubbock Lake Site (‚Bloody-Fox-Oase')

de anzubinden, weil es in dem Gebiet kaum Bäume gab. Das unwirtliche Land schreckte die Soldaten nicht ab. Die Hoffnung, die goldenen Mauern der sagenhaften Stadt zu entdecken, war größer, erfüllte sich aber nicht. Coronado und seine Soldaten kehrten enttäuscht um.

Auf ihrem Rückweg kamen sie durch den Yellow House Canyon, der nahe der heutigen Stadt Lubbock in der Erde klafft. Die Stadt ist zu einem beliebten Touristenziel geworden, aber nicht wegen ihrer historischen Bedeutung. Ein Rock'n'Roller hat den Namen der Kleinstadt in aller Welt berühmt gemacht: Am 7. September 1936 wurde Buddy Holly in Lubbock geboren. Er trat bereits als Schüler in den Country & Western Clubs der Stadt auf und wurde mit seiner Band, den Crickets, von einer großen Plattenfirma unter Vertrag genommen. Seine Songs (*That'll Be The Day*, *Peggy-Sue*) führten die Hitparaden an. Zur Legende wurde Buddy Holly am 3. Februar 1959, als er nach einem Konzert in Clear Lake, Iowa, mit einem Privatflugzeug abstürzte. Lubbock entwickelte sich zu einem Wallfahrtsort für seine Fans. Inzwischen erinnert ein Denkmal an den Sänger, die Hauptstraße wurde in ‚Buddy Holly Avenue' umbenannt und der ‚Walk of Fame' ehrt andere bekannte Musiker der Stadt wie Waylon Jennings, Sonny Curtis, Joe Ely und Roy Orbison. Rock'n'Roll-Fans treffen sich jedes Jahr in Lubbock zu einer ‚Trade Fair' (Messe), auf der Autogrammfotos, Instrumente und andere Erinnerungsstücke aus den ‚Golden Fifties' gehandelt werden.

Professor Dr. Meredith McClain will dafür sorgen, dass auch Winnetou und Old Shatterhand ein Denkmal gebaut wird. Als bekannteste Karl-May-Expertin der USA weiß sie natürlich, dass der Llano Estacado eine bedeutsame Rolle in den Romanen des deutschen Autors spielt, und sie ist stolz darauf, den kleinen See gefunden zu haben, der die Oase des Bloody Fox in *Der Geist des Llano Estacado* markiert. Sie steckte zahlreiche andere Bürger mit ihrem ‚Karl-May-Fieber' an, reiste zu einigen Treffen der Karl-May-Gesellschaft nach Deutschland und lud die Mitglieder zum ersten Internationalen Karl-May-Symposium nach Lubbock ein. Dann wird auch der letzte Einwohner in der texanischen Stadt erfahren, welche Bedeutung das ‚Panhandle' in den Romanen eines deutschen Volksschriftstellers hat. So wird das nördliche Texas heute genannt, weil es in seinen Umrissen einem Pfannenstiel gleicht. Selbst Texaner haben mich vor diesem rauen Land gewarnt. Dort sei es so einsam wie auf dem Mond und nicht einmal die Comanchen hätten es dort lange ausgehalten. Die Menschen, die dort wohnen, so höre ich, sind in das Land hineingeboren worden, die kennen nichts anderes.

Ich lasse mich nicht abschrecken. Ich suche die Einsamkeit, will das Land so kennen lernen wie die ersten Siedler vor mehr als hundert Jahren und einen befreundeten Cowboy in Perryton besuchen. Amarillo heißt meine erste Station. Die Stadt gilt auch heute noch als größter Rindermarkt im nördlichen Texas. Bei den Versteigerungen der Amarillo Livestock Auction Company und der Western Stockyards Company werden jährlich über 750.000 Rinder an den Cowboy gebracht und im Umkreis von 200 Meilen sollen zwei Millionen Stück Vieh weiden. Schon im Jahre 1881 gab es hier zwei große Ranches, die LX und die Frying Pan. Die Besitzer und die Cowboys dieser riesigen Anwesen waren sich nicht gerade wohlgesonnen, aber zur richtigen Fehde kam es erst, als die Schienen der Fort-Worth & Denver Railroad diesen entlegenen Teil von Texas erreichten. J. T. Berry, ein cleverer Geschäftsmann, sicherte sich einen Flecken Land und gründete eine Siedlung, die sich mit dem Kommen der Eisenbahn zur blühenden County-Hauptstadt entwickeln sollte. Tatsächlich wurde Oneida, wie Berry den Ort nannte, ein paar Monate später zur Hauptstadt gewählt, aber die meisten Wahlberechtigten kamen von der LX-Ranch und die Konkurrenz von der Frying Pan argwöhnte zu Recht, bei der Wahl sei es nicht mit rechten Dingen zugegangen. J. T. Berry hatte den Cowboys der LX ein Stück Land versprochen, wenn sie für Oneida stimmten.

Bildseite 84/85: Im ‚Ranching Heritage Center'
(Freilichtmuseum auf dem Gelände der Texas Tech University, Lubbock).

Auch die Ladys können mit dem Lasso umgehen.

H. B. Sanborn, der Besitzer der Frying Pan, zog die Konsequenzen und gründete eine eigene Stadt, nur eine Meile von Oneida entfernt. Die beiden Siedlungen traten in einen jahrelangen Wettstreit, der nicht selten mit dem Colt ausgetragen wurde, und beide Rancher bemühten sich, die Dollars der Eisenbahn in die eigenen Taschen zu wirtschaften. Amarillo, wie Berrys Stadt inzwischen genannt wurde, konnte sich rühmen, das Gerichtsgebäude und den Bahnhof zu besitzen, aber Sanborn baute kurzerhand einen eigenen Bahnhof und lockte viele Abenteurer und Geschäftsleute in seine Stadt. Einige Bürger hatten Berrys Stadt inzwischen Old Amarillo und Sanborns Stadt New Amarillo getauft. Natürlich kam es, wie es kommen musste: Die Städte wuchsen zusammen und wurden zu einem einzigen Amarillo.

Nachdem ich eine Viehversteigerung besucht und dem Stakkato des Auktionators gelauscht habe, lenke ich meinen Geländewagen auf den Highway 60, der schnurgerade nach Nordosten führt. Ein kleines Schild am Straßenrand weist darauf hin, dass ich durch das Carson County fahre, und ich erinnere mich daran, irgendwo gelesen zu haben, dass in diesem Bezirk die amerikanischen Atombomben gebaut werden. Ich halte verzweifelt Ausschau, aber das Land bleibt flach und menschenleer und es gibt nicht das geringste Anzeichen von einer Fabrik. Nur Weidezäune, kein Stacheldraht, kein Verbotsschild. Auch Panhandle macht nicht den Eindruck einer aufstrebenden Industriestadt. Ein langweiliges Nest mit Supermärkten und dem obligatorischen McDonald's. Gegen Ende des 19. Jahrhunderts, als der Ort noch Panhandle City hieß und der Endpunkt der Santa Fe Railroad war, muss es hier ganz anders zugegangen sein. Damals pulsierte noch das Leben in der einsam gelegenen Siedlung und Streckenarbeiter und Cowboys gaben sich in den Saloons ein Stelldichein – so wie zu der Zeit, als Winnetou und Old Shatterhand hier ritten.

Die Landschaft verändert sich kaum. Flaches Weideland, das sich bis zum Horiont ersteckt, nur unterbrochen von vereinzelten Bäumen und Windrädern. An den Wasserlöchern drängen sich die Rinder, gelegentlich erspähe ich einen Cowboy, der einige Tiere aus den Büschen treibt. Die Schienen der Eisenbahn liegen verlassen unter der brennenden Sonne. Böiger Wind streicht über das dürre Gras, sein Heulen und das Brummen eines gelegentlich vorbeifahrenden Straßenkreuzers sind die einzigen Laute in dieser Einsamkeit. Manchmal fahre ich an den Straßenrand, steige aus und genieße die endlose Leere, die man nirgendwo in Mitteleuropa findet. Ich blicke in die Sonne und lasse den Blick über das weite Land schweifen. Dann fahre ich weiter, das ungemütliche Gefühl im Nacken, es könne mich eine Panne ereilen. Wer hilft mir in dieser Einöde? Es kommen kaum Autos vorbei, mal ein Rancher in seinem Cadillac, mal ein Cowboy oder Farmer in seinem Pickup, sonst sehe ich überhaupt keinen Wagen.

In den siebziger Jahren des 19. Jahrhunderts fand in diesem einsamen Teil des texanischen Panhandle einer der letzten Indianerkämpfe statt. Ronald Mackenzie hatte Comanchen, Cheyenne und Kiowas im Palo Duro Canyon aufgerieben und eine Bande von südlichen Cheyenne hatte sich unter ihrem Häuptling Grey Beard an den McClellan Creek zurückgezogen. Lieutenant Frank Baldwin griff die Indianer mit seinen schlecht ausgerüsteten Soldaten an und hatte großes Glück, dass die Krieger erschöpft und müde waren und kaum Widerstand leisteten, als die Soldaten in ihr Lager preschten. Es gelang den Blauröcken, die Indianer zu besiegen und zwei Mädchen zu befreien, die ein Jahr zuvor geraubt und entführt worden waren.

Auch ich habe oft das Gefühl, es könnten Indianer am Horizont auftauchen, in dieser Einsamkeit scheinen Raum und Zeit bedeutungslos zu sein, aber die flimmernden Hitzeschleier über dem Präriegras gaukeln mir nur Trugbilder vor und das Land bleibt still und leer. Erst in Pampa, einer kleinen und aufstrebenden Stadt, in der es sogar ein Einkaufszentrum gibt, erreiche ich wieder die Zivilisation. Vor fünfzig Jahren wurde hier Öl entdeckt und die vielen Bohrtürme zeigen mir, dass das ‚Schwarze Gold' auch heute noch die Geschäfte im County am Leben erhält.

Nicht viel anders sieht es in den nördlich von Pampa gelegenen Tälern des Canadian River aus. Die Landschaft hat sich verändert, die Prärie wird hügeliger und schroffe Felskanten ragen aus dem Gras. Die tief stehende Sonne taucht die Felswände in ein tiefes Rot, lässt lange Schatten über die Weide wandern. Vor mehr als hundert Jahren fanden kriegerische Comanchen in den zerklüfteten Tälern des Canadian River einen Unterschlupf und mir wird klar, warum selbst Hunderte von Soldaten oft monatelang nach den Indianern suchen mussten. Weiße Siedler kamen verhältnismäßig spät in diesen Teil des Landes, zu groß war die Furcht vor den Comanchen. W. H. Criswell, ein mutiger Pionier, gründete im Jahre 1877 die erste Ranch, aber erst als die Eisenbahn gebaut wurde, kamen weitere Siedler ins Land.

Etwas lebhafter ging es im benachbarten Ochiltree County zu, das ich kurz vor der Dunkelheit erreiche. Jones und Plummer fuhren mit ihren Frachtwagen durch diesen Bezirk, um die Büffeljäger in Mobeetie zu erreichen und die wertvollen Häute nach Dodge City in Kansas zu transportieren. Einst wimmelte es in diesem Land von Büffeln und riesige Herden zogen über die weiten Ebenen, aber clevere Geschäftemacher und Jäger töteten die Tiere und entzogen den Indianern damit ihre Lebensgrundlage. Das Sterben der Büffel war der Hauptgrund für den Untergang der Comanchen, die den Soldaten sicher noch länger Widerstand geleistet hätten. Etwas wehmütig wird mir bei diesem Gedanken schon ums Herz, denn ich kann mir vorstellen, was dieses weite Land den Indianern bedeutet haben muss. Aber die Tage der stolzen Comanchen sind vorbei, der weiße Mann hat das Land erobert.

Ich erreiche Perryton am Abend, ein langweiliges Nest, das nicht viel anders als Panhandle oder Pampa aussieht. Eine Main Street, die Verlängerung des Highways, die sich schnurgerade durch die Stadt zieht und von der einige Nebenstraßen abzweigen. Flache Wohnhäuser, ein paar Geschäftsbauten, McDonald's und Burger King. Ein Kino, das schon bessere Tage gesehen hat. Der Geruch von Rindern, die auf den Weiden vor der Stadt am Gras zupfen. Ich kann mir nicht vorstellen, dass man in diesem Kaff leben kann, aber die Leute scheinen glücklich und zufrieden zu sein, ein bisschen besorgt vielleicht, weil das Geschäft mit Rindern nicht gerade floriert. Viele Cowboys wohnen hier, sind höchstens mal bis Amarillo gekommen und kennen nichts anderes als dieses Land und die Arbeit mit den Rindern.

John R. Erickson ist ein weitgereister Mann, war schon in vielen großen Städten und sogar in New York, aber auch er fühlt sich in der kleinen Stadt im Panhandle am wohlsten. Er hat beinahe zwanzig Jahre als Cowboy gearbeitet, auf kleinen Ranches in Texas und im nahen Oklahoma, und in Büchern und in zahlreichen Artikeln über seine Arbeit berichtet. Am nächsten Tag steige ich zu ihm in den Pickup und wir holen Bill Ellzey bei der Rundfunkstation des Ortes ab. Country

Wohlverdiente Rast am Lagerfeuer.

Music ist Trumpf in Perryton, was sonst, und Bill ist mächtig stolz darauf, dass auch seine Frau singt und schon auf einige Erfolge als Country-Sängerin zurückblicken kann. So ganz nebenbei hilft Bill seinem Vater beim Bewirtschaften seiner Ranch. Er lenkt den Pickup stolz durch das hügelige Land. Wir fahren über einige kaum erkennbare Wege zum Ranchhaus und zur Koppel, in der John sein Lieblingspferd sattelt. Er hat ein paar Jahre auf der Ranch gearbeitet.

Wir folgen John mit dem Pickup, steigen in einem versteckten Tal aus und beobachten staunend, wie der Cowboy einige Rinder über die Weide treibt. Er sitzt locker im Sattel, handhabt das Lasso mit einer Sicherheit, die uns verblüfft. Die Rinder sind störrisch, wollen immer wieder ausbrechen, aber John holt sie ein und treibt sie zurück. Nach der Arbeit trifft er uns an dem Lagerfeuer, das wir inzwischen im Schutz einer Senke entzündet haben. Ein Topf mit Kaffee und ein Kessel mit Bohneneintopf dampfen über dem Feuer und ich erlebe einen Abend, wie ich ihn

Ohne Pferd und Lasso kommen auch moderne Cowboys nicht aus.

mir beim Lesen der Karl-May-Bände immer gewünscht habe. Als die Sonne blutrot am Horizont versinkt und wir den Geräuschen des Abends lauschen, verstehe ich ein bisschen besser, warum man sich in einem so einsamen Land wohl fühlen kann.

12. Santa Fe, die Stadt der Künstler

Die Hauptstadt der Spanier

Jeder Tag ist ein visuelles Erlebnis: Tony Abeyto, Veryl Goodnight und Patricia Michaels repräsentieren die lebendige Kunstszene zwischen Santa Fe und Taos.

Dieses Land ist pure Energie: Zwischen Santa Fe und Taos, in den Schluchten und Tälern des nördlichen New Mexico, leuchtet die Sonne in allen Farben, lebt magisches Licht zwischen den roten und braunen Felsen und auf den bewaldeten Hängen der sanften Berge. Die Natur erscheint lebendiger und die Erde atmet unter der liebevollen Berührung durch die indianischen Götter. Der Himmel reicht bis zum Horizont, die Wolken werden zu wandernden Geistern und der Wind erzählt von der Zeit, als das Land noch prähistorischen Pflanzern und Jägern gehörte. Die Wirklichkeit wird zum Traum. Das Licht schillert in allen Farben, selbst die Sterne strahlen anders. New Mexico wurde für Künstler und Träumer geschaffen, das Land berührt die Seele.

Tony Abeyto lebt seit fünfzehn Jahren in Taos, ein begnadeter und mehrfach ausgezeichneter Künstler, der einige Jahre in Europa studiert und vergleichbare Gegenden nur in Südfrankreich und Italien gesehen hat. „Wenn ich eine Landschaft betrachte, möchte ich die Kraft dieser Landschaft spüren", sagt der Halbindianer, „deshalb bin ich nach Santa Fe und Taos zurückgekehrt. Jeder Tag ist ein visuelles Erlebnis. Erstaunliche Ausblicke fesseln deinen Blick, du siehst die wunderschönen, mit Salbei bewachsenen Hügel, die unermesslichen und weiten Ebenen. Dies ist ein verwunschenes Land und es ist beinahe unmöglich, sich nicht von dieser einfachen Schönheit beeinflussen zu lassen."

Der junge Künstler ist in Gallup aufgewachsen, an der Grenze zur Navajo-Reservation, seine weiße Mutter und sein indianischer Vater arbeiten ebenfalls als Künstler. Er besuchte das Institute of American Indian Art in Santa Fe und studierte in Chicago und Baltimore, bevor er nach Europa ging. „Ich schöpfe aus der Religion und der Mythologie meiner indianischen Vorfahren", sagt er, „ich suche nach einer neuen Sprache, um die indianische Seele sichtbar zu machen. Ich benutze kräftige Farben und Sand, wie die Navajos, wenn sie ihre heiligen Sand Paintings auf den Boden streuen. Der Sand soll die Farbe festhalten, die kantige Oberfläche soll dem Gemälde etwas Patina verleihen."

Die Schönheit seiner neuen Heimat ist nicht greifbar, lebt von den Geheimnissen, die seit vielen Jahrtausenden in den Canyons nisten. In seinen Gemälden versucht Tony Abeyto, den indianischen Göttern ein Gesicht zu geben, ohne ihre Geheimnisse zu verraten, er macht den Charakter des Landes durch indianische Symbole und abstrakte Metaphern greifbar. „Das Land zwischen Santa Fe und Taos ist eine mythische Landschaft, die Menschen kommen, weil sie in unserer

Kunsthandwerk in Santa Fe.

technisierten Welt einen neuen Fluchtpunkt suchen. New Mexico gibt ihnen den Frieden, den sie anderswo vergeblich suchen. Ich möchte mit meinen Gemälden zwischen den unterschiedlichen Welten vermitteln.“

Selbst auf der belebten Plaza mit den Souvenirgeschäften und den Restaurants und dem Touristenrummel, der Taos vor allem an den Wochenenden überschwemmt, sind die Geheimnisse des Landes spürbar. Die Kunst hat den kleinen Ort vereinnahmt und lebt in zahlreichen Galerien und Workshops. Hinter den dicken Mauern der Martinez Hacienda, der ehemaligen Heimat von Don Antonio Severino Martinez, der hier von 1804 bis 1827 lebte, erinnern schwere Holzmöbel und silberne Gefäße an die Zeit der spanischen Eroberer und Missionare, und in dem alten Haus aus Adobe-Lehm, in dem Kit Carson von 1843 bis 1868 wohnte, leben der Geist des alten Trappers und die wilde Pionierzeit des 19. Jahrhunderts, als anglo-amerikanische Siedler über den Santa Fe Trail nach Westen kamen und die

San Miguel Chapel in Santa Fe.

spanische Krone verdrängten. Die blutigen Kämpfe sind längst vergessen und viele Amerikaner sind froh, dass spanischer Charme und indianische Kultur eine farbenprächtige Ehe eingegangen sind.

Der ursprüngliche Charakter des Santa Fe Trails wurde bis heute bewahrt. Flache Häuser aus Adobe-Lehm säumen die Straße, die immer noch ‚Old Santa Fe Trail' heißt und von Kunstgalerien, Restaurants und Boutiquen gesäumt wird. Keine Spur von Ramschläden oder McDonald's. Die San Miguel Chapel, seit 1625 an der historischen Straße gelegen, bietet noch denselben Anblick wie damals, und ein paar Meter weiter steht das ‚älteste Haus der USA', das den Händlern, die über den Santa Fe Trail kamen, ebenfalls ein vertrauter Anblick war. Das Erbe der spanischen Vergangenheit ist überall in der Stadt zu spüren. Romantische Häuser aus luftgetrockneten Lehmziegeln drängen sich um die Plaza und verleihen der Stadt eine Atmosphäre, in der sich vor allem kreative Menschen wohl fühlen. Maler wie Tony

‚No Turning Back', eine der bekannten Statuen der Bildhauerin Veryl Goodnight, steht vor einem Museum in Cheyenne, Wyoming.

Abeyto, Bildhauerinnen wie Veryl Goodnight: „Weil das Licht hier sanfter ist; die Formen sind weicher, die Atmosphäre ist entspannter. Santa Fe ist eine weibliche Stadt."

Veryl Goodnight gehört zu den bekanntesten Bildhauerinnen der USA. Sie modelliert Frauen und Pferde, vor allem Pferde, und als ich vor ihrem Haus parke, ruft sie von der Koppel herüber: „Ich bin hier drüben! Dillon braucht Bewegung!" Dillon ist ihr Lieblingspferd, ein stolzes Tier mit seidigem Fell und starken Muskeln. Sie reitet ohne Trense, wie eine Indianerin. „Veryl versteht was von Pferden", sagt ihr Mann, „sie kennt ihre Empfindlichkeiten und weiß, wie sie reagieren." Jeden Morgen reitet sie in der Koppel oder sie treibt Dillon in die Berge hinauf, lässt sich den Wind um die Nase wehen und genießt das goldene Sonnenlicht. „Ich liebe Pferde, ich bin mit ihnen aufgewachsen. Ich habe meinen Mann auf einem Ausritt kennen gelernt und wir haben im Sattel geheiratet. Auf dem Rücken eines Pferdes spüre ich die absolute Freiheit!" Sie besitzt vier Pferde, vier Katzen und zwei Hunde, „einen halben Zoo", wie ihr Mann lachend bemerkt. „Ohne mein Talent würde ich bestimmt als Cowgirl arbeiten."

Die Bildhauerin wuchs in Denver auf. „Damals konnten wir uns keine Pferde leisten, also malte ich sie und im Winter modellierte ich sie aus Schnee, den gab es in den Rocky Mountains zur Genüge. So bin ich Bildhauerin geworden." Schon mit sechzehn Jahren gewann sie eine Sidewalk Art Show, vier Jahre später arbeitete sie als Bildhauerin. Nach Santa Fe zog sie aus demselben Grund wie die anderen Künstler, die für über zweihundert Galerien in Santa Fe arbeiten: „Das Licht ist besonders intensiv, vor allem abends, und das Land verändert sich ständig, wie eine Skulptur unter meinen Händen. Die Natur arbeitet als Bildhauer. Am schönsten ist es nach einem heftigen Regen, wenn der Boden aufgewühlt ist und die Luft nach der würzigen Erde riecht. In Santa Fe kann ich am besten arbeiten. Ich komme aus dem Westen, dort ist das Land weit und endlos, ich brauche diese Freiheit. Ich könnte niemals in einer Großstadt leben."

Santa Fe lebt von den Träumen, die mit dem Wind von den Bergen kommen. Der wehmütige Klang indianischer Trommeln und die ausgelassene Fröhlichkeit der spanischen Eroberer beeinflussen den Charakter der Stadt, leben in den verwinkelten Gassen und zwischen den Mauern aus Adobe-Lehm, selbst in einem großen Hotel wie ‚La Fonda', das am Ende des Santa Fe Trails über der Plaza aufragt. In der Canyon Road berauschen Formen und Farben, dort schlägt das kreative Herz der Stadt in zahlreichen Galerien wie ‚Morning Star' (mit der Indianerausstellung des Privatsammlers Joe Riviera) den ‚Fenn Galeries' (mit zeitgenössischen Gemälden und Skulpturen) und ‚Altermann & Morris' (mit den Skulpturen von Veryl Goodnight). Den Rummel der anstrengenden Vernissagen und Partys meidet Veryl und für den oberflächlichen Kommerz und das billige Kunsthandwerk, das auf der Plaza verkauft wird, auch von vielen Indianern, hat sie

Veryl Goodnight: Pferdeskulptur aus Santa Fe.

nur ein müdes Lächeln übrig: „Gerade weil die Stadt so schön und interessant ist, hat sie sich auch zu ihrem Nachteil verändert. Das ist der Preis, den wir bezahlen müssen."

Patricia Michaels lebt in einem anderen Santa Fe. Die junge Künstlerin wirbelt durch die alternative Szene und schockiert das Establishment mit einer farbenprächtigen Mixtur aus indianischer Folklore und jugendlicher Unbekümmertheit. „Ich habe keine Hemmungen", sagt die Indianerin, „ich mische die traditionellen Muster der Indianer mit den bunten Bildern aus

Romantisch wohnen in der Künstlerkolonie von Taos, nördlich von Santa Fe am Fuße der Berge gelegen.

Südamerika und der modernen Pop-Kultur. Früher habe ich Kostüme für indianische Tänzer entworfen, letztes Jahr habe ich Kostüme für die Santa Fe Opera geschneidert. Ich lasse meine Fantasie spielen, in der Mode und der Kunst, ich habe keinen eingefahrenen Stil und suche überall neue Farben und Stoffe!"

Mit ausgeflippter Mode, fantasievollen Body Paintings und schrägen Performances wird Patricia Michaels als viel versprechende Künstlerin gehandelt. Ihre Fashion Shows haben sogar in England für Aufsehen gesorgt. „Meine Mode kann jeder tragen", sagt sie mutig. Ihre Kraft schöpft sie aus ihrer indianischen Vergangenheit: „Ich reise viel und habe in London und New York gelebt, wurde von Künstlern und Modeschöpfern auf der ganzen Welt beeinflusst, aber alle paar Monate kehre ich in mein Pueblo zurück und nehme an den traditionellen Tänzen teil. Die Zeremonien geben mir die Kraft, die ich für meine Arbeit brauche."

Die Rückkehr zu den Wurzeln, ohne die Zukunft aus den Augen zu verlieren – zwischen Santa Fe und Taos lebt die Kunst von der Spannung zwischen indianischer Tradition, spanischer Vergangenheit und der Experimentierfreudigkeit einer jungen Generation, die sich in kein Schema pressen lässt. Santa Fe, die Stadt der Künstler. New Mexico, das Land der Bildhauer und Maler. Ein Zauberreich der Fantasie, ein kulturelles Zentrum im Indianerland und ein Paradies für Menschen, die von Träumen leben.

13. Pueblo Country

Indianerdörfer am Rio Grande

Die Pueblos in New Mexico haben sich ihre Eigenständigkeit bis in die moderne Zeit bewahrt. In ihren Dörfern aus Adobe-Lehm leben sie teilweise noch wie vor einigen hundert Jahren.

John trägt geflickte Jeans, ein buntes Hemd und Cowboystiefel und seine langen Haare sind zu einem Pferdeschwanz gebunden. Nicht gerade das Idealbild eines Indianers, aber ein kundiger Führer, den wir am Morgen über einen Freund aus Santa Fe kennen gelernt haben. Er hat sich bereit erklärt, uns mit zwei Künstlern in Taos Pueblo bekannt zu machen. Ohne Beziehungen geht gar nichts in Taos Pueblo. Besucher werden kräftig zur Kasse gebeten, für jede Kamera muss extra bezahlt werden und in dem Indianerdorf werden Touristen argwöhnisch beobachtet. Eine verständliche Reaktion, wie wir zugeben müssen, denn viele Besucher beachten selbst die primitivsten Höflichkeitsregeln nicht, fotografieren wild in der Gegend herum und verwechseln das

Adobe-Kirche bei Taos Pueblo.

Juanita Martinez stellt Tonfiguren her.

Pueblo mit einem Menschenzoo. In einem klapprigen Pickup Truck fahren wir über holprige Nebenstraßen ins südliche Dorf, wo wir im Hof eines Lehmhauses parken. Der müde Hund unter dem Fenster lässt sich nicht stören. Wir warten geduldig, bis John mit der Bewohnerin des Hauses gesprochen hat, und folgen ihm ins Wohnzimmer. Es ist unerträglich heiß in dem kargen Raum. Der kleine Ofen, in dem die Indianerin ihre Tonfiguren brennt, wird ständig von den Kindern nachgeheizt.

Juanita Martinez begrüßt uns schüchtern. Sie spricht Spanisch und John übersetzt bereitwillig. Die Künstlerin stammt aus Jemez, zog erst nach Taos um, als sie einen Mann aus dem großen Pueblo heiratete. Sie verdiente ihren Lebensunterhalt mit der Herstellung winziger Souvenirs, dann sah sie farbige Tonfiguren in einem Laden in Albuquerque und beschloss, ähnliche Figuren zu formen. Die kleinen Skulpturen stellen Geschichtenerzähler dar, „so wie es früher war, als der Vater seine Kinder auf den Schoß nahm und

Indianer in Taos Pueblo.

ihnen Geschichten erzählte." Den Lehm für ihre Figuren bezieht Juanita aus Jemez, ihrem früheren Wohnort. Zum Bemalen benutzt sie natürliche Farben aus den Hügeln zwischen Santa Fe und Albuquerque. „Ich schaffe ungefähr zehn Figuren am Tag", sagt sie stolz. Mehrere tausend Dollar sind die Skulpturen des Bildhauers John Suazo wert. Wir treffen ihn vor seinem kleinen Studio außerhalb des nördlichen Dorfes, wo er gerade einen Marmorblock mit Hammer und Meißel bearbeitet. In dem Gesicht, das aus dem Stein wächst, liegt die ganze Tragik des indianischen Volkes. Einfache Linien und glatte Flächen kennzeichnen die Skulpturen des Künstlers, der mehrfach für seine Werke ausgezeichnet wurde. Dabei hatte John Suazo es lediglich einem Basketball-Stipendium zu verdanken, dass er am Navajo Community College studieren durfte.

Taos Pueblo besteht seit beinahe tausend Jahren und hat sich in den vielen Jahren nur wenig verändert. In den Wohnzimmern der Indianer

Bildseite 100/101: Adobe-Lehm-Häuser in Taos Pueblo.

Indianisches Wandgemälde in Albuquerque.

stehen Fernseher und die Frauen kaufen im nahen Supermarkt ein, aber die mehrstöckigen Häuser sehen noch genauso aus wie um 1540, als Coronado und seine Conquistadores auf der Suche nach den sieben goldenen Städten durch diese Gegend kamen. Die Spanier waren sehr enttäuscht, als sie feststellen mussten, dass der goldene Glanz von der Sonne kam. Die beiden Dörfer von Taos wurden schon damals durch den Rio Pueblo de Taos getrennt. Die Frauen schoben Brotlaibe in die Lehmöfen und die Männer schnitzten Werkzeuge vor den Häusern. Kinder spielten mit den Hunden. Mit der Ankunft der Spanier änderte sich das friedliche Leben, bis es im Sommer 1680 zu einer blutigen Rebellion kam, die auch Frauen und Kinder nicht verschonte. Die Spanier wurden zurückgetrieben. Auch gegen die Einflüsse der amerikanischen Siedler behauptete sich Taos. Das Dorf wurde zu einer kulturellen Insel inmitten des American Way of Life – so wie die anderen Indianerdörfer in New Mexico.

Adobe-Kirche in Taos.

‚Pueblos' ist der Sammelname für die Indianervölker im Rio Grande Valley, die nach den prähistorischen Anasazi in dieses Gebiet zogen und hauptsächlich vom Ackerbau lebten. Die Spanier gaben ihnen der Einfachheit halber diesen Namen, weil die Dörfer mit den klobigen Bauten aus Adobe-Lehm sie an kleine Orte in ihrer Heimat erinnerten. Nach dem erbitterten Aufstand gegen die spanischen Eroberer gelang es den Pueblos, ihren Lebensstil und ihre Kultur zu bewahren, sogar ihre Religion und ihre Tänze haben sich in den vielen Jahren kaum verändert. Sie stellen Töpferwaren, Körbe und Schmuck her und verkaufen die Waren an Touristen, aber bei den heiligen Zeremonien der Indianer sind weiße Besucher noch immer nicht zugelassen.

Auch die Dörfer der Indianer werden Pueblos genannt: Acoma liegt auf einem hohen Sandsteinfelsen und gehört zu den ältesten Indianerdörfern. In Cochiti leben viele Künstler, die besonders für ihre Tonfiguren bekannt sind. Die Häuser von Laguna sind modern, aber in der ‚Kiva' werden immer noch Zeremonien abgehalten. In der Nähe des Dorfes wurde Uran gefunden. Die Bewohner von Santo Domingo sind den alten Sitten und Gebräuchen mehr als alle anderen Pueblos verbunden. Jedes Jahr am 4. August findet dort ein riesiges Fest mit zahlreichen Tänzen und Zeremonien statt. Der Maistanz von San Felipe (1. Mai) gehört zu den farbenprächtigsten Zeremonien des nördlichen Mexiko. Santa Ana ist bis auf ein paar Bewohner verlassen und erwacht nur am feiertäglichen 26. Juli zum Leben. Sandia gehört zu den Dörfern, die von Coronado in den Jahren 1540/41 besucht wurden. Picuris gilt als besonders freundlicher Pueblo. In einem kleinen Museum können Kunstgegenstände bewundert und gekauft werden. Zia liegt am nördlichen Ufer des Jemez River und ist besonders für seine Töpferwaren bekannt. Das von den Bewohnern des Dorfes entworfene Sonnensymbol findet man auch auf der Staatsflagge von New Mexico. Isleta gehört zu den größten Indianerdörfern. Hier ist kaum noch etwas ursprünglich geblieben und die Töpferwaren werden lediglich für Touristen angefertigt. Das jährliche Fest am 24. Juni in San Juan gehört zu den buntesten und schönsten des Südwestens. Der Feiertag in Nambe wird am 4. Oktober mit farbenprächtigen Tänzen abgehalten. Pojoaque gehört zu den kleinsten Pueblos. San Ildefonso war die Heimat der berühmten Töpferin Maria Martinez. Tesuque war bereits im Jahre 1250 besiedelt. Die Bewohner von Jemez gelten als exzellente Tänzer und Sänger. Zuni liegt 40 Meilen südlich von Gallup am Highway 53. Die Bewohner von Zuni sind hervorragende Silberschmiede.

14. Santa Fe School of Cooking

Wildwest-Küche in New Mexico

In der Santa Fe School of Cooking verraten Meisterköche die Geheimnisse der Wild-West-Küche. Ein Mekka für Hobbyköche und Feinschmecker, die scharfe Kost bevorzugen.

Die erste Stunde verläuft harmlos: Rocky Durham, der Chef de Cuisine des angesehenen ‚Santacafe', zerschneidet das Schweinefleisch in kleine Würfel und bräunt es mit zwei gehackten Zwiebeln in einer heißen Pfanne an. Er gibt etwas gesalzene Hühnerbrühe dazu und lässt sie aufkochen. Mit vier gewürfelten Kartoffeln köchelt das ‚Green Chile Stew' eine Stunde vor sich hin. Dann kommen gewürfelte Paprika, Knoblauch und nochmal Salz dazu. Erst weitere fünfzehn Minuten später wird es ernst, Rocky greift nach dem Chile (in New Mexico nur mit ‚e') und fragt: „Scharf oder mild?"

Die Mexikanerin in der ersten Reihe kann sich nicht durchsetzen. Die überwiegende Mehrheit der Schüler will ein mildes Stew und registriert

Chile gibt es in zwölf Schärfegraden.

zufrieden, dass Rocky vorsichtig mit dem Chile umgeht. „Wenn es wirklich mal zu scharf wird, gibt es einen einfachen Trick", verrät er fröhlich, „gebt Orangensaftkonzentrat dazu, dann ist selbst der schärfste Chile zu ertragen!" Auch Milch nimmt den scharfen Geschmack. „Wenn ihr in einem Lokal seid und das Essen ist zu scharf, sofort Milch bestellen, die bringt die Geschmacksnerven wieder zur Ruhe! Nur kein Wasser trinken! Das verteilt die Schärfe und wirkt wie in einer fettigen Pfanne!"

Allein wegen dieser Tricks lohnt es sich, die Santa Fe School of Cooking zu besuchen. „Wir wollen keine Chefs ausbilden", sagt Susan Curtis, „unsere Schule ist für jeden da. Unser Ziel ist es, die Leute für die Küche von New Mexico zu begeistern." 1989 gründete sie die Kochschule, weil sie einfach mal was anderes machen wollte und in New Orleans gesehen hatte, wie gut die Kurse angenommen wurden. Ein halbes Dutzend erstklassiger Köche aus den führenden Restaurants in Santa Fe steht in sechzehn Kursen am Herd. Von ‚Traditional Northern New Mexican' bis ‚Southwestern Breakfasts'. ‚Contemporary Southwest', die zeitgenössische Küche des Südwestens, ist am beliebtesten. Dreißig bis siebzig Dollar kostet ein drei- bis fünfstündiger Kurs, über hundert Schüler schreiben sich jede Woche ein: Leute, die mit allen Sinnen reisen und Spaß am Kochen haben.

„Wie heißen die drei C's in der Küche von New Mexico?", fragt Rocky Durham. „Chile, Chile, Chile", murmelt die Mexikanerin und Rocky verbessert: „Chile, Corn und Cheese." Chile, Mais und Käse. „In New Mexico gibt es Gerichte ohne Käse und sogar ohne Mais, aber niemals ohne Chile! Chile ist der Mega-Star!" Rocky röstet einen Poblano Chile und einen grünen Anaheim Chile auf dem Grill, lässt sie beinahe schwarz werden und deckt sie in einer Schüssel zu, „damit sie ordentlich schwitzen. Dann lassen sie sich leichter schälen!" Als Beilage soll es Blue Corn Muffins geben, mit viel Chile natürlich. „Chiles sind ansteckend, man will immer mehr!" Über zweihundert Schoten wachsen an einem Büschel, „die reichen einem Einheimischen gerade mal drei Wochen!" Die besten Chiles wachsen bei Hatch, einem winzigen Nest im südlichen New Mexico; nach der Ernte wird das ‚Chile Festival' gefeiert. Die Schärfe wird in zwölf Graden gemessen: 1 treibt jedem Europäer die Tränen in die Augen, 12 ist so höllisch scharf, dass selbst der Teufel mit zehn Litern Milch nachspülen muss. „Chile ist wie Wein", erklärt Rocky, „es gibt unzählige Sorten und tausend Adjektive, um den Charakter einer Schote zu beschreiben. Rauchig schmeckt der Ancho (Schärfegrad 4), wie Feuer kann sich der Chipotle (Schärfegrad 6) in einen ungeübten Gaumen brennen."

Während das Green Chile Stew über einer Herdplatte gart, rührt Rocky den Teig für die Muffins an. In einem schrägen Spiegel, der über der Arbeitsplatte hängt, können wir alles beobachten. Die Butter und der Zucker werden vermengt und zu einer weichen Masse geschlagen, die mit fünf Eiern und einer halben Tasse Milch gründlich vermischt wird. Dann wird es wieder ernst. Rocky zerhackt den grünen Chile in kleine Würfel. Zusammen mit dem Mais und dem Käse wird er in den Teig gerührt. In einer anderen Schüssel werden Mehl, Maismehl, Backpulver und Salz vermengt. „Und jetzt schütte ich die trockenen Zutaten zu dem Teig", sagt der Kochlehrer, „aber ganz langsam!" In einer Muffin-Form wird der Teig eine halbe Stunde gebacken.

Einige Schüler machen sich eifrig Notizen. „Gutes Essen ist wichtig auf einer Reise", sagt ein begeisterter Freizeitkoch aus Arkansas, „ich bin nicht nur mit den Augen unterwegs." Seine Frau stimmt ihm zu: „Die Franzosen haben Recht, auch gutes Essen gehört zur Kultur." Sie schmunzelt. „In Arkansas bestimmt nicht, aber in New Orleans und Santa Fe auf jeden Fall, dort gibt es eine eigenständige Cuisine, die von den Franzosen und den Spaniern beeinflusst wurde." Eine Kunsthändlerin aus Chicago, die sich in den Galerien der Canyon Road umgesehen hat, ist begeistert von der Vielfalt der Southwestern Cuisine: „Chicago ist bestimmt kein Dorf, aber ich hab' nirgendwo so gut gegessen wie in Santa Fe!" Über zweihundert Restaurants gibt es in der Stadt, vom preiswerten Mexikaner bis zum Gourmet-Tempel.

Während der ‚großen Pause' werden Adressen ausgetauscht, sogar Rocky verrät sein Lieblingsrestaurant: „‚The Shed' in der East Palace Avenue, ein kleines Lokal in einer ehemaligen Hacienda, dort gibt es besonders gute Blue Corn Tortillas!" Auf jeder Liste dabei: der Old Mexico

Auf den Ranches in New Mexico wird heute noch wie im Wilden Westen gekocht.

Grill in der Cerrilos Road, der mehrfach zum besten Restaurant von New Mexico gewählt wurde. Dort wird die traditionelle mexikanische Küche bevorzugt. Der Truthahn mit Mole Poblano, einer scharfen Schokoladensoße, schmeckt am besten. Martin Rios, ein mehrfach ausgezeichneter Küchenchef aus Mexiko, kocht im Old House Restaurant, verfeinert die Southwestern Cuisine mit asiatischen und französischen Varianten. Im Restaurant seiner mexikanischen Mutter hat er die Grundbegriffe gelernt, in angesehenen Drei-Sterne-Tempeln in Frankreich und New York eignete er sich den letzten Schliff an. Er kocht nur mit einheimischen Zutaten, die er von den Farmern der näheren Umgebung bezieht. „Ich experimentiere gern“, sagt er, „da gibt es keine Grenzen für mich. Asiatische und französische Einflüsse tun unserer Küche gut!“ Auf seiner Speisekarte: Gegrillte Wachtelbrust auf Maispfannkuchen und Lachs in Kartoffelkruste mit Spinat und Poblano Chile Tartar Sauce.

In einem Wohnhaus aus der spanischen Gründerzeit kocht Marc Felix, sein ‚Bistro La Folie‘ gehört zu den besten kulinarischen Adressen in Taos, ungefähr 120 Kilometer nördlich von Santa Fe. Der Weg lohnt sich. Der junge Chefkoch, der zehn Jahre in französischen Sterne-Restaurants gekocht hat, bevor er nach New Mexico kam, steht für eine innovative Küche mit französischen Einflüssen. „Eigentlich gibt es gar keine New Mexico Cuisine“, behauptet er, „sondern nur spezielle Zutaten, vor allem Kräuter und Gewürze, die fantasievollen Gerichten der französischen und asiatischen Küche den letzten Schliff geben.“ Cilantro, Guajillo und natürlich Chile, als Schoten und als Pulver. Im Gift Shop der Santa Fe School of Cooking kann man alle Zutaten kaufen, sogar nach Europa werden die scharfen Köstlichkeiten geschickt. Besonders beliebt: der ultra-scharfe Habanero Chile!

Bevor Rocky Durham sein Green Chile Stew serviert und wir endlich testen dürfen, wie scharf wir unseren Chile vertragen, verrät er uns noch einige Tricks: Tortillas, die traditionellen Maispfannkuchen der mexikanischen Küche, müssen nicht kreisrund sein, „aber wenn man sie zu lange im Ofen lässt, schmecken sie wie Frisbees!“ Blauer Mais wird von den Indianern am Rio Grande angebaut und zu besonders wohlschmeckenden Tortillas, Burritos und Enchiladas gebacken. Posole, ein fader Brei aus getrockneten Maiskörnern, schmeckt nur Einheimischen. Und: Es gibt nichts Schlimmeres als Tex-Mex-Food, wie es in Arizona und Texas serviert wird: „Hier ist ‚Tex-Mex-Food‘ ein Schimpfwort! Das essen nur Leute, die keine Ahnung von Cuisine haben!“

Wir gehören nicht dazu. Seit wir die Santa Fe School of Cooking besucht haben, kennen wir den Unterschied zwischen ‚Tex-Mex‘ und edler ‚Southwestern Cuisine‘. Wir wissen sogar, dass es einen passenden Wein zum Green Chile Stew gibt: Ein herber Sauvignon Blanc sollte es sein. Dann schmeckt sogar der ultra-scharfe Sechser-Chile...

15. Weiße werden nur geduldet

Pueblo-Indianer tanzen den Truthahntanz

Wenn Pueblos zu ihren Geistern beten, bleiben ihre Dörfer für Weiße meist geschlossen. Bei Zeremonien und Tänzen werden weiße Besucher bestenfalls geduldet. Die Acoma Intercultural Dancers stammen aus dem ältesten Indianerdorf der USA.

Alden Keyope tanzt in den Himmel hinein. Seine dunklen Haare und die Truthahnfedern an seinem Körper wippen im stampfenden Rhythmus der Trommeln. Der kehlige Gesang der Männer erhebt sich über die einsame Mesa und wird als vielfaches Echo von den rotbraunen Felswänden zurückgeworfen. „Heya, heya, der Truthahn gab sein Leben, als er unsere Brüder besuchte, deshalb sind wir ihm ewig dankbar, heya, heya..." Auch die anderen Tänzer wirbeln über den sandigen Boden, stampfen durch den kniehohen Salbei und recken beschwörend die Arme zum Himmel. Unter ihren Mokassins wallt Staub auf, die silbernen Glöckchen an ihren Fußgelenken klingen im heißen Wind. Alden Keyope windet sich in seinem dichten Federkleid, wird zu einem mächtigen Truthahn, der balzend durch den Staub tanzt, sekundenlang auf dem Boden verharrt und mit einem verzweifelten Ausruf der Trommler nach oben steigt und mit dem grellen Sonnenlicht verschmilzt. „Heya, heya, der Truthahn gab sein Leben."

Wir sind im Navajo Country, dem ehemaligen Feindesland der Pueblos. Auf einem Tafelberg bei Farmington, New Mexico, nur ein paar Kilometer vom heiligen Berg und dem Reservat der Navajos entfernt. Unter uns liegt die Hauptstraße mit dem großen Einkaufszentrum, Restaurants und Tankstellen, über uns spannt sich der endlose Himmel des Indianerlandes. Zerklüftete Felswände ragen aus dem trockenen Land, das sich abseits der kleinen Stadt nur wenig verändert hat. Spanische Conquistadores wie Francisco Vásquez de Coronado sahen dieselben Felsen und denselben Sand.

Der Name bürgerte sich als Sammelbegriff für alle Indianer und Dörfer am Rio Grande ein. Alden und Berni Keyope, die mit den Acoma Intercultural Dancers durch den Südwesten ziehen, leben in Acoma, der legendären Himmelsstadt auf einer zerklüfteten Mesa im südwestlichen New Mexico. Ein steiler Trail führt zu den Lehmhäusern hinauf, es gibt keinen Strom und kein fließendes Wasser. Weiße Besucher dürfen das Dorf nur mit indianischen Führern betreten, das Fotografieren der heiligen Tänze ist streng verboten. „Die Weißen haben uns das Land genommen", klagt Alden, „jetzt wollen sie unsere Religion stehlen!" Nur weil wir ihm und seinen Verwandten auf eine abgelegene Mesa gefolgt sind, haben sie den Truthahntanz aufgeführt, durften wir sie fotografieren.

Ihre öffentlichen Auftritte sehen anders aus, zeigen die professionelle Seite der Acoma Intercultural Dancers. Die Musik bleibt authentisch, aber die Tänze werden für ein breites Publikum choreographiert, haben nichts mit den heiligen

Bildseite 110/111: Die Pueblos tanzen zum Rhythmus der Trommeln.

Ritualen zu tun. Das haben wir im Einkaufszentrum gesehen, ausgerechnet dort, auf dem überdachten Platz zwischen zwei Kaufhäusern. Zum Plätschern des Springbrunnens schlug die Trommel und die weißen Zuschauer waren begeistert vom bunten Zauber der Indianer. „Wir treten überall in den USA auf", berichtet Alden, „so verdienen wir das Geld für unseren Lebensunterhalt. Sogar in Alaska waren wir schon und in Paris und Tokio." Berni strahlt. „In Japan haben sie uns berührt, sie wollten wissen, ob die braune Farbe abgeht! Wir haben uns köstlich darüber amüsiert."

„Der Truthahn ist ein heiliges Tier", erklärt Alden auf der Mesa. Der heiße Wind hat aufgefrischt und bewegt die langen Federn. „Wenn dieses Tier nicht seine Heimat verlassen und sich in unseren Dörfern niedergelassen hätte, wären viele unserer Vorfahren verhungert. Seitdem tanzen wir ihm zu Ehren." Der Geisterglaube bestimmt das Leben in den Pueblos, konnte auch durch die spanischen Missionare nicht vertrieben werden. Die meisten Pueblos sind Katholiken, haben Elemente aus der christlichen Religion übernommen, vertrauen aber auch den alten Tänzen und Liedern, „denn nur wenn wir im Einklang mit der Natur leben, können wir überleben." Deshalb tanzen die Pueblos für den Regen und eine gute Ernte. Weiße werden geduldet, das Fotografieren ist immer verboten. Jedes Pueblo hat einen Gouverneur, der eigene Gesetze erlässt. „In Acoma sind Weiße unerwünscht, wenn wir uns bei den Geistern bedanken", gesteht Alden, „sonst bekämen wir Ärger mit den Animal Rights People."

Alden Keyope hat Acoma- und Hopi-Blut in den Adern, wurde Mitglied des Truthahnclans seiner Frau. Sie wuchs in Acoma auf. „Ich habe vier Brüder und vier Schwestern", berichtet Berni, „wir wohnten in einem Zimmer. Inzwischen hat sich viel verändert. Wir haben zwei Kinder und wohnen in einem Haus mit drei Zimmern." Auch Carl und Jamie tanzen mit, finden es ‚pretty cool', dass sie mit den Acoma Intercultural Dancers so viel rumkommen. „Sogar zu den Navajos, die kann man so schön ärgern, weil sie früher mal unsere Feinde waren." Alle sprechen fließend Keresan, die Sprache der Acoma. Bernie: „Ich habe mich schon als Kind für unsere Kultur interessiert und freiwillig unsere Sprache gelernt. Wir dürfen unsere Tradition nicht vergessen, das wäre tödlich. In der Reservatsschule werden Kurse abgehalten."

Die Religion hält die Pueblos zusammen, der Priester eines Dorfes hat auch heute noch großen Einfluss. In den abgelegenen Dorfgemeinschaften, die niemals Krieg gegen die angloamerikanischen Eindringlinge führen mussten, überlebten jahrhundertealte Traditionen wie der Truthahntanz. Die Furcht vor den bösen Geistern ist immer noch groß, manche Familien hängen Netze vor die Fenster, um die bösen Kräfte abzuhalten. An christlichen Feiertagen wird zu Ehren der katholischen Heiligen getanzt, an Weihnachten wird ein großes Feuer entzündet, damit der Weihnachtsmann sich nicht verirrt. „Wir mögen viele Geschichten der

Pueblo-Tänzer aus Acoma.

Weißen", meint Berni lächelnd, „aber nur, wenn wir alte Lieder singen und unsere Identität behalten, sind wir stark!"

„Heya, heya, der Truthahn gab sein Leben, als er unsere Brüder besuchte, deshalb sind wir ihm ewig dankbar, heya, heya..." Alden und Berni und Carl und Jamie und die anderen Tänzer bewegen sich noch einmal zum Klang der Trommeln. Ihre Körper wirbeln durch den Staub, wie in Zeitlupe jetzt, und wir wähnen uns in einem Traum, der von längst vergessenen Welten erzählt. Hier oben, auf der zerklüfteten Mesa, hat die Zeit keine Bedeutung mehr. Die Stadt ist meilenweit entfernt, das Einkaufszentrum könnte auf einem fernen Planeten liegen. Die Acoma tanzen in den Himmel hinein und verbünden sich mit den Geistern, die in den Hitzeschleiern über dem Salbei schweben.

16. Auf den Spuren von Karl May: *Winnetou III*

Zum Grab des legendären Apachen-Häuptlings in den Gros-Ventre-Bergen von Wyoming. Winnetous letzte Ruhestätte liegt in einer der spektakulärsten Berglandschaften des Westens.

Über den Teton Mountains braut sich ein Gewitter zusammen. Als würde der Große Geist meine Gedanken erraten, zucken feurige Blitze vom Himmel herab und grollender Donner lässt den Boden erzittern. Ich bin in meinem Chevy Blazer unterwegs, treibe den Geländewagen über einen morastigen Feldweg und sehe die dunkle Felswand des Mount Hancock wie einen Schatten emporsteigen. Die ersten Regentropfen fallen, trommeln auf das Wagendach. Der Scheibenwischer kämpft gegen den Regen an. Ich halte das Lenkrad mit beiden Händen, folge den hellen Flecken, die vor den Scheinwerfern über den Boden huschen. Die Wolken werden immer dunkler, obwohl es noch früh am Nachmittag ist, und ich bin ganz allein in den Bergen, muss so schnell wie möglich nach Jackson, wenn ich keine unliebsame Überraschung erleben will. Ein Erdrutsch kann gefährlich werden. Wenn der Wagen ins Schleudern kommt, können mich die bösen Geister in eine tiefe Schlucht ziehen und töten. Ich erschrecke, als der Regen stärker und das Trommeln unheilvoller wird.

Ich kämpfe mich über einen Geröllhang, weiche einem Felsbrocken aus und sehe einen Schatten zwischen den Steinen liegen. Ein totes Tier, ein Felsen, selbst im Scheinwerferlicht kann ich nicht mehr erkennen.

„Eine halbe Minute später hatten wir den Boden erreicht“, erinnere ich mich an die entscheidende Szene aus *Winnetou III*, „zu gleicher Zeit aber blitzten uns aus der Spalte einige Schüsse entgegen. Winnetou stürzte zu Boden.

Ich stand starr vor Schreck.

‚Winnetou, mein Freund‘, schrie ich auf, ‚hat eine Kugel getroffen?‘

‚Winnetou wird sterben!‘, hauchte er im Niederfallen.“

An dieser Stelle muss es gewesen sein. Dort ist der Felsenhang, über den Winnetou und Old Shatterhand sich abgeseilt haben. Der Geröllhang, an dem ihn die tödliche Kugel traf. Auf dem Grund des Kessels, wenige Meter vor meinem Wagen, prallte sein Körper auf den Boden. Im Schatten des Mount Hancock, im Dunkel einer unheilvollen Nacht, ereilte den Häuptling sein Schicksal. Eine Szene, die jedem Karl-May-Leser deutlich vor Augen steht und die er immer wieder liest.

„‚Hat mein guter Bruder noch einen Wunsch?‘, wiederholte ich.

Winnetou nickte und bat leise:

‚Mein Bruder Scharlih führe die Männer in die Gros-Ventre-Berge! Am Metsur-Fluss liegen solche Steine, wie sie suchen. Sie haben es verdient.‘

‚Was noch, Winnetou?‘

‚Mein Bruder vergesse den Apatschen nicht.

Die Straße führt an den schneebedeckten Tetons vorbei.

Er bete für ihn zum großen, guten Manitou!'"

Ich erreiche die Asphaltstraße, nehme das Gewitter kaum noch wahr. Während ich zur Hauptstraße zurückfahre, höre ich, wie die Männer in *Winnetou III* das Ave Maria singen. Eine kitschige Szene, mag sein, aber sehnen wir uns nicht alle nach einem solchen Gefühlsausbruch? Brauchen wir in unserer modernen und technisierten Welt nicht gerade solche Szenen? Waren Bücher wie *Die Brücken am Fluss* und *Winnetou* und Filme wie VOM WINDE VERWEHT, TITANIC und die Karl-May-Filme mit Pierre Brice und Lex Barker nicht gerade deshalb so große Erfolge?

„,Es will das Licht des Lebens scheiden,
nun bricht des Todes Nacht herein.
Die Seele will die Schwingen breiten;
es muss, es muss gestorben sein.
Madonna, ach, in deine Hände
leg' ich mein letztes heißes Flehn:
Erbitte mir ein gläubig Ende
und dann ein selig Auferstehn!
Ave Maria!'

Als der letzte Ton verklungen war, wollte Winnetou sprechen – es ging nicht mehr. Ich brachte mein Ohr ganz nahe an seinen Mund, und mit der letzten Anstrengung der schwindenden Kräfte flüsterte er:

‚Scharlih, ich glaube an den Heiland. Winnetou ist ein Christ. Leb wohl!'

Es ging ein Zucken und Zittern durch seinen Körper, ein Blutstrom quoll aus seinem Mund. Der Häuptling der Apatschen drückte nochmals meine Hände und streckte seine Glieder. Dann lösten sich seine Finger langsam von den meinigen – er war tot – –"

Zwei Tage brauchten Old Shatterhand und seine Freunde für den Ritt in die Gros-Ventre-Berge. Sie hatten den Leichnam des toten Apachen in eine Decke gewickelt und auf seinem Rappen festgebunden. Der Ritt führte durch eine der schönsten Landschaften des amerikanischen Westens und ich bin sicher, der Westmann erinnerte sich an die vielen schönen Stunden, die er zusammen mit seinem indianischen Freund in dieser Bergwildnis verbracht hatte. Hinter Jackson ragen die schneebedeckten Gipfel der Grand Tetons in den Himmel empor wie die scharfen Zähne eines riesigen Haifisches, und östlich vom Snake River, der sich wie ein silbernes Band durch diese anmutige Landschaft zieht, erstrecken sich die tiefgrünen Wälder der Gros Ventres.

Auch mich hat es immer wieder in diese Gegend von Wyoming gezogen. Im Geländewagen, auf dem Pferderücken und zu Fuß habe ich die Wildnis südlich vom Yellowstone National Park erforscht. Auch die Tetons stehen unter Naturschutz, seit 1950 gibt es den Grand Teton National Park. Von einem Felsen blicke ich ins Jackson Hole hinab, das lang gezogene Tal zwischen Teton Mountains und der Gros Ventre Range. Ein Touristengebiet mit Guest Ranches und Campingplätzen, einem der attraktivsten Skigebiete des Westens und den Souvenirshops und Boutiquen von Jackson, aber abseits der befahrenen Highways noch immer wild und urwüchsig. So wie im Winter 1806, als John Colter in diesem Teil der Rocky Mountains jagte und Yellowstone und Jackson Hole für die Zivilisation entdeckte. Ein Hinterwäldler aus Virginia, der im Westen eine neue Freiheit suchte, über den Togwotee Pass in das Tal vorstieß und am Teton Pass mit den feindlichen Blackfeet-Indianern in einen Kampf verwickelt wurde.

Die Blackfeet wurden nach Norden abgedrängt, leben auf einer Reservation in Montana und kämpfen nur noch vor Gericht gegen den Weißen Mann, und die vereinzelten Lagerfeuer der Fallensteller sind den Lichtern von Jackson gewichen, das sich immer weiter zwischen den Bergen ausbreitet. Schon um die Jahrhundertwende, drei Jahre nach ihrer Gründung, wurde die Stadt zu einem Zentrum für Rancher und Jäger, die nach der Vertreibung der Indianer ein wahres Paradies vorfanden. Die ersten Dude Ranches wurden um 1910 gegründet. Zehn-Gallonen-Hüte und hochhackige Cowboystiefel wurden zu Symbolen der Stadt, die heute noch von der Viehzucht lebt. Auch wenn die Touristen in Scharen

In den Tetons ist man dem Himmel am nächsten.

kommen, können sie die Cowboys nicht vertreiben.

Nach dem Gewitter ist die Luft klar und würzig, und der Duft der morastigen Erde empfängt mich, als ich am frühen Morgen über den Togwotee Pass in die Gros Ventres fahre. Ich lasse den Wagen auf einem Parkplatz stehen und wandere ins Hinterland, den Schlapphut auf dem Kopf, das Regencape im Rucksack. Auf einer einsamen Lichtung bleibe ich stehen und blicke zu den schneebedeckten Teton Mountains hinüber. Die aufgehende Sonne überzieht die Gipfel mit goldenen Schatten und spiegelt sich im Jackson Lake. Hier ist man dem Himmel am nächsten. Selbst die Elche, die jenseits einer Sumpflandschaft im Wasser stehen, scheinen den Atem anzuhalten. Die zerklüfteten Felsen ragen steil nach oben, von geheimnisvollen Dunstschwaden umgeben, und berühren die Wolken. Ein Gemälde, das sich ständig verändert. Dramatisch, friedvoll, farbenprächtig und still.

Die atemberaubenden Ausblicke im Grand

Bildseite 118/119: Einsamer Büffel im Grand Teton National Park.

Teton National Park bleiben lange im Gedächtnis: der Jackson Lake mit seinen romantischen Buchten und zwei Lodges, die Elchkühe am Oxbow Bend und auf den Willow Flats, die eindrucksvolle Aussicht vom Snake River Overlook, der mächtige Gipfel des Mount Moran, die Büffelherden in den sonnenüberfluteten Tälern und die kurvenreiche Jenny Lake Road an einem der schönsten Seen von Wyoming. Ich wandere um den See herum und klettere in den Cascade Canyon, sehe die Felsen kerzengerade nach oben steigen und irgendwo im Dunst verschwinden. Im abendlichen Sonnenlicht heben sich die Bäume wie Scherenschnitte vom dunklen Wasser des Jenny Lake ab. Ein traumhaftes Urlaubsland, das so abgelegen war, dass die Indianer bis ins 19. Jahrhundert ihrer traditionellen Lebensweise verhaftet blieben. Die ‚Sheepeaters' (‚Schafesser'), eine kleine Gruppe von Shoshone-Indianern, die vor feindlichen Kriegern mit britischen Gewehren in die unwirtliche Gegend der Tetons flohen und ihre Verstecke erst verließen, als Chief Washakie und seine Leute kapitulierten und in die Reservation gingen. Selbst erfahrene Trapper begegneten den ‚Schafessern' nur selten. Im frühen 19. Jahrhundert erschienen die ersten Fallensteller im Jackson Hole. Angeblich soll John Colter der erste Weiße gewesen sein, der die Teton Mountains zu Gesicht bekam und im Winter von 1807/1808 den windumtosten Teton Pass überquerte. Seiner Route folgt heute ein asphaltierter Highway, der sich in zahlreichen Windungen zum Pass hinaufzieht und nur einen ungefähren Eindruck davon vermittelt, wie heroisch der Marsch durch die menschenleere Wildnis gewesen sein muss.

Ich bleibe stehen und genieße die andächtige Stille. Hier könnte es gewesen sein. „Dort haben wir Winnetou begraben", schrieb Karl May im fünfzehnten Kapitel von *Winnetou III*, „unter christlichen Gebeten und mit den Ehren, die einem so großen Häuptling zustehen. Er sitzt mit seinen sämtlichen Waffen aufrecht auf seinem Iltschi, der zu diesem Zweck erschossen wurde, im Innern des Erdhügels, den wir um ihn wölbten. Auf diesem Hügel wehten nicht die Skalpe erschlagener Feinde, wie man es auf dem Grab eines Häuptlings zu sehen gewöhnt ist, sondern es sind drei Kreuze darauf errichtet worden." Ich sehe den Hügel nicht, aber als ich mich auf einem Stein ausruhe und aus der Feldflasche trinke, höre ich wieder die Stimmen: „Madonna, ach, in deine Hände leg ich mein letztes heißes Flehn: Erbitte mir ein gläubig Ende und dann ein selig Auferstehn! Ave Maria!" Winnetou ist hier, auch wenn es ihn nur in der Fantasie eines großen Schriftstellers gegeben hat.

17. Die mit dem Wolf tanzt

Cathy Smith, die weiße Indianerin

Cathy Smith hat alle Indianerkostüme für DER MIT DEM WOLF TANZT entworfen. In ihrer Werkstatt verkauft sie ihre originellen Lederhemden auch an ‚normale' Kunden. Sie lebt in einer Westernstadt bei Santa Fe.

Strampelnder Vogel, der Medizinmann aus DER MIT DEM WOLF TANZT, trug ihr Lederhemd und ihre Leggins: Cathy Smith, im Schatten des heiligen Medicine Mountain in den Black Hills von South Dakota aufgewachsen, hat sich auf die Herstellung von authentischer Indianerkleidung spezialisiert. Sie entwarf alle Indianerkostüme für den preisgekrönten Film und schneiderte sie in mühevoller Heimarbeit. „Kevin Costner wollte alle Kostüme in zweifacher Ausfertigung", berichtet die Designerin in ihrer ‚Medicine Mountain'-Galerie, eigentlich mehr eine Werkstatt im Laden einer namenlosen Westernstadt bei Santa Fe. Auch für SON OF A MORNING STAR, in den USA ein riesiger Fernseherfolg, und für GERONIMO entwarf

Cathy Smith tanzt mit dem Wolf.

sie viele Kostüme. „Und die Lederjacke für Steven Segal in ON DEADLY GROUND“, fügt sie lachend hinzu.

Als Künstlerin und Historikerin geht sie akribisch vor: „Ich investiere viel Arbeit, studiere zeitgenössische Gemälde und Fotografien, gehe in Museen und spreche mit alten Indianern, die sich an die traditionellen Muster erinnern können.“ Das Hirschleder wird mit dem Hirn der getöteten Tiere gegerbt, die Perlen kommen aus Venedig, sind von der Handelsware, die damals an die Indianer verteilt wurde, nicht zu unterscheiden. Vernäht werden die geschnittenen Lederstücke mit Tiersehnen. Auch Büffelfelle werden verarbeitet. „Alles muss so authentisch wie möglich sein“, sagt Cathy, „das gilt auch für die Herstellung.“

Cathy interessierte sich schon als kleines Mädchen für die Kultur der Prärieindianer, nahm an den Pow-wows auf den Pine River und Cheyenne River Reservations der Sioux-Indianer teil. Sie war von ihren Geschichten und Legenden fasziniert. Als Adoptivtochter von Kenneth Young Bear wurde sie in die geheimnisvolle Welt der Lakota eingeführt. Als einzige Weiße durfte sie am jährlichen Sonnentanz teilnehmen, dem bedeutendsten Ritual der Prärieindianer. Mit der Zermonie wird die Erneuerung der Natur gefeiert. Auf einer viertägigen ‚Vision Quest‘ in der Wildnis, ohne Nahrung und allein mit ihren Gebeten, heiligen Liedern und Träumen, erfuhr sie die spirituelle Welt der Lakota.

‚Wi'yek'pawin‘ wurde ihr indianischer Name, das bedeutet ‚Shining Woman‘ (‚Leuchtende Frau‘). Sie zog nach Santa Fe, um dort ihre Lederkleidung zu verkaufen, behielt aber ihr kleines Haus in South Dakota und kehrt alle paar Monate in ihre indianische Heimat zurück. Auch DER MIT DEM WOLF TANZT wurde dort gedreht, in den ehemaligen Jagdgründen der Lakota. Cathy: „Ich war bei einem Teil der Dreharbeiten dabei, durfte als Beraterin bei der Büffeljagd und beim Büffeltanz zusehen. Ein einmaliges Erlebnis. Die Szenen wirkten erstaunlich echt. Ich habe noch nie so gute Reiter wie bei der Büffeljagd gesehen. Das war fast alles echt, da wurde wenig mit Special Effects gearbeitet.“ Mit den meisten Darstellern ist Cathy Smith noch heute befreundet.

Ihr neues Projekt: Ein wohlhabender Privatsammler hat originalgetreue Duplikate von der Lederkleidung zehn bedeutender Häuptlinge und Krieger bestellt. Mato Tope, der berühmte Mandan-Häuptling, den George Catlin gemalt hat. Red Cloud, der begnadete Redner der Lakota. Medicine Crow, Mountain Chief, Little Chief. „Crazy Horse, einer der Häuptlinge, die Custer geschlagen haben, ist die größte Herausforderung für mich“, sagt sie, „er ist der einzige bekannte Häuptling des 19. Jahrhunderts, von dem es kein Gemälde oder Foto gibt. Ich muss mich auf Berichte und Erzählungen verlassen.“ Bis ins letzte Detail sollen die Kleidungsstücke den Originalen gleichen und auch bei der Herstellung macht sie keine Kompromisse. „Der Auftraggeber hat mir versprochen, dass ich mit den Stücken auf Tournee gehen darf, bevor sie in seinem Privatmuseum landen.“

Indianerkleidung - nach authentischen Vorbildern gefertigt.

Ihr größter Traum: „Ich möchte einen eigenen Indianerfilm drehen, der in der Zeit vor der Ankunft der Weißen spielt. Die Indianer verschiedener Stämme sollen sich in der Zeichensprache unterhalten, wie es damals üblich war." Bis der entscheidende Anruf aus Hollywood kommt, arbeitet sie unermüdlich weiter – auch für Privatkunden, die originelle Lederkleidung im Westernstil bestellen. Immerhin lebt sie in der Westernstadt, in der so berühmte Western wie WYATT EARP (mit Kevin Costner) und CHISUM (mit John Wayne) gedreht wurden. „Sogar eine Folge von WALKER, TEXAS RANGER haben sie schon vor meiner Haustür gedreht..."

18. Geisterstädte in New Mexico

Geheimnisvolles aus dem Wilden Westen

Im Südwesten von New Mexico fließt einheimischer Wein aus bunten Flaschen und die Vergangenheit lebt in abgelegenen Geisterstädten wie Kingston und Hillsboro.

Der Weihnachtsmann lenkt seinen Schlitten über eine Flasche mit kostbarem Chardonnay: Nichts ist unmöglich auf einem der angesehensten Weingüter von New Mexico. „Wir haben uns auf das kunstvolle Bemalen unserer Flaschen spezialisiert“, verrät Danielle Lescombes mit ihrem starken französischen Akzent, „vor allem bei den Amerikanern kommt das hervorragend an.“ Die Flaschen werden mit indianischen Mustern, spanischen Kapellen, exotischen Blumen und jahreszeitlich bedingten Motiven wie springenden Osterhasen und dem (amerikanischen) Weihnachtsmann hinter seinem Rentierschlitten verziert und auf Wunsch werden sogar persönliche Motive auf das Glas gemalt. Fünf Künstler arbeiten für das Weingut und verdienen mit ihren vergänglichen Flaschenbildern ein attraktives Zubrot.

‚Mademoiselle de Santa Fe‘ ist der klangvolle Name des Weingutes, dabei ist Danielle längst eine Madame und wohnt in Deming im südwestlichen New Mexico. 1980 verkaufte die Französin ihr Weingut in der Bretagne und kam mit ihrem zweiten Mann nach New Mexico. Hervé Lescombes stammt aus Algerien und war begeistert von den fruchtbaren Berghängen im amerikanischen Südwesten. „Das Klima ist ähnlich wie in meiner algerischen Heimat“, meint er. Auch dort hatte er Wein angebaut. Danielle hat es vor allem die unendliche Weite in New Mexico angetan: „Hier hast du viel mehr Raum zum Atmen. Das bedeutete eine große Umstellung für mich, immerhin war ich im engen Frankreich aufgewachsen, aber jetzt lebe ich gern hier. Obwohl“, fügt sie schmunzelnd hinzu, „die Amerikaner einen anderen Geschmack haben. Sie mögen süße Weine. Die süßen Weine passen hervorragend zu mexikanischem Essen.“

Den ersten Wein brachten Franziskaner-Mönche Ende des 16. Jahrhunderts ins spätere New Mexico. Bereits 1580 benutzten sie einheimischen Wein beim Abendmahl. Im 19. Jahrhundert gab es florierende Weinberge und Weingüter zwischen Bernalillo und der mexikanischen Grenze. „Kein Klima ist besser geeignet für das Anpflanzen von Wein als einige Gegenden im mittleren und südlichen New Mexico“, schrieb der junge Rechtsanwalt William H. Davis bereits 1857 in seinem Buch *El Gringo*, „wenn es einen Absatzmarkt dafür gäbe, würde Wein schon bald zu einer Grundlage der florierenden Wirtschaft in diesem Land werden.“ Der Besucher behielt Recht. Bereits 1880 wurden über drei Millionen Liter Wein im späteren New Mexico produziert. Erst die Prohibition setzte der Weinherstellung ein Ende. Die Lescombes gehörten zu den ersten Europäern, die den Wein um 1980 nach New Mexico zurückbrachten. Danielle: „Der Trend in den USA ging zu leichteren Getränken und da war Wein ideal.“ Die

Produktion hat sich seit dem letzten Jahrhundert beinahe verdoppelt. „Das trockene Wüstenklima begünstigt einen hervorragenden Cabernet Sauvignon, Chardonnay, Merlot und Pinot Noir."

Der berüchtigte Billy the Kid bevorzugte schärfere Getränke, trank wenige Meter vom ‚Tasting Room' des Weingutes in Mesilla seinen Whisky. In der benachbarten Postkutschenstation des Vororts von Las Cruces, die heute ein mexikanisches Restaurant beherbergt, legte er sich mit anderen Revolvermännern an. Sogar im Gefängnis von Mesilla saß der babygesichtige Killer und man kann noch heute die Einschusslöcher bestaunen, die er bei seiner Flucht hinterließ. Ähnliche Spuren finden sich in Lincoln, der unscheinbaren Hauptstadt des benachbarten Lincoln County, wo einer der blutigsten Weidekriege in der Geschichte des Wilden Westens stattfand. Billy the Kid kämpfte auf der falschen Seite und wurde von Sheriff Pat Garrett erschossen.

Las Cruces, die größte Stadt im südwestlichen New Mexico, wurde von spanischen Eroberern gegründet, leitet ihren Namen aber von den Kreuzen ab, die neben einem Golfplatz an vierzig Reisende erinnern, die von den Apachen überfallen wurden und in der Nähe der damaligen Siedlung ihre letzte Ruhe fanden. Einige Spanier, die über den Camino Real nach Norden zogen, bestatteten die Toten und pflanzten Kreuze (‚Las Cruces') in die Erde. Während der Pionierzeit stand die gesichtslose, aber wunderschön in sanften Tälern gelegene Stadt im Schatten von La Mesilla, dessen Plaza liebevoll restauriert wurde und als

Billy the Kid gehörte zu den gefährlichsten Revolverschützen des Wilden Westens.

Zeugen der wilden Vergangenheit.

beliebter Anlaufpunkt für Touristen gilt. Die Türme der Kirche von San Albino überragen den Marktplatz mit seinen Restaurants, Boutiquen und Andenkengeschäften, während der Urlaubszeit tummeln sich Straßenkünstler und Marketender auf der Plaza.

Auf den Spuren von Billy the Kid geht es weiter nach Westen, über Deming in die Berge des Gila National Forest. In Silver City soll der Outlaw bereits als Halbwüchsiger einen Schmied ermordet haben, der seine Mutter belästigte. Das Haus, in dem Billy mit seiner Mutter wohnte, wurde nördlich der Brodway Bridge restauriert und auch das legendäre Star Hotel, in dem Billy als Gehilfe arbeitete, steht noch. Das Grab seiner Mutter liegt auf dem Friedhof außerhalb der Stadt. Die viktorianischen Häuser in der historischen Innenstadt gehörten reichen Minenbesitzern und wurden aus Lehmziegeln gebaut. Die Bullard Street war im späten 19. Jahrhundert ein gefährliches Pflaster, hallte von den Schüssen zahlreicher Revolvermänner wider, die von den reichen Silbervorkommen in den Bergen angelockt wurden.

Die abgelegene Minenstadt liegt in den Ausläufern der Pinos Altas Range und gilt als idealer Ausgangspunkt für Ausflüge in die urwüchsige Gila Wilderness mit zerklüfteten Felsenbergen und wilden Schluchten. Schon prähistorische Indianer suchten in der Gegend nach Türkis. 1804 gruben spanische Siedler nach Kupfer. 1870 wurde Silber entdeckt und ein wahrer Run auf die Vorkommen setzte ein. Innerhalb von zehn Monaten wuchs das neugegründete Silver City zu einer respektablen Stadt mit achtzig Häusern heran. Von einer abgelegenen Hinterwäldlerstadt konnte nicht die Rede sein: Bereits 1883, noch zur Zeit der Apachenkriege, gab es Telefon und 1884, nur zwei Jahre nach New York, wurden die Straßen von elektrischen Lampen erhellt.

Silver City verkam nicht zur Geisterstadt, profitierte von seinem gesunden Klima und dem Erfindungsgeist seiner Bewohner, die es immer verstanden, den Handel in ihre Stadt zu locken. Ganz im Gegensatz zu Kingston und Hillsboro, die nur während der großen Gold- und Silber-

Trödelladen am Turquoise Trail.

Alte Postkutschenstation - heute ein Lokal.

funde um 1880 aufblühten und östlich von Silver City ein verstecktes Dasein fristen. Der schmale Highway 152 windet sich durch eine zerklüftete Berglandschaft, die immer noch ihre Wunden leckt, die hungrige Schatzsucher in ihre Erde gruben. „Das ist lange her", meint die alte Lady in Kingston. Sie geht gebückt durch ihren verstaubten Andenkenladen, berührt den Ramsch, der sich in einigen Jahrzehnten angesammelt hat, und stützt sich auf einen krummen Spazierstock. „Ich bin, wo ich sein will", sagt sie, „mit den großen Städten hab' ich's nie so gehabt. Hier wohnen keine hundert Leute und mir gehen schon diese ‚Fast-Laners' auf den Wecker, die von Silver City die Berge runtergebraust kommen. Als ob's keine andere Straße gäbe! Mir ist sogar Silver City zu groß! Stell dir vor, jetzt haben sie ein großes Kaufhaus in der Stadt eröffnet! Wenn das so weitergeht, brauch' ich noch einen Kompass zum Einkaufen!"

Kingston bleibt im trüben Sonnenlicht zurück, lässt nicht mehr erkennen, dass es zur Zeit des großen Booms über 7.000 Einwohner hatte. 22 Saloons säumten die berüchtigte Main Street und im Red Light District tummelte sich das Laster. Ähnliche Abgründe taten sich in Hillsboro auf, das 1877 von Goldfunden profitierte und nach dem Boom in Vergessenheit geriet. Nur noch wenige Häuser erinnern an die wilde Zeit. Beinahe beschaulich liegt der Highway in der Nachmittagssonne. Eine weißhaarige Lady spricht mich auf der Straße an, lädt mich in ihr Haus ein, das vor mehr als hundert Jahren einem reichen Minenbesitzer gehörte und zu einem Refugium für die weitgereiste Dame wurde. Helen Anderson Evans ist achtzig Jahre alt und lebt zwischen ihren vielen Büchern, kunstvollen Gemälden aus allen Stilepochen und exotischen Pflanzen, die auch den romantischen Innenhof in einen Dschungel verwandeln. Die dunkelroten Blüten an einem weitausladenden Redbud Tree leuchten im Sonnenlicht. „Hillsboro ist zu einer Oase für aufstrebende Künstler geworden“, sagt die Lady, „und ich genieße die kreative Atmosphäre.“ Während ich an meinem Eistee nippe, spielt sie auf einem pinkfarbenen Piano irgendeine Sonate von Mozart.

Die Klänge ihres Klaviers begleiten mich über den schmalen Highway in die Wirklichkeit zurück. Am Interstate 25 wartet die Wüste und die Fahrt geht durch die endlose und trostlose Weite des südlichen New Mexico nach Norden zurück. Albuquerque und Santa Fe sind mit der Zeit gegangen und schon nach wenigen Tagen bekomme ich Heimweh nach der Abgeschiedenheit von Silver City und Hillsboro. „Hier unten liegt das wahre New Mexico“, hat Helen gesagt, „hier schlägt das Herz des Landes!“

19. Im Land der Navajos

Alltag einer modernen Navajo-Indianerin

Ein Tag im Leben der Roberta John: Die junge Navajo-Indianerin kämpft für mehr Arbeitsplätze im Navajo-Reservat. Als Angestellte der Stammesregierung ermutigt sie die Indianer, eigene Unternehmen und Geschäfte zu gründen.

Roberta John geht auf den Kriegspfad: Ihr Pony ist ein alter Kombi, ihre Waffen sind eine gediegene Ausbildung und die Fähigkeit, mit Menschen umzugehen. Als Angestellte der Stammesregierung kämpft die junge Indianerin für die Schaffung neuer Arbeitsplätze. Ein undankbarer Job, denn jeder Zweite der 200.000 Navajo-Indianer im Reservat lebt von der Sozialhilfe. Sie hetzt von einem Termin zum anderen und ermutigt Stammesmitglieder, ein eigenes Unternehmen zu gründen. Ihre Regierungsstelle hilft mit Darlehen aus und vermittelt das nötige Fachwissen. Roberta John: „Wir wollen eigene Einkaufszentren, Hotels und Banken. Nur wenn das Geld ins Reservat zurückfließt, können wir in die Zukunft unseres Volkes investieren."

Der Steckbrief der Navajo-Indianerin würde auch zu einer Weißen passen: Anfang dreißig, geschieden, eine zwölfjährige Tochter, ein neunjähriger Sohn. Abschluss an der Brigham Young University in Utah, ein Jahr bei den Farmington Daily News als Reporterin, Publicrelations und Economic Development. Graues Kostüm, eher konservativ, dunkle Schuhe mit halbhohen Absätzen, klassisches Make-up und gestylte Haare. Mittleres Einkommen, ein gemieteter Trailer, japanischer Mittelklassewagen. Nächstes Jahr will sie ein kleines Haus anzahlen. Ihr Terminkalender ist voll, wie bei allen selbständigen Frauen in den USA.

7.30 Uhr: Heißer Kaffee und Cornflakes mit kalter Milch müssen genügen. Roberta verlässt ihren Trailer in Gallup und fährt nach Window Rock, der kleinen Hauptstadt des Reservats. Einfache Fertighäuser heben sich gegen die braunen Felsen der Umgebung ab. Gewaltige Steinriesen wachsen außerhalb der Stadt in den Himmel. Dahinter die einsame Straße nach Norden, eine staubige Spur in dem endlosen Land, das sich irgendwo am Horizont verliert. Die Sonne brennt vom Himmel und bricht sich zwischen den Felsen, zaubert helle Streifen auf den Asphalt. Das heilige Land der Navajos, das nur die Indianer wirklich verstehen, weil sie seine Seele kennen. „Die Felsen sprechen zu mir", sagt Roberta. Eine moderne Amerikanerin, mit beiden Beinen auf der Erde und tief in der Tradition ihres Volkes verwurzelt.

Im Auto erzählt sie mir, dass sie in Utah aufgewachsen ist, außerhalb des Reservats. „Ich hab' siebzehn Jahre in Montezuma Creek gelebt, zur San Juan High School war ich eine Stunde im Schulbus unterwegs. Meine Eltern wollten, dass ich was Anständiges lerne. In Tempe hab' ich an der Arizona State University studiert. Das war damals noch ungewöhnlich für eine junge Indianerin. Ich fing in der PR-Abteilung einer großen

,Bed & Breakfast' in einem Hogan der Navajos.

Firma an, bin aber schon nach wenigen Monaten ins Reservat zurück. Ich wollte was für mein Volk tun. Jetzt arbeite ich für die Stammesregierung, in der Abteilung ,Economics & Development'. Ich bin fast den ganzen Tag unterwegs, treffe mich mit Navajos, die ein Unternehmen gründen wollen oder schon gegründet haben."

8.20 Uhr: Roberta parkt vor einigen Containern am Rand der Straße. Eine Zweigstelle der Stammesregierung. Die Bauarbeiter auf der anderen Seite wohnen auch nicht besser. Ein Schreibtisch, mit Papieren überladen, an der Wand einige Auszeichnungen, ein paar Fotos, eine Karte des Reservats: über 60.000 Quadratkilometer im Nordosten von Arizona. „Das größte Reservat der USA", erklärt sie stolz, „der 51. Bundesstaat." Eine eigene Regierung, eine eigene Zeitung, eine eigene Rundfunkstation, die in der Navajo-Sprache sendet. Berühmte Naturwunder wie das Monument Valley und der Canyon de Chelly. „Wir müssen den Tourismus fördern, da-

Roberta spricht mit Romero Brown vom Days Inn.

mit mehr Geld reinkommt!“ Sie tippt einen Pressetext in den Computer, korrigiert den neuen Newsletter und telefoniert mit einem Kollegen in Page. Am Lake Powell soll die neue Antelope Point Marina eröffnet werden. Auch Navajos bewerben sich um eine Konzession, die Chancen, ein neues Hotel oder das Restaurant zu bekommen, stehen gut.

10.40 Uhr: Wir fahren zur Hauptstraße. Über dem Eingang eines brandneuen Days Inn hängt ein Banner, das alle Touristen willkommen heißt. „Das erste Hotel, das einem Navajo gehört!“ Er heißt Romero Brown und begrüßt uns in der kühlen Eingangshalle. Es riecht nach frischer Farbe. Der Hotelbesitzer, keine dreißig und immer guter Laune, hat ein Hotel in Gallup geführt, bevor er den neuen Days Inn übernahm. Stolz zeigt er uns die sauberen Einheitszimmer, den überdachten Pool, den Whirlpool und die Sauna. „Sowas hat's hier noch nie gegeben!“

„Unsere Infrastruktur muss besser werden“, sagt Roberta, als wir weiterfahren, „dann bleiben auch die Touristen. Wir brauchen junge Leute wie Roberto, die keine Angst vor der Zukunft haben. Leider wählen die jungen Leute kaum, die meisten wohnen außerhalb des Reservats." Ein Grund dafür, dass es noch kein Spielcasino bei den Navajos gibt. Über fünfzig Prozent haben dagegen gestimmt. „Ich weiß nicht, was ich davon halten soll. Viele Stämme überleben nur, weil sie ein Casino haben. Wir verzichten freiwillig darauf." Dabei waren die Navajos immer geschäftstüchtig. Schon im 19. Jahrhundert verkauften sie ihre bunten Teppiche an die Handelsposten. „Nur den ersten Teppich darf man nicht verkaufen! Ich hab' gerade mal zwei gewebt."

11.10 Uhr: Wir halten neben einer Baustelle, treffen Polaho. Der dreiundfünfzigjährige Unternehmer hat in eine Tankstelle und einen großen Shop investiert. Er sieht wie ein Weißer aus, hat aber Indianerblut in den Adern. Seit neunzehn Jahren arbeitet er für die Navajo Nation Oil & Gas und andere Firmen. „Ich hab' Schulen, Läden und ganze Wohnsiedlungen gebaut", brüllt er den dröhnenden Vorschlaghammer vor der Tankstelle nieder. „Auf meinen Baustellen arbeiten nur Navajos!"

Polaho braucht keinen Ratschlag und keinen Kredit, aber er trifft sich alle paar Wochen mit Roberta. „Ich arbeite eng mit der Stammesregierung zusammen. Wenn ich was baue, soll was für die Leute im Reservat rüberkommen!" Leider wollen viele Navajos nicht mit der Zeit gehen. „Die Kluft zwischen Alt und Jung ist zu groß", erklärt Roberta. „Die Alten lehnen alles Neue ab

Ein Medizinmann der Navajo legt ein Sandbild. Die bunten Muster sollen die Geister versöhnen und Kranke heilen.

und viele Jugendliche wollen nichts mehr mit unserer Tradition zu tun haben. Dabei ist beides wichtig! Die Alten müssen den Tourismus als Einnahmequelle akzeptieren, die Jungen müssen unsere Sprache und die alten Lieder lernen. Wer seine Sprache und seine Religion aufgibt, verliert seine Identität! Ich bete jeden Tag zu unseren Göttern und bringe ihnen Opfer."

12.20: Lunch im Navajo Nation Inn. Roberta bestellt einen Caesar's Salad und Eistee. Hamburger sind schlecht für die Figur, auch bei Indianern. „Die Alten haben Angst, dass wir nur an die Touristen denken", sagt sie nach den ersten Bissen, „sie wollen selber fließendes Wasser und Strom, bevor wir die Straße asphaltieren oder ein Hotel bauen." Deshalb bleiben die Sandstraßen im Monument Valley und im Canyon de Chelly. Gott sei Dank, meinen viele Besucher. „Meine Eltern wohnen im Nordosten, sie müssen Wasser und Holz von weither holen, so wie früher." Am Nebentisch sitzt Lenora Fulton, die ältere Lady will Präsidentin werden. Häuptlinge gibt es nicht mehr. Ihr Pullover ist grün, „die Farbe meines Geburtssteins", um ihren Hals hängt schwerer Türkisschmuck, „der heilige Stein unseres Volkes."

Im Arts & Crafts Shop nebenan wird Indianerschmuck verkauft. Über 30.000 Künstler leben im Reservat, im stammeseigenen Shop können sie ihre Arbeiten ausstellen und verkaufen. Sevaleah Begay, die Miss Navajo der Jahre 1998/99, führt ihre farbenprächtige Festtracht vor. Die zwanzigjährige Schönheit hat einen Abschluss in Publicrelations, will im Reservat bleiben und für das Tourismusbüro arbeiten. Sie hat keine Angst vor den ‚tchindees', den bösen Geistern, die bei jeder Begegnung mit einem Weißen auftauchen können. „Die Europäer interessieren sich für unsere Kultur", hat sie herausgefunden, „sie bleiben länger als die meisten Amerikaner. Die wollen nur fotografieren."

14.00 Uhr: Wir fahren in die Vergangenheit, über eine staubige Straße nach Norden. Dürres Gras bedeckt den rotbraunen Boden. Die Sonne knallt auf die Felsen und lässt den Horizont in einem flimmernden Meer versinken. Ein holpriger Trail führt ins malerische Goat Springs Valley, wenige Meilen und ein halbes Jahrhundert von der Hauptstraße entfernt. Die Felswände ragen hundert Meter über dem schmalen Fluss empor. Ein Paradies inmitten einer kargen Mondlandschaft, seidenweiche Luft und intensive Farben, eine Szenerie wie in einem Western. Wir halten vor einem Hogan, der traditionellen Behausung der Navajos.

Lorraine Nelson treibt ihre Schafe in die Koppel, wischt sich die staubigen Hände an der Schürze ab. Die Augen der sechzigjährigen Indianerin sind hellwach. Ihr Misstrauen verfliegt, als Roberta mich vorstellt. „Wir haben unsere Kultur verloren", sagt sie, als wir im Hogan auf einigen Fellen sitzen, „unsere Sprache wird kaum noch gelehrt." Als Lehrerin in der Public School achtet sie darauf, dass ihre Kinder wenigstens die Grundbegriffe kennen lernen. Ein Medizinmann kommt in die Schule und singt die alten Lieder.

Roberta auf dem Weg zur Arbeit.

Ihre eigenen Kinder, drei Söhne und drei Töchter, sprechen fließend Navajo, sind im Reservat geblieben. Sie wechselt einen Blick mit Roberta. „Ich habe einen zweiten Hogan gebaut, den vermiete ich an Besucher." Und als ob sie sich dafür entschuldigen müsste: „Ich suche mir meine Gäste selber aus. Nur wenn sie sich wirklich für unsere Kultur interessieren, dürfen sie bei mir wohnen. Ein Hogan ist ein heiliger Platz. Beim Bau haben wir die alten Lieder gesungen. Wir haben Mais geopfert."

16.50 Uhr: Wir fahren in die Gegenwart zurück. Zurück nach Window Rock und weiter nach Gallup. In ihrem Trailer schiebt Roberta eine Pizza in den Ofen. Sie schaltet den Fernseher ein und sieht die Nachrichten. Sie freut sich schon auf das Wochenende, dann fährt sie zu ihren Kindern, jedes Wochenende verbringt sie mit Calista und Pablo. Sie gehen zur Schule, wollen mal so erfolgreich wie ihre Mutter werden. „Ich bete dafür, dass die Harmonie unserer Welt erhalten bleibt", sagt Roberta leise.

20. Monument Valley

Die Heimat der Navajos

Mit einem jungen Navajo durch das Monument Valley. In diesem Tal wurden bekannte Westernfilme wie STAGECOACH, THE SEARCHERS, FORT APACHE und CHEYENNE AUTUMN gedreht.

Auf dem Mond kann es nicht einsamer sein. Wohin man blickt, welliges und trockenes Land, das sich bis zum Horizont erstreckt. Dürres Gras bedeckt den rotbraunen Boden. Die Sandstraße führt durch eine andere Welt und endet im Nirgendwo hinter den Felsen. Unser Jeep rumpelt durch ein Schlagloch, das der letzte Regen in den Boden gegraben hat. Das Unwetter liegt ein halbes Jahr zurück. Der Schatten eines Tafelbergs fällt auf den Wagen, hält ihn fest und gibt ihn wieder frei. Die Sonne brennt vom Himmel, wirft dünne und wässrige Schleier auf das Land und lässt den Horizont in einem Meer versinken. Außer dem Brummen des Motors kaum ein Laut. Keine Busse, keine Personenwagen, nur der Jeep eines anderen indianischen Führers begegnet uns. Das Land der Navajos im Nordosten von Arizona.

Wir fahren durch das schönste Tal der Erde, durch eine Welt der versteinerten Träume. Die Zivilisation liegt hinter uns und es gibt nur noch roten Fels und roten Sand. Seit vielen tausend Jahren hat sich hier kaum etwas verändert. Felsige Kolosse und steinerne Nadeln erheben sich wie Monumente in den Himmel, sanft berührt vom heißen Wind der Geister. Monument Valley, das Land des schlafenden Regenbogens. Die Größe der Felsen wirkt erhebend und erdrückend zugleich. Wir sind zwei winzige Punkte in einem versteinerten Meer, ertrinken in der Stille und im rotgoldenen Licht der Sonne, die ständig neue Farben auf die Felsen zaubert. Marlboro Country. Das Land von Freiheit und Abenteuer. Das achte Weltwunder, dort wo die Welt im Urzustand verharrt. Eine Zuflucht für Träumer und Poeten. Die Heimat der Navajos, die eifersüchtig über jeden Felsen wachen und keinen Weißen ohne indianischen Guide ins Hinterland lassen.

Willie Blackwater ist ein junger Navajo, ungefähr dreißig und in beiden Welten verwurzelt, der indianischen und der weißen. Er weiß, dass die Navajos nur überleben können, wenn sie die Zivilisation des Weißen Mannes annehmen. Wir sind in seinem offenen Jeep unterwegs, atmen den Staub ein, der von den Rädern aufgewirbelt wird. Der brummende Motor des Geländewagens wirkt störend in diesem heiligen Tal, aber anders kommt man nicht hinein. Mit dem Pferd oder zu Fuß braucht man viel zu lange, um das riesige Gebiet an der Grenze zwischen Utah und Arizona zu erkunden. Die Navajos wollen nicht, dass die schmalen Straßen asphaltiert werden, schlimm genug, dass sich die Touristen beim Besucherzentrum auf der Aussichtsplattform drängen, auch wenn sie dem Stamm viel Geld bringen. Aber das Hinterland würden die ‚Segnungen' des Weißen Mannes nur zerstören, das wissen die Navajos und handeln entsprechend. ‚Die Erde ist unsere Mutter', heißt es, ‚die kann man nicht erobern.'

Junger Navajo im Monument Valley.

Berühmt wurde das Monument Valley durch die Western von John Ford. Die alten Navajos erinnern sich noch an jenen Tag im September 1938, als der legendäre Regisseur zum ersten Mal in ihrem Tal auftauchte. „Im Monument Valley bin ich am liebsten", sollte er der Zeitschrift *Cosmopolitan* fast dreißig Jahre später erzählen. „Dort gibt es Flüsse, Berge, Ebenen, Wüste – alles, was man von einem Land erwarten kann. Im Monument Valley bin ich zufrieden. Ich war überall auf der Welt, aber das ist der vollkommenste, schönste und friedlichste Platz der Erde." Dabei hatte er seine Anwesenheit nur der Beharrlichkeit eines Pioniers zu verdanken, der einen Handelsposten am Rand des Tals eröffnet und während der Wirtschaftskrise beinahe seine ganzen Ersparnisse aufgebraucht hatte. Noch schlechter erging es den Navajos, die jeden Morgen vor seinem Laden auftauchten und vergeblich auf ein Almosen warteten.

Aber so schnell warf Harry Goulding die Flinte nicht ins Korn. Als er im Radio hörte, dass

Bildseite 138/139: Monument Valley - im Land des Regenbogens.

Hollywood nach langer Zeit wieder einen Western plante, gegen den Rat der meisten Studio-Bosse, die nicht an eine Auferstehung der Pferdeoper glaubten, kramte er seine letzten sechzig Dollar aus einem Marmeladenglas und fuhr nach Los Angeles. Er wollte John Ford mit einigen Fotos überzeugen, den Film in ‚seinem' Tal zu drehen, denn das würde einen neuen Aufschwung für das Monument Valley bedeuten. Natürlich wurde er im Sekretariat des Regisseurs abgewiesen. „Nun", soll er geantwortet haben, „ich habe verdammt viel Zeit, wie ein alter Navajo. Ich hab schon in kleineren Plätzen als diesem Zimmer überwintert. Ich hol mir einfach meinen Schlafsack und rolle ihn auf dem Boden aus." John Ford ließ sich breitschlagen, betrachtete die Bilder und hörte Harry Goulding zu, der ‚das Verkaufsgespräch seines Lebens' führte und Erfolg hatte.

Bereits im Oktober begannen die Dreharbeiten. Der Regisseur ließ sich mit seinem Tross im Monument Valley nieder, brachte die Crew und die Statisten im Handelsposten von Harry Goulding unter und verpflichtete die meisten Navajos als Statisten, Stuntmen und Pferdehüter. Die Menschen des Tales waren gerettet, und John Ford kam noch besser weg: Sein Film wurde am 2. Februar 1939 in Los Angeles uraufgeführt und spielte bereits im ersten Jahr über eine Million Dollar ein – das Doppelte der Herstellungskosten. Der Film wurde gegen die übermächtige Konkurrenz von GONE WITH THE WIND (VOM WINDE VERWEHT) für sieben Oscars nominiert und gewann in den Kategorien ‚Beste Musik' und ‚Bester Nebendarsteller' (Thomas Mitchell). Der Film hieß STAGECOACH und lief in den deutschen Kinos als RINGO.

STAGECOACH wird heute noch als bester Western aller Zeiten gefeiert. Er machte einen jungen Mann zum Star, der als John Wayne zum Inbegriff des romantischen Western wurde. Zusammen mit John Ford, seinem väterlichen Freund, kehrte er noch viele Male ins Monument Valley zurück und drehte Filme wie THE SEARCHERS (DER SCHWARZE FALKE), FORT APACHE (BIS ZUM LETZTEN MANN) und SHE WORE A YELLOW RIBBON (DER TEUFELSHAUPTMANN), die alle zu Welterfolgen wurden und noch heute im Fernsehen gezeigt werden. Anfang der sechziger Jahre drehte John Ford sogar einen Indianerwestern. Mit CHEYENNE AUTUMN (CHEYENNE) setzte er dem Volk, das in seinen Western meist die Bösewichte abgab, ein Denkmal. „Dieser Film war meine Wiedergutmachung an ihnen", sagte er. „Jede Geschichte hat zwei Seiten und ich wollte die Story mal vom Standpunkt der Indianer erzählen. Seien wir doch mal ehrlich: Wir haben die Indianer schlecht behandelt." Die Navajos, die in fast allen Western des Regisseurs mitgespielt hatten, bedankten sich, indem sie den markantesten Punkt im Monument Valley (dort stand die Kamera bei Panorama-Aufnahmen) ‚Ford's Point' nannten.

Wir haben den Felsen längst hinter uns gelassen, befinden uns auf einer einsamen Sandstraße im Hinterland des Tales. Willie Blackwater steuert den Geländewagen an einer rotbraunen Fels-

 Bildseite 140/141: Einsame Indianerhütte im Monument Valley.

Im Geländewagen durch das Hinterland.

wand vorbei. In einer Seitenschlucht hält er an. „Hier wurde ich geboren, hier bin ich aufgewachsen“, sagt er feierlich. „Damals gab es noch keine befestigten Wege im Tal, nur schmale Trails, die zu den Hogans führten.“ So heißen die sechseckigen Lehmhütten der Navajos. „Unsere Medizinmänner ritten in das Monument Valley, um dort zu den Geistern zu beten.“

Inzwischen wohnt Willie in einem Holzhaus in Kayenta, einer kleinen Stadt am nahen Highway. Er folgt dem Weg des Weißen Mannes, kauft im Supermarkt ein und sieht sich im Fernsehen die Comedy Shows und Monday Night Football an. „Ich bin gelernter Automechaniker“, berichtet er stolz, „und ich bin Amerikaner, weil ich sonst nicht überleben könnte. Aber im Herzen bin ich Navajo. Ich fahre Touristen durch unser Tal und berichte ihnen vom Leben unseres Volkes. Wir dürfen unsere Vergangenheit nicht vergessen. Unsere Kinder müssen wissen, was es heißt, ein Navajo zu sein, weil sie sonst ihre Identität verlieren.“

Bildseite 144/145: Nacht über den Felsen.

Die ‚Totempfähle' im Monument Valley.

Die Traditionen der Navajos lernen wir in einer abgelegenen Schlucht kennen, wo einige Verwandte unseres Führers in ihren Hogans leben. Zwischen den Felsen ist die Zeit stehen geblieben. Vor den Hütten spielen Kinder im spärlichen Gras, einige Hunde laufen umher. Ein altersschwacher Pickup steht hinter einer Hütte. Vor einem Webstuhl sitzt Susy, eine alte Navajo-Frau, die seit mehr als siebzig Jahren im Monument Valley lebt. Sie kann sich noch an Harry Goulding erinnern und an John Ford und John Wayne, denn sie hat in fast allen Western gespielt, die in ihrem Tal gedreht wurden. „Einmal war ich die Frau von Geronimo", berichtet sie stolz. Wir bestaunen den farbenprächtigen Teppich, den sie webt. Sie überarbeitet ihre gewebten Muster nie, weil sie fürchtet, die Geister könnten ihr die Kunstfertigkeit nehmen. Aus demselben Grund hat sie ihren ersten Teppich nie verkauft. „So ist es Brauch bei unserem Volk."

Im Hogan der alten Frau riecht es nach gekochtem Ziegenfleisch und Pinienholz. Es ist angenehm kühl. Susy kocht über einem offenen Feuer, obwohl die meisten Navajos längst auf Butangas- oder Elektroherde umgestiegen sind. Der sandige Boden ist mit Fellen bedeckt. Sie setzt sich in einen Polstersessel, dessen Farbe kaum noch zu erkennen ist, und zündet sich eine Zigarre an, eine Angewohnheit, die sie von John Ford übernommen hat. „Der rauchte immer, wenn er über eine Szene nachdachte." Im Halbdunkel des Hogans liegen einige Blechkoffer, sie ersetzen Schränke und Schubladen. Daneben lehnt ein Bretterregal mit Konservendosen an der Wand. „Wir sind einen langen Weg gegangen", sagt sie, „und mein Volk hat viel Leid erfahren müssen, aber in diesem Tal habe ich meinen Frieden gefunden. Hier gibt es keine ‚tchindees', keine bösen Geister. Hier kann ich noch so leben wie früher." Sie zieht an ihrer Zigarre und blickt dem Rauch nach. „Monument Valley, wie ihr das Land des Regenbogens nennt, ist ein Geschenk des Schöpfers", meint sie feierlich, „deshalb ist es uns heilig!"

Susy wohnt seit einigen Jahrzehnten in einem versteckten Tal des Monument Valley und webt Teppiche und Decken für Touristen.

21. Auf den Spuren von Karl May: *Der Ölprinz*

Von der Mission San Xavier del Bac bei Tucson bis zum Canyon de Chelly im Land der Navajos – diesen Weg nahmen auch Sam Hawkens und ein Siedlertreck in *Der Ölprinz*.

Wir erreichen die Mission San Xavier del Bac über eine staubige Seitenstraße, die von der Stone Avenue in Tucson nach Süden abzweigt und ins Reservat der Papago-Indianer führt. Die Felder der Indianer, durch künstliche Anlagen bewässert, sind blühende Oasen inmitten der trockenen Kakteenwüste. Wir fahren an einigen Männern vorbei, die angestrengt reifen Mais ernten, und parken vor dem weißen Gebäude. „Sie wurde im Jahre 1668 gegründet und ist ein so prächtiges Bauwerk, dass es den Wanderer mit Staunen erfüllt, einen so glänzenden Zeugen der Zivilisation mitten in der Wildnis von Arizona anzutreffen", schreibt Karl May im ersten Kapitel von *Der Ölprinz*. „An jeder Ecke des Gebäudes erhebt sich ein hoher Glockenturm; die Vorderseite weist reichen Schmuck der Bildhauerkunst auf. Die Hauptkapelle trägt eine große Kuppel und über den Mauern sind wuchtige Simskränze und ge-

Mission San Xavier in Tucson, Arizona.

Red Rock Country in Arizona.

schmackvolle Verzierungen angebracht. Das Bauwerk könnte sich in jeder großen Stadt sehen lassen." Auch von den Papago-Indianern hatte Karl May gehört: „Die Mission ist zum Teil von einem Dorf umgeben, in dem zu der Zeit, in der unsere Erzählung spielt, Papago-Indianer in einer Stärke von vielleicht dreihundert Seelen wohnten. Die Papagos waren und sind noch heute ein friedfertiger und arbeitsamer Stamm, dessen Angehörige ihr Gebiet durch künstliche Bewässerungsanlagen wunderbar ergiebig gemacht haben und mit Weizen, Korn, Granaten, Kürbissen und anderen Früchten fleißig bebauen."

‚Die weiße Taube der Wüste' tauften spanische Missionare das Missionsgebäude wegen seines weißen Anstrichs. Der Baustil ist von der spanischen Renaissance geprägt. Die weißen Türme leuchten pinkfarben in der Morgensonne und werfen lange Schatten über den Kakteengarten. Wir stehen lange vor der Kirche, bewundern die Stuckarbeiten über dem Eingangsportal und lassen uns von der leuchtenden Farbe verzaubern,

Zwischen Tradition und Moderne: In Tucson ist die spanische Vergangenheit immer noch lebendig.

die wie ein verklärender Glanz auf der Kirche liegt. Im Innern der Mission ist es kühl und still. Zwei Indianer sitzen auf den Bänken und beten zur Jungfrau Maria. In San Xavier werden heute noch Gottesdienste abgehalten. An den Wänden leuchten Heiligenbilder im Sonnenlicht, das durch die bunten Fenster hereinfällt.

„Leider litten diese Indianer viel unter dem weißen Gesindel, das sich Arizona zum Tummelplatz auserkoren hatte", liest man im *Ölprinz*. „Dieses ringsum von Gebirgen und Wüsten eingeschlossene Gebiet besaß so gut wie gar keine Verwaltung; der Arm der Gerechtigkeit konnte nur schwer oder gar nicht über die Grenzen hineinreichen, und so fluteten Hunderte und aber Hunderte, die Recht und Gesetz verachteten, aus Mexiko und den Vereinigten Staaten herein, um hier ein Leben zu führen, dessen Grundlage in der rohesten Gewalttätigkeit bestand." Zu diesen Gesetzlosen gehören auch der Ölprinz, der einen arglosen Bankdirektor mit einem künstlichen ‚Petroleumsee' täuschen und um eine beträchtliche Summe betrügen will, und die Finders, die einen Wagentreck mit deutschen Auswanderern ins Verderben locken wollen. Nur Sam Hawkens und seinen Freunden, die nahe dieser Kirche auf den Auswandererteck stießen, haben es die Deutschen zu verdanken, dass die Finders ihrer verdienten Strafe zugeführt werden.

Die Westmänner bleiben bei den Auswanderern und führen sie nach Tucson. Die Stadt wurde bereits im 16. Jahrhundert von den Spaniern gegründet und war ursprünglich als Bastion ge-

Offiziersunterkünfte in Camp Verde.

gen die aufgebrachten Apachen gedacht, die schon damals einen erbitterten Krieg gegen die Europäer führten. Bis 1776 war die Stadt von dicken Mauern umgeben. Tucson lag am ‚Camino Real', der alten Handelsstraße zwischen Mexico City und den nördlichen Provinzen von Neu-Spanien, und wuchs zu einer bedeutenden Metropole heran. 1854 wurde der südliche Teil des späteren Arizona an die Vereinigten Staaten von Amerika verkauft und Tucson wurde amerikanisch. Mit der Eisenbahn kamen immer mehr Siedler in die Stadt. Ihren spanischen Charakter aber hat sie behalten. Besonders in den Vororten und im Universitätsviertel bezaubern weiße Adobe-Gebäude, wie sie von den Spaniern gebaut wurden. Die schroffen Berge der Umgebung, mit mannshohen Saguaro-Kakteen bewachsen, heben sich gegen den blauen Himmel ab. Die Sonne steht leuchtend über der Stadt, aber die Luftfeuchtigkeit in Tucson ist sehr gering und selbst hohe Temperaturen wirken angenehm.

Am schönsten ist die Wüste im Tucson Moun-

Kakteen-Dickicht in der Wüste.

tain Park, der südlich von Tucson unter Naturschutz steht. Hier ist das Land noch genau so wild und ungezähmt wie zu der Zeit, als Sam Hawkens den Wagenzug nach Norden führte. Im Arizona-Sonora-Desert-Museum, das sich in dieser Wildnis kaum abhebt, bekommt man einen Überblick über die eigenwillige Flora und Fauna der Sonora Desert, lernt man die Kakteen, Ocotillo- und Mesquite-Sträucher näher kennen, erfährt man auch, dass ein Barrel Cactus immer nach Süden zeigt und einem verirrten Greenhorn aus der Wüste helfen kann. Die gefährlichen Klapperschlangen und Skorpione sind in sicheren Glaskäfigen untergebracht. Nicht weniger gefährlich, aber erfreulicher anzusehen sind die Jaguare und ein kräftiger Berglöwe, der sich nicht in seinem Mittagsschlaf stören lässt und faul liegen bleibt.

Wir fahren an einem Luxushotel und einem riesigen Golfplatz vorbei. Was wohl Sam Hawkens zu dieser Anlage sagen würde? Der Westmann war froh, als der Wagentreck die Stadt endlich

Hausboote auf dem Lake Powell.

verließ und nach Norden weiterfuhr. Durch den Salt River Canyon, der heute von einer mächtigen Brücke überspannt wird, ging es zu einem Pueblo, das auf keiner Karte verzeichnet ist. Oder lebten die Nijora-Krieger im Montezuma Castle, dem Felsenhaus prähistorischer Indianer, die dieses ‚Cliff Dwelling' bereits vor knapp tausend Jahren erbauten? Wir bleiben auf einsamen Wüstenstraßen und fahren dem Mogollon Rim entgegen, einem bewaldeten Plateau, das nordöstlich von Phoenix die Kakteenwüste ablöst. In Snowflake rasten wir. ‚Snowflake' wie ‚Schneeflocke', ein bezeichnender Name für den kleinen Ort, denn auf dem Mogollon Rim schneit es im Winter häufig. Morgens im Pool baden und abends eine Schneeballschlacht veranstalten – überhaupt kein Problem, wenn man in Phoenix lebt.

Wir folgen einem schmalen Highway auf das Rim und denken daran, welche Anstrengungen die Soldaten auf sich nehmen mussten, die während des 19. Jahrhunderts über den so genannten Crook Trail auf das Plateau ritten. Sie schleppten

Bildseite 154/155: Canyon de Chelly - das Ziel von Sam Hawkens.

Munition und Vorräte zu den Militärstützpunkten im Norden, um auch dort gegen die Apachen gerüstet zu sein. „Man reitet am Rand des Plateaus entlang", schrieb Lieutenant John G. Bourke, einer von General Crooks Offizieren, „und blickt in das tausend Meter weiter unten gelegene Tonto Basin, ein Gebiet von seltener Anmut und rauer Schönheit. Das Basin ist tiefer gelegen als die Wälder und Wiesen, die es umgeben, und wird von Bodenrinnen, ausgetrockneten Bachbetten, schmalen Flüssen und Hügeln unterbrochen, es ist sicher eines der rauesten Gebiete auf dem Globus." Zu den ersten Frauen, die auf das Mogollon Rim ritten, gehörte Martha Summerhayes, die Gattin eines Lieutenants. „Die Landschaft war wild und großartig", schrieb sie, „war schöner, als ich sie mir in meinen Träumen vorgestellt hatte."

Unterhalb des Mogollon Rim am Highway 260 erinnert ein kleines Museum an den Western-Schriftsteller Zane Grey. Die Erinnerungsstücke sind in einer ehemaligen Jagdhütte des bekannten Autors untergebracht, der in seinen Büchern die romantische Legende vom Wilden Westen beschrieb und von deutschen Literaturhistorikern zum ‚amerikanischen Karl May' ernannt wurde. Der studierte Zahnarzt kam 1907 nach Arizona, um mit einem Freund auf Berglöwenjagd zu gehen. Er verliebte sich auf Anhieb in das ungezähmte Land und schrieb mehrere Artikel und Jugendbücher über seiner Erlebnisse. 1911 stellte er einen Roman fertig, der in den USA heute ähnlich populär ist wie *Winnetou* bei uns, doch zuerst wurde *Riders of the Purple Sage* abgelehnt. Aber Zane Grey war so von seinem Buch überzeugt, dass er nach New York fuhr und den Vizepräsidenten des angeschriebenen Verlags zwang, sein Manuskript zu lesen. Der anfangs verärgerte Verlagsmann war begeistert und kaufte das Buch – nicht zu seinem Schaden, denn es wurde ein großer Bestseller.

Zane Grey hatte es geschafft. Er genoss bald enorme Popularität und verdiente ein Vermögen. Der Ruhm hält bis heute an. Knapp fünfzig seiner Romane wurden verfilmt und er konnte es sich leisten, in einer Villa auf Santa Catalina Island zu wohnen und nach Australien und Neuseeland zu fahren. Aber er kehrte immer wieder nach Arizona zurück, um am Mogollon Rim zu fischen und zu jagen.

Leider sind sich Karl May und Zane Grey nie begegnet und es darf bezweifelt werden, ob der amerikanische Autor jemals ein Buch seines deutschen Kollegen in die Hände bekam. Dabei ritten der Ölprinz und seine Verfolger nur wenige hundert Meter an seiner Jagdhütte vorbei. Wir bleiben auf ihren Spuren, fahren am Rand des Plateaus entlang und halten an einer steil abfallenden Felskante an. Beeindruckt blicken wir auf die sonnenüberfluteten Wälder und Täler hinweg, die sich weit unter uns bis zum Horizont erstrecken und irgendwo am Horizont in die Kakteenwüste übergehen. Ein roter Jeep arbeitet sich über einen sandigen Trail zum Rim empor und taucht zwischen den Bäumen weg. Zwei Rehe grasen auf einer Lichtung, laufen erschrocken davon, als sie den brummenden Motor des

Im Jeep auf Sam Hawkens' Spuren.

Geländewagens hören. Dann verstummt der Motor und eine beinahe andächtige Stille breitet sich aus. Wir atmen die klare und frische Luft ein und fahren zum Bear Canyon Lake weiter, der sich inmitten dunkler Fichten und Eichen ausbreitet. In einem Kanu paddeln wir über das blaue Wasser und genießen den Frieden.

Sam Hawkens und seine Freunde hatten wenig Zeit, die unberührte Natur zu genießen, und auch Winnetou und Old Shatterhand ging es vornehmlich darum, die Schurken zu fassen. Wir folgen ihren unsichtbaren Spuren auf die Navajo Reservation, reiten mit einem Indianer durch die Schluchten des Canyon de Chelly. Am Ufer eines nahen Flusses wurde der Ölprinz von Winnetou und Old Shatterhand gestellt. Wir reiten durch grüne Oasen, begegnen Navajos mit ihren Schafherden, blicken staunend zu den dreihundert Meter hohen Felswänden empor. Vor tausend Jahren lebten bereits die Vorfahren der Navajos in diesem Canyon. Die White House Ruins, indianische Felswohnungen in den Steil-

Red Rock Crossing in Arizona.

wänden, erinnern an diese Zeit. Im 18. Jahrhundert ließen sich die Navajos in der Schlucht nieder. Dort erlitten sie auch ihre schwerste Niederlage. 1864 überfielen Kit Carson und seine Freiwilligen die Navajos und nahmen sie gefangen. Der Krieg endete mit dem Marsch der Indianer in die Gefangenschaft. Die Navajos haben diese Demütigung nie vergessen und dulden weiße Besucher nur widerwillig im Canyon de Chelly.

Rücksichtslose Schurken wie der Ölprinz waren schuld daran, dass das Verhältnis zwischen Indianern und Weißen noch immer gestört ist. Daran sollte man denken, wenn man durch das heilige Land der Navajos reitet und den Spuren der Geschichte folgt.

22. Die-sich-um-ihre-Leute-kümmert

Treffen mit einer Kiowa-Indianerin

Wu-mishi-he-emi arbeitet als indianische Händlerin in ihrer kleinen Galerie in Santa Fe. Mit einem Teil des Geldes unterstützt sie hilfsbedürftige Indianer in Oklahoma.

Wu-mishi-he-emi in ihrer Galerie.

Wu-mishi-he-emi wartet im Hinterzimmer der Arrowsmith Gallery in Santa Fe, eine fröhliche Kiowa-Indianerin mit langen Zöpfen und leuchtenden Augen. Ihr Wildlederkleid ist mit traditionellen Mustern der Prärieindianer verziert. ‚Die-sich-um-ihre-Leute-kümmert' bedeutet ihr indianischer Name, sie hat ihn von einer alten Cheyenne-Frau bekommen, der sie während einer schweren Krankheit geholfen hat. ‚Geri' heißt sie bei den wenigen Weißen, die sie zu ihren Freunden zählt. „Ich bin eine traditionelle Indianerin", verrät sie mir, „und ich zähle es zu meinen Pflichten, mich um hilfsbedürftige Indianer zu kümmern. Den meisten Leuten meines Volkes geht es sehr schlecht, sie leben von der Sozialhilfe, von einem Tag auf den anderen, und ich helfe, die Not zu lindern, auch wenn das, was ich tun kann, nur ein Tropfen auf den heißen Stein ist." Wu-mishi-he-emi hat das Hinterzimmer der Arrowsmith Gallery gemietet, handelt dort mit indianischem Kunsthandwerk und Kleidungsstücken. „Ich bin eine Händlerin in der Tradition meines Volkes", sagt sie stolz, „ich verkaufe die Dinge, die meine Freunde herstellen, und versuche, die Vergangenheit der Kiowa wieder zu beleben."

Die Fünfzigjährige wurde in Oklahoma geboren, dem ehemaligen Indianerterritorium und letzte Zuflucht für die meisten Prärieindianer. Ihre Mutter war eine Kiowa, ihr Vater gehörte zu den südlichen Cheyenne. „Er war ein Nachfahre des legendären Häuptlings Black Kettle, der am Washita River von General Custer und seinen Soldaten niedergemetzelt wurde. Er hieß John Big Eagle. Meine Eltern haben mir beigebracht, die Vergangenheit zu ehren, und sie legten großen

Wert darauf, dass ich die Sprache meines Volkes erlerne. Ich bin bis 1953 zur Schule gegangen, damals wurden die Indianersprachen noch nicht im Unterricht gelehrt. Ich glaube, es ist sehr wichtig, dass sich die Indianer wieder auf ihre Traditionen besinnen, sonst verlieren wir unsere Identität." Sie führt einen Trading Post in Santa Fe. „Die meisten Händler sind Männer", sagt sie. „Ich bin Händlerin geworden, weil früher immer die alten Kiowa-Frauen zu mir kamen und mich anbettelten, weil sie nicht wussten, wie sie über den Winter kommen sollten. Ich habe viele Jahre für die Fort Washakie Trading Company in Wyoming gearbeitet und mich dann selbständig gemacht. Ich bin auch Künstlerin, kenne die alten Muster und schneidere Wildlederkleider, wie sie Indianerfrauen früher trugen. Ich verkaufe meine Handelswaren nur an Menschen, die ich mag, so haben es die Kiowa auch im alten Westen gehalten."

Auch Weiße gehören zu ihren Kunden und es gibt Amerikaner und Europäer, die am liebsten Indianer wären. „Unsere Lebensweise ist in Mode gekommen", meint sie, „viele Weiße interessieren sich für unsere Kultur und unsere Religion. Sofern dieses Interesse echt ist, finde ich es gut." Sie lächelt. „Ich glaube, auch die Weißen können viel von uns lernen, besonders was unsere Einstellung zur Natur angeht. Aber ich finde es nicht richtig, wenn Weiße in Schwitzhütten gehen oder am Sonnentanz teilnehmen. Sie sollten bei ihrer eigenen Religion bleiben und nicht versuchen, sich indianischer als die Kiowa oder Cheyenne zu geben. Die Weißen haben unser Land geraubt und manchmal kommt es mir so vor, als wollten sie uns jetzt unsere Religion nehmen. Ich erinnere mich an eine weiße Lady, die vor einigen Monaten zu mir kam und den halben Laden leerkaufte. Als ich sie fragte, was sie mit den Sachen vorhabe, antwortete sie: ‚Ich nehme an einem Sonnentanz in Albuquerque teil.' Sie gehörte zu den Weißen, die sich Indianernamen geben. Anders liegt die Sache, wenn eine Indianerin und ein Weißer verheiratet sind, dann akzeptiere ich, dass sich ein Weißer der indianischen Religion zuwendet, das ist verständlich."

Ähnlich kritisch steht Wu-mishi-he-emi dem Indianerbild gegenüber, das Hollywood von dem Indianer geschaffen hat. Über die unzähligen Western, in denen Apachen und Sioux lediglich als blutrünstige Wilde auftraten, mag sie gar nicht reden, und auch einen gut gemeinten Film wie EIN MANN, DEN SIE PFERD NANNTEN will sie nicht gelten lassen. Selbst an DANCES WITH WOLVES (DER MIT DEM WOLF TANZT) hat sie etwas auszusetzen: „Ich fand es gut, dass indianische Schauspieler verpflichtet wurden und dass in zahlreichen Szenen authentischer Lakota-Dialekt gesprochen wurde. Auch die Kleidung war in Ordnung. Aber es ist doch bezeichnend, dass selbst in einem solchen Film die Liebesgeschichte eines weißen Mannes und einer weißen Gefangenen erzählt wird. Der beste Indianerfilm ist POW WOW HIGHWAY (ZWEI CHEYENNE AUF DEM HIGHWAY), der wurde von Indianern für Indianer gemacht. So sollte es sein..."

23. Der Kampf im O.K. Corral

Legendär wie Old Shatterhand: Wyatt Earp

Die legendären Revolverhelden machten den kleinen Ort in Arizona weltberühmt – am 26. Oktober 1881 kämpften sie im O.K. Corral gegen die berüchtigte Clanton-Bande.

Knapp dreißig Sekunden veränderten das Leben der kleinen Stadt Tombstone im Südosten von Arizona. Am 26. Oktober 1881 traten Wyatt Earp, seine Brüder Morgan und Virgil und der lungenkranke Zahnarzt und Revolvermann Doc Holliday auf einem Abstellplatz an der Fremont Street gegen Ike Clanton und seine Cowboys an. Dreißig Schüsse fielen. Die Brüder McLowery und der junge Billy Clanton sanken tot in den Straßenstaub. Ike Clanton rannte davon. Als berühmtester Revolverkampf des Wilden Westens wurde der ‚Gunfight at the O.K. Corral' schon damals in Gazetten und Büchern vermarktet, der Film nahm sich 1932 zum ersten Mal des Stoffes an und präsentierte mit LAW AND ORDER (mit Harry Carey Sr. und Walter Houston) den ersten

O.K. Corral in Tombstone, Arizona.

Teil einer Legende, die noch heute fasziniert und in den Filmen TOMBSTONE (mit Kurt Russell und Val Kilmer) und WYATT EARP (mit Kevin Costner und Dennis Quaid) erneut verherrlicht wurde.

In den USA ist Wyatt Earp so bekannt wie hierzulande Old Shatterhand – mit dem Unterschied, dass es ihn wirklich gegeben hat. „Aber Wyatt Earp war eine zwielichtige Gestalt", verrät Ben Traywick. Der Historiker hat das Leben des legendären Marshals gründlich studiert und kämpfte selber gegen die Clanton-Bande: Wenn der sagenumwobene ‚Kampf im O.K. Corral' für Touristen aufgeführt wurde, verkörperte er den Deputy Marshal. Achtzehn Jahre lang spielte er den Wyatt Earp. „Er war nicht der strahlende Held aus den Filmen und Büchern, aber er war auch kein Mörder und Dieb, wie manche Historiker sagen. Er hat die meiste Zeit seines Lebens als Gastwirt gearbeitet, war Hilfspolizist in Dodge City und Wichita und wurde von seinem Bruder Virgil in Tombstone als Deputy Marshal angeheuert. Er starb erst 1929. Der verkrachte Zahnarzt Doc Holliday, sein bester Freund, litt an Tuberkulose und zog als exzentrischer und schießwütiger Revolvermann durch den Westen. Er starb 1887 in Colorado."

Die Auseinandersetzung zwischen den Earps und den Clantons resultierte aus einem jahrelangen Streit zwischen zwei politischen Gruppen, die um die wirtschaftliche Macht in Tombstone kämpften. Tombstone war eine reiche Stadt, profitierte von den riesigen Silbervorkommen in den nahen Bergen, zog Geschäftemacher aus allen Teilen des Landes an. Wer die Kontrolle über die Stadt hatte, konnte ein Vermögen machen. 1881 hatte Tombstone ungefähr 15.000 Einwohner. Die Stadt wurde zur Hauptstadt eines neuen Bezirks gewählt und mit der Zivilisation zog unerwarteter Reichtum ein: Die Theken in den vornehmen Saloons der Allen Street waren aus Mahagoni, polierte Spiegel und blitzendes Messing waren eine Selbstverständlichkeit und das gesellschaftliche Leben unterschied sich kaum vom Alltag in San Francisco oder Santa Fe. Aber in Tombstone regierte noch immer der Colt. Die Earps wussten John P. Clum hinter sich, den Herausgeber des einflussreichen *Tombstone Epitaph,* und die Clantons arbeiteten mit den ‚Cowboys' zusammen, einer schießwütigen Bande von Viehdieben, die von County Sheriff Johnny Behan stillschweigend geduldet wurden.

Am 26. Oktober 1881 kam es zum entscheidenden Kampf. Am frühen Nachmittag überquerten vier Männer die Fourth Street. Virgil Earp, als City Marshal für die Ordnung innerhalb der Stadtgrenzen verantwortlich, seine beiden Brüder Wyatt und Morgan, die er zu Gehilfen ernannt hatte, und Doc Holliday, der eine doppelläufige Schrotflinte unter seinem Rock trug. Kühler Wind trieb entwurzeltes Gestrüpp über die Straße. „Jetzt zeigen wir's ihnen!", soll Virgil zu seinen Brüdern gesagt haben. „Let them have it!"

Am rückwärtigen Eingang des O.K. Corral, der als Abstellplatz benutzt wurde, hatten sich Ike Clanton, ein berüchtigter Rancher, sein Sohn Billy und die Revolvermänner Tom und Frank McLaury und

Der Kampf im O.K. Corral.

Billy Claiborne versteckt. Die Straße war menschenleer. Die Menschen wussten, dass es zu einer Schießerei kommen würde, und hatten sich in die Häuser verzogen. Die Earps und Holliday erreichten die Fremont Street und blickten sich nach den Cowboys um. Auch der kurze Dialog zwischen Sheriff Behan, der aus einer Seitenstraße kam, und Virgil Earp ist überliefert. „Um Gottes willen!", rief der Sheriff. „Geht nicht hin! Sie wollen euch ermorden!" Virgil Earp blieb gelassen. „Johnny, ich werde sie entwaffnen!" Die Earps und Doc Holliday überprüften ihre Waffen.

Um 14.47 Uhr traten sich die beiden Parteien gegenüber. Von einigen Bürgern, die ängstlich aus den Fenstern blickten, wurde überliefert, was sich zutrug. „Hände hoch!", warnte Virgil Earp die Cowboys. „Ich will eure Waffen!" Billy und Frank griffen nach ihren Revolvern, auch Ike schob eine Hand unter seinen Rock. „Aufhören! Ich will das nicht!", rief Virgil Earp. Aber Morgan Earp und Doc Holliday hatten schon geschossen und der Kampf war nicht mehr aufzuhalten. Ike und Billy rannten davon, wurden später als Feiglinge beschimpft. Wyatt schoss Frank

Die Erschossenen liegen auf dem Boot Hill.

McLaury in den Bauch. Tom McLaury ging hinter seinem Pferd in Deckung und feuerte mit dem Revolver. Virgil schoss auf Frank McLaury und Billy Clanton. Der junge Sohn des Ranchers ging zu Boden. Frank McLaury stolperte schießend nach vorn, traf Morgan in die Schulter, Virgin in die Wade und Doc Holliay in die Hüfte. Wyatt blieb unverletzt. Frank McLaury rannte über die Straße, richtete den Colt auf Holliday und rief: „Jetzt hab ich dich!“, dann wurde er von Morgans Kugel hinter dem Ohr getroffen. „Der Hurensohn hat mich getroffen!“, fluchte Holliday. Die erschreckende Bilanz des Kampfes, der knapp dreißig Sekunden gedauert haben soll: Tom und Frank McLaury waren tot, Billy Clanton lag sterbend auf dem Boden, Ike Clanton und Billy Claiborne waren geflohen.

„So ist es gewesen“, verrät Ben Traywick, „auch wenn es in den Filmen und Büchern über Wyatt Earp viel dramatischer zugeht. Aber die ganze Wahrheit erzählten auch die Earps nie. Vor allem Wyatt bastelte an seiner Legende und verbreitete viel Unsinn. Stuart N. Lake, ein Groschenheftschreiber, dramatisierte sein Leben und setzte den

Ben Traywick weiß alles über Wyatt Earp.

Grundstein für eine Legende, die bis heute überdauert hat. Er erfand auch den Kampf im O.K. Corral. In Wirklichkeit fand der auf der Fremont Street statt."

Tombstone lebt heute noch vom legendären Ruhm der Gunfighter. Unweit des tatsächlichen Schauplatzes wird jeden Nachmittag der ‚Gunfight at the O.K. Corral' aufgeführt und überall in der Stadt erinnern Fotos und Schilder an die wilde Zeit. Auf dem Abstellplatz des O.K. Corrals wurde der Kampf mit Metallfiguren nachgestellt. Auch der Crystal Palace, in dem Virgil Earp ein Büro hatte, steht noch und andere Gebäude wie der Oriental Saloon, das Bird Cage Theatre und das Zeitungsgebäude des *Tombstone Epitaph* wurden originalgetreu nachgebaut. Eine alte Postkutsche fährt die Fremont Street hinunter und versetzt die Passagiere ins letzte Jahrhundert. ‚The town too tough to die', stand auf den Ortsschildern der kleinen Stadt: ‚die Stadt, die zu zäh zum Sterben war.' Auch mehrere Brände konnten Tombstone nichts anhaben. Die Legende lebt weiter und Wyatt Earp und Doc Holliday kämpfen noch immer im O.K. Corral.

24. John Wayne reitet immer noch

Old Tucson und andere Westernstädte

Auf den Spuren des legendären Westernhelden und anderer Weltstars durch Old Tucson, die wiedererstandene Filmkulisse in der Arizona-Wüste, und andere Westernstädte wie Mescal.

Ich stehe auf der Main Street von Rio Bravo. Die Sonne brennt vom Himmel und ich blicke zum Saloon und erwarte, dass John Wayne und Dean Martin herauskommen. Oder Walter Brennan und Ricky Martin, die Co-Stars aus dem legendären Film von Howard Hawks. RIO BRAVO war ein Welterfolg, festigte den Ruhm von John Wayne, der durch STAGECOACH zum Star geworden war und in ‚Old Tucson' einige seiner besten Western drehte. So heißt die Westernstadt vor den Toren des wirklichen Tucson. Eine lebendige Filmkulisse, die 1994 durch Brandstiftung vernichtet und leicht verändert wieder aufgebaut wurde. Western werden kaum noch gedreht und die Stadt lebt vor allem von Touristen, die auf den Spuren von John Wayne in die Vergangen-

Die Mainstreet von Mescal.

heit reisen wollen. Auf der Main Street, im Saloon und den zahlreichen Läden. Sogar ein Westernzug fährt um die Stadt.

Old Tucson wurde 1939 errichtet. Columbia Pictures brauchten eine möglichst originalgetreue Nachbildung des historischen Tucson für ihren Film ARIZONA, der mit William Holden und Jean Arthur an den Originalschauplätzen entstand. 150.000 Dollar gaben die Produzenten für die Stadt aus, die nach Abschluss der Dreharbeiten stehen blieb und auch für andere Western Verwendung fand. Die Liste der Pferdeopern, die in Old Tucson gedreht wurden, liest sich wie ein *Who's Who* des Westernfilms: WINCHESTER 73 mit James Stewart, RIO BRAVO mit John Wayne und Dean Martin, THE DEADLY COMPANIONS (GEFÄHRTEN DES TODES) mit Brian Keith und Maureen O'Hara, HOMBRE (MAN NANNTE IHN HOMBRE) mit Paul Newman, EL DORADO, MCCLINTOCK und RIO LOBO mit John Wayne, GUNFIGHT AT THE O.K. CORRAL mit Burt Lancaster und Kirk Douglas und die Fernseh-Serie HIGH CHAPARRAL mit Leif Erickson und Linda Cristal.

Seit 1959, als ein Unternehmer aus dem Mittelwesten die Stadt kaufte, ist Old Tucson auch ein Vergnügungspark. Die Besucher blicken hinter die Kulissen des Filmgeschäfts und bestaunen die tollkühnen Vorführungen der Stuntmen, die auf der Main Street einen wilden Revolverkampf aufführen. Auf der Sound Stage erfährt man, dass eine Schlägerei ganz harmlos sein kann und Glas auf ganz spezielle Weise splittert. Im Saloon stehen die großen und kleinen John Waynes an der

Action in der Filmstadt - auch Videos, Werbefilme und Filme für Computerspiele werden in Old Tucson und Mescal gedreht.

Spazierfahrt in Old Tucson.

Theke und kippen Eistee. In den sechziger Jahren hatten viele Besucher das Glück, einem John Wayne oder Dean Martin leibhaftig zu begegnen, heute lebt der ‚Duke' nur noch auf den Bildern weiter, die in Old Tucson ausgestellt sind. Und in Filmen wie RIO BRAVO und THE SEARCHERS, die inzwischen auf Videokassetten erhältlich sind.

TOMBSTONE mit Kurt Russell und Val Kilmer wurde in Mescal gedreht, der Schwesterstadt von Old Tucson, ungefähr vierzig Meilen südlich von Tucson in der Wüste gelegen. Anders als Old Tucson ist Mescal eine Geisterstadt, wenn nicht gedreht wird. George Windel, ein rüstiger Oldtimer, bewacht die Stadt mit seinen Hunden. Hätte ich keinen Termin mit der ‚Old Tucson Company' vereinbart, hätte er mich davongejagt. „Hier wurden über fünfzig Filme und Fernsehfilme aufgenommen", verrät er mir, als wir die verlassene Main Street hinaufgehen, „sogar Videospiele wurden hier gedreht. Das ging schon 1971 los, als ich hier anfing und Paul Newman LIFE AND TIMES OF JUDGE ROY BEAN (DAS WAR ROY BEAN) drehte.

Ein höflicher Mann, der immer ein freundliches Wort für mich übrig hatte. Auch John Huston, der Regisseur, war okay. Ein rauer Bursche. Ich hab sie alle gesehen, die Stars. Walter Brennan, Andy Devine, sogar Frank Sinatra war hier. Ich bin ein großer Western-Fan und kann mich nicht beklagen." Wir bleiben vor dem Saloon stehen, aus dem Sharon Stone und Gene Hackman in THE QUICK AND THE DEAD KAMEN. Kein Western für die Ewigkeit, aber ein unterhaltsamer Film, der 1994 in Mescal gedreht wurde. „Sharon ist ein nettes Mädchen", erinnert sich der Oldtimer, „du hättest sehen sollen, wie die hier jeden Morgen anrauschte. Sie übernachtete in einem Luxushotel in Tucson und rollte in einer langen Limousine vor. Dann verschwand sie in ihrem Trailer. Ständig waren mehrere Bodyguards um sie 'rum und ihren Freund hatte sie auch dabei. Aber noch aufregender war", so der Oldtimer, als ich mich verabschiede, „als der *Playboy* kam und zwei Werbefilme in Mescal drehte. Das kann sogar einen alten Mann wie mich aufregen..."

Hier schossen Sharon Stone und Leonardo di Caprio.

25. Im Jeep zur alten Goldmine

In den Bergen von New Mexico

Im Geländewagen über versteckte Wege im nördlichen New Mexico und zu einer verlassenen Mine. Die Gegend um Red River gehört zu den schönsten Skigebieten im Südwesten.

Ron sieht aus wie der Typ in EASY RIDER. Locker und lässig. Besondere Markenzeichen: ein schwarzer Cowboyhut und eine Sonnenbrille mit Spiegelgläsern. Im Mund der unvermeidliche Kaugummi und ein Dialekt so breit, wie man ihn nur in Texas findet. Ron kommt aus Waco. Er zog nach New Mexico, weil er mal was anderes sehen wollte und ihm die Stadt in Texas bis zum Hals stand. Jetzt tut er das, was er am besten kann. Er steuert einen Jeep durch die unwegsame Bergwildnis bei Red River im Norden des Staates und zeigt wagemutigen Touristen den Wilden Westen oder das, was davon übrig geblieben ist. Für uns will er ein paar Routen fahren, die sonst nicht auf dem Programm stehen, und ich glaube so etwas wie ein erleichtertes Lächeln hinter seinen Brillengläsern zu erkennen. „Ihr seht nicht gerade wie Stadtfräcke aus", meint er nach einem prüfenden Blick auf unsere Cowboystiefel und die wetterfesten Anoraks, „dann können wir ja ordentlich einen draufmachen. Steigt auf!"

Wir klettern auf die offene Ladefläche seines Spezialjeeps und schlagen die Pelzkragen hoch. Es ist Anfang November und in den Bergen soll es schon ziemlich kühl sein. Red River liegt an der nördlichen Grenze von New Mexico und ist von zerklüfteten Bergen umgeben, die den kleinen Ort als bestes Skigebiet des Staates auswiesen. Überall an den steilen Hängen sind Lifte und Blockhäuser zu erkennen und in Red River selbst gibt es mehr Hotels und Motels als Wohnhäuser. Im Winter sind die Zimmer alle belegt, vor allem von Texanern, die noch nie einen Berg gesehen haben und sich über Weihnachten auf Skiern versuchen wollen. Schneeprobleme kennt man in Red River nicht. Meistens fällt genug, und wenn nicht, gibt's da noch Maschinen, die künstlichen Schnee auf die Pisten zaubern. Red River ist der einzige Ort in New Mexico, der garantiert schneesicher ist.

Im 19. Jahrhundert war das noch anders. Da fiel der Schnee, wann er wollte, und die Leute kamen vor allem des Goldes wegen, das im Placer Creek schimmerte. Abenteurer und Prospektoren drangen in das verborgene Tal vor und steckten am Ufer und in den Bergen ihre Claims ab. Mehr als zehn Jahre dauerte der Goldrausch, dann verschwanden die Glücksritter wieder und zurück blieb ein verträumtes Städtchen, dessen Bewohner sich vor allem auf den Tourismus konzentrierten. Schon in den zwanziger Jahren unseres Jahrhunderts tuckerten die ersten Ford Model T's über die alte Passstraße und Touristen in langen Roben und Mänteln stiegen mit ihren Skiern die Hänge hinauf. Motels schossen aus dem Boden und wagemutige Unternehmer steckten ihre Dollars in Skilifte und Freizeithotels. Überwacht von

Im Jeep zur alten Goldmine.

den Bewohnern, die zwar an dem Geldsegen teilhaben, ihre Landschaft aber auch nicht verschandelt sehen wollten, entwickelte sich aus Red River ein Touristenzentrum, das sich bei aller Geschäftigkeit einen eigenständigen Charakter bewahrt hat. Red River ist heute noch von zerklüfteter und unzugänglicher Wildnis umgeben, die einer Ausbreitung des Ortes im Wege steht und verhindert, dass aus Red River ein zweites Aspen wird.

Wir sind nicht wegen des Schnees gekommen, der ohnehin noch nicht liegt, und wir wollen auch kein Tennis und kein Squash spielen oder in der Sauna schwitzen. Uns ziehen die schroffen und felsigen Berge an, die verlassenen Gold- und Silberminen, die man nur zu Fuß, per Pferd oder im Geländewagen erreichen kann. Über Stock und Stein geht es zur alten Passstraße hinauf, bis 1966 der einzige Weg nach Red River. Heute windet sich ein Asphalt-Highway in die Berge, der selbst mit Wohmobilen befahren werden kann. Die alte Passstraße ist von anderem Kaliber. Kaum breit genug für den Jeep, zieht sie sich an einem felsigen Steilhang entlang, und wir fragen uns erstaunt, wie die ersten Touristen hier mit einem Ford Model T vorwärts kamen. Ron grinst. „Die alten Kisten waren besser als die großen Schlitten, die heute aus Detroit kommen", sagt er spöttisch. Er steuert immer noch mit einer Hand, den Kaugummi lässig im Mundwinkel, die freie Hand im offenen Fenster. „Kinderkram", murmelt er in sich hinein, als wir gerade mal wieder einem Felsbrocken ausweichen und im 45-Grad-Winkel am Berg hängen. Unsere Hände umklammern den Überrollbügel, die Augen sind in panischer Angst auf den Abgrund gerichtet, der sich rechts neben uns auftut. „Kinderkram", sagt er nochmals und meint wohl die alte Passstraße, die jetzt immer steiler wird und eine Meile und zehn Minuten später auf einem Plateau endet. Uns bleibt der Atem weg. Die Aussicht ist herrlich, die Luft seidig und klar. Auf den Bergriesen in der Ferne ist Schnee zu erkennen. Endlose Wälder dehnen sich in den Tälern, durchbrochen von Flüssen und der Asphaltstraße nach Red River. Die Häuser des Ortes verschwinden beinahe zwischen den Fichten und Espen.

Ron hält den Jeep an und verschandelt die Luft mit einer Zigarette. „Hier oben holen wir immer unsere Weihnachtsbäume", sagt er, „siehst du die kleine Fichte da drüben? Die hol' ich mir nächste Woche ab." Einen Dollar kostet der Spaß. Etwas teurer ist die Lizenz für die Bärenjagd, obwohl es in den Wäldern kaum noch Bären gibt. Hirsche und Rehe, aber kaum Bären. „Das bringt mich auf die Geschichte mit dem Bären", sagt Ron, „das war vor ein paar Jahren. Ein Junge hatte sich in die Berge aufgemacht, um Bären zu jagen. Leider war nur eine Patrone in seinem Gewehr. Na, was soll ich sagen. Kommt doch tatsächlich ein Bär aus dem Gebüsch. Der Junge legt an und ballert daneben. Was blieb ihm anderes übrig, als davonzulaufen? Aber es ist noch keiner einem Bären entkommen. Meister Petz war schneller, und der Junge sah sein letztes Stündlein kommen. In seiner Verzweiflung kniet er nieder und faltet die Hände. Was macht der Bär? Setzt sich hin und faltet die Pfoten. Ob du's glaubst oder nicht, er faltet die Pfoten und fängt an zu beten." Ich grinse still in mich hinein. Man hat mich vorher gewarnt. „Diese Jeepfahrer lügen wie gedruckt", hieß es in Red River, „sie machen sich einen Spaß daraus, wilde Geschichten zu erfinden."

Geschichten erzählen kann er, der gute Ron, und fahren kann er noch viel besser. Ist schon toll, wie er den steilen Trail ins Tal meistert, ein paar Meilen über die Asphaltstraße fährt und dann in die Goose Lake Road abbiegt. Schon nach wenigen Metern sind wir wieder in der Wildnis. Die Straße wird steil und steinig und über uns bewegen sich die ausladenden Zweige der Fichten im Wind. Ron hat in den niedrigen Gang zurückgeschaltet und der Jeep kriecht über den felsigen Untergrund. Ein ausgetrocknetes Flussbett sieht nicht besser aus. Wir müssen uns mit beiden Händen festhalten, wie in einem Boot auf stürmischer See, wenn es von einem Wellental in das nächste geht.

Verlassene Goldmine im Wilden Westen.

„Hier sind schon viele stecken geblieben", sagt Ron, der jetzt beide Hände zum Steuern braucht und auch die Sonnenbrille abgenommen hat. Er ist die Strecke schon viele Male gefahren, aber vor Überraschungen ist man in dieser Gegend nie sicher. „Wie vor ein paar Jahren", erzählt Ron, „da lebte dieser Einsiedler unten am Placer Creek. Er hatte was gegen Fremde und griff gleich nach seiner Knarre, wenn wir hier oben auftauchten. Hatte den Finger ständig am Abzug und ballerte wild herum, wenn's im Gebüsch raschelte. Inzwischen hat er das Zeitliche gesegnet." Diesmal hat Ron nicht geflunkert, die Geschichte wird auch von Leuten erzählt, die nie in einem Jeep gesessen haben.

Die Straße wird steiler. Die Scheinwerfer zeichnen helle Streifen ins Unterholz und erfassen einige Rehe, die beim Aufheulen des Motors im Dickicht verschwinden. Kühler Wind streicht durch den Wald. Wir sind fast zweitausend Meter hoch und frieren trotz der Anoraks. Zwischen den Bäumen tauchen Schneeflecken auf. Die

Wasserpfützen sind gefroren und reflektieren das wenige Licht, das durch die Zweige dringt. Zwei Eichhörnchen huschen aus einem Dickicht und klettern an einem Baumstamm empor.

Auf einer Lichtung hält Ron den Wagen an. Links von uns ragen die Reste eines Blockhauses aus dem Boden, nur knappe zwanzig Meter davon entternt führt ein Schacht in die Tiefe. „Die Jayhawk Mine“, erklärt Ron, „soll heute noch Gold geben da unten, aber das Abbauen kommt zu teuer. Früher ging's hier zu wie in einem Ameisenbau. War die geschäftigste Mine der Gegend.“

Wir steigen aus dem Wagen und streunen im Wald herum. Der Minenschacht ist nur notdürftig abgesichert. Wir beugen uns vorsichtig nach vorn und lassen einen Stein in die Tiefe fallen. Erst nach ein paar Sekunden verrät uns ein Plätschern, dass er unten angekommen ist. „Ziemlich ungemütliche Gegend“, sage ich und deute auf die vereisten Steilhänge. Ron schmunzelt. „Kann man wohl sagen. War sicher kein Zuckerschlecken, hier mit einem Erzwagen rumzugondeln, aber das waren harte Burschen.“

Wir klettern wieder in den Jeep. Der Trail wird noch steiniger und felsiger und gleicht jetzt eher einer Teststrecke für Geländewagen. Ein gefundenes Fressen für Ron, der sein ganzes Können in die Waagschale wirft und ständig am Lenkrad kurbelt, um scharfkantigen Felsbrocken auszuweichen. Wir kommen nur noch langsam voran. „Wer hier zu viel Gas gibt, darf zu Fuß ins Tal zurücklaufen“, meint Ron. „Diesen Stadtfräcken, die glauben, die Natur gepachtet zu haben, passiert das immer wieder.“ Zum Glück gehört Ron nicht dazu. Er wohnt lange genug in Red River, um sich in den Bergen auszukennen, und fährt absolut sicher.

Neben einem Blockhaus hält er an. Erst als wir aussteigen und um das Haus herumlaufen, erkennen wir, dass es nur zur Hälfte fertiggebaut wurde. Die Erklärung für dieses Phänomen kommt postwendend. „Das ist die ‚Halbfertige Hütte‘“, sagt Ron, „gehörte den Oldham-Brüdern. Sie verstanden sich prächtig, bis sie sich in dieselbe Frau verliebten und sich deswegen in die Haare kriegten. Sie gingen mit Revolvern aufeinander los und schossen sich gegenseitig über den Haufen. Deswegen wurde ihr Haus nie fertig.“ Auch diese Geschichte stimmt, zumindest der Legende nach, wie mir die Leute im Ort versichern. Die Geister der Brüder sollen nachts in der Blockhütte herumspuken.

Nach einem längeren Aufenthalt bei der ‚Halbfertigen Hütte‘ machen wir uns auf den Heimweg. Es dämmert bereits und wir wollen Red River noch vor Einbruch der Dunkelheit erreichen. „Weißt du was“, meint Ron, als wir vor der Golden Eagle Lodge aus dem Jeep klettern, „der Ausflug hat mir richtig Spaß gemacht. Ich gondele am liebsten in den Bergen herum.“

Auch Jeepfahrer sagen manchmal die Wahrheit.

26. Das Geheimnis des Chaco Canyon

Prähistorische Indianer in New Mexico

Die Anasazi, prähistorische Indianer, lebten in einer hoch entwickelten Kultur. Ihre Felswohnungen im amerikanischen Südwesten kann man heute noch bewundern.

Auf dem Mond kann es nicht einsamer sein. Ein kühler Wind fegt durch den Chaco Canyon, fängt sich in den offenen Türen und Fenstern von Pueblo Bonito. Vor einer Stunde hat es noch geregnet und der Lehmboden in dem alten Indianerdorf ist mit Pfützen übersät. Ich stehe zwischen den kunstvoll aufgeschichteten Backsteinwänden und fühle mich ins 12. Jahrhundert zurückversetzt, das goldene Zeitalter der prähistorischen Anasazi, die in mehrstöckigen Felsenhäusern wohnten und im Chaco Canyon den Höhepunkt ihrer kulturellen Entwicklung erreichten.

Für den archäologisch interessierten Besucher ist der Chaco Canyon ein Paradies. Zwölf große Pueblos und über vierhundert kleine Ruinen warten darauf, erkundet und erforscht zu wer-

Felsenwohnung der Anasazi-Indianer.

Indianische Ruinen mit Kiva (Zeremonienraum).

den. Fünf Stockwerke ragte die halbmondförmige Wohnsiedlung damals empor. Pueblo Bonito, das erste Apartmenthaus in Nordamerika. Massive, aus unzähligen Steinen zusammengefügte Wände, achthundert Räume mit Fenstern und Türen und kunstvoll gefertigten Wandteppichen. Über tausend Menschen wohnten hier. Frauen stampften Mais, verknüpften Kaninchenfelle zu warmen Umhängen, rührten in den steinernen Gefäßen mit Gemüseeintopf. Männer kehrten von der Jagd heim oder überprüften ihre Waffen. Flackernde Feuer verbreiteten angenehme Wärme. Auf den Feldern am Ufer des Flusses gediehen Mais, Bohnen, Kürbisse und anderes Gemüse. Ihre Abhängigkeit von der übermächtigen Natur machte sie zu gläubigen Menschen, die jeden Tag in den kreisrunden Kivas sangen und tanzten und für eine erfolgreiche Ernte beteten. Den besten Blick auf die Ruine habe ich von einer Felsenklippe aus, die dreihundert Meter hinter dem ehemaligen Dorf emporragt. Man erreicht den Aussichtspunkt über einen schmalen

Felsenpfad, der in steilen Windungen durch einen steinernen Kamin und an der Felswand entlang führt. Eine knappe Stunde braucht man für den Aufstieg. Im Pueblo folgt man einem markierten Pfad durch die Räume der Wohnsiedlung. Über eine Sandstraße gelangt man zu den anderen Ruinen der fünfzehn Meilen langen Schlucht.

Die Anasazi entwickelten eine hochstehende Kultur. Im Chaco Canyon wurden Beweise dafür gefunden, dass sie eine Zeitrechnung kannten, und durch ein System von verzweigten Kanälen bewässerten sie ihre Felder. Breite Straßen wurden schon vor tausend Jahren in der lang gezogenen Schlucht gebaut und verbanden die Dörfer im Chaco Canyon mit den Zentren der Hochkulturen in Mexiko. Mein Geländewagen tut sich schwer auf der holprigen Piste. Zu beiden Seiten der Straße breitet sich trockenes Weideland aus, ein paar magere Kühe suchen nach Grasbü-

Pueblo Bonito im Chaco Canyon.

scheln. Die Räder wirbeln Staub auf. Über fünftausend Dörfer und hundert große Städte der Anasazi waren über die weiten Ebenen verteilt. Niemand weiß, warum sich die prähistorischen Pflanzer gerade diese dürre Gegend ausgesucht haben.

Im Chaco Canyon wird es grüner, wachsen Bäume und Büsche am Ufer des Flusses. Einige Wissenschaftler behaupten, der Chaco Canyon sei ein riesiges Handelszentrum gewesen. Damals regnete es wesentlich öfter und auf den Feldern wuchs mehr, als die Anasazi zum Leben brauchten. Schwer bepackte Händler zogen über die breiten Straßen von einer Stadt zur anderen und tauschten Waren aus. Aus dem fernen Süden kamen hoch gewachsene Krieger mit Werkzeugen aus Metall. Zum Klang von Flöten und Trommeln wurde der Wohlstand gefeiert.

Auch im Mesa Verde National Park im südwestlichen Colorado stößt man auf die Spuren der Anasazi. Die ältesten Felsenhäuser des Volkes wurden 1906 unter Denkmalschutz gestellt. Das Spruce House, eine der größten Wohnburgen, hat 106 Zimmer und acht Zeremonienräume, der Cliff Palace verfügt über 200 Räume. Autofahrer können während einer Fahrt über den 12 Meilen langen Ruins Road Drive das Square Tower House im Navajo Canyon, das Sun Point Pueblo, das von den Eingeborenen abgerissen und an anderer Stelle wieder aufgebaut wurde, und den Sun Temple, ein großes Zeremonienhaus, besichtigen.

Erst um 1400 n. Chr. endete das goldene Zeitalter der Anasazi. Sie verschwanden aus unerklärlichen Gründen aus dem Chaco Canyon und ließen den Wissenschaftlern ungelöste Rätsel zurück. Die wahrscheinlichsten Theorien für ihr Verschwinden: Die Handelsverbindung nach Mexiko brach ab oder eine Trockenheit zerstörte die Felder und beraubte sie ihrer Lebensgrundlage.

27. Außerirdische landen in Roswell

Ein UFO vor Winnetous Pueblo

Ausgerechnet in Roswell, nur wenige Meilen von der Stelle, wo Winnetous Pueblo gelegen haben soll, vermuten UFO-Anhänger den Landeplatz einer ‚Fliegenden Untertasse'.

Die X-Akten lassen grüßen: Am 3. Juli 1947 soll eine ‚Fliegende Untertasse' unweit von Roswell, New Mexico, notgelandet sein. Ein Rancher entdeckte die Überreste des angeblichen UFO auf seiner Weide. Er behauptete, in dem Wrack hätten die Leichen von vier Außerirdischen gelegen. Am 8. Juli sperrte die US Army Air Force die Absturzstelle. Soldaten der 509th Bomb Group bestätigten den Fund eines nicht identifizierbaren Flugobjektes, einige Stunden später widersprach ein Experte, bei dem ‚Raumschiff' handele sich um einen experimentellen Wetterballon und die Aliens seien Testpuppen aus einem besonders widerstandsfähigen Material. Was wenig daran änderte, dass viele Menschen bis heute an den ‚Roswell Incident' glauben und der amerikanischen Regierung eine feige Vertuschungspolitik vorwerfen. Genährt werden die Vorwürfe durch Splitter eines extrem festen und angeblich unbekannten Materials, das man in den siebziger Jahren an der Absturzstelle gefunden haben will. Jesse A. Marcel, ein Offizier der 509th Bomb Group, behauptete bis zu seinem Tod im Jahre 1986, der Wetterballon sei ein Flugobjekt von einem anderen Planeten gewesen. Willkommene Nahrung für Millionen von UFO-Gläubigen, die immer noch daran glauben, die Armee habe die toten Aliens im geheimnisvollen Hangar 18 auf Eis gelegt und sezieren lassen.

Roswell profitiert noch heute von dem rätselhaften ‚Incident', wurde zum Mekka gläubiger UFO-Forscher, die auf den einsamen Highways außerhalb der Stadt darauf warten, dass die Verwandten der abgestürzten Außerirdischen landen. Auch Walter Haut, der ehemalige Press Officer auf dem Roswell Army Air Field und verantwortlich für die erste Pressemeldung der Armee, gehört zu den Anhängern dieser Theorie. Er gründete das ‚UFO Museum & Research Center' (114 North Main, Roswell, NM 88202), in dem Beweise für seine Behauptung liegen sollen, in Roswell sei wirklich eine fliegende Untertasse gelandet. Den Bürgern von Roswell ist das egal. Sie freuen sich über das Interesse, das ihrer Stadt entgegengebracht wird und frohlocken: „Die Aliens haben Roswell bekannt gemacht!"

28. Der Padre aus Österreich

Missionen im amerikanischen Südwesten

Im Namen der Krone suchten spanische Eroberer im Südwesten der heutigen Vereinigten Staaten nach Gold. Im Namen der Kirche folgten ihnen unerschrockene Missionare. Pater Kino, der berühmteste unter ihnen, stammte aus Österreich.

Eine schwere Krankheit brachte einen gewissen Herrn Kuhne dazu, dem Jesuitenorden beizutreten: Der nüchterne Naturwissenschaftler, der am 10. August 1645 in Tirol geboren wurde und an den Universitäten von Freiburg und Ingolstadt studierte, war dem Tode nahe und wurde nur dank der aufopfernden Hilfe eines Jesuitenpaters gerettet. Aus Dankbarkeit trat er dem Orden bei. Er wollte in fremde Länder reisen und auch andere Menschen von der Güte des christlichen Gottes überzeugen. Dazu nahm er den Namen seines Schutzheiligen Franziskus an und änderte das für ausländische Ohren seltsam klingende ‚Kuhne' in ‚Kino' ab.

Pater Kino entschied sich für die Neue Welt und ging in Vera Cruz im heutigen Mexiko von Bord. Er wählte Baja California, den halbinsel-

Missionskirche im amerikanischen Westen.

förmigen und heute zu Mexiko gehörigen Teil Kaliforniens, zum Schauplatz seines ersten Kreuzzugs aus. Weil er dort nur wenig Erfolg hatte, verlegte er sein Betätigungsfeld in den Südosten des jetzigen Bundesstaates Arizona. Am 13. März 1687 gründete er die Mission Nuestra Senora de los Dolores in der mexikanischen Provinz Sonora, sein Hauptquartier während der nächsten Jahrzehnte. Von dieser Kirche startete er seine gefährlichen und einsamen Feldzüge im Namen Gottes. Er zog durch Gebiete, die auf keiner Landkarte erfasst waren, und traf Menschen, die in der Steinzeit lebten. Sechs Jahre verbrachte er in der unbekannten Wildnis. Er gründete einige Missionen und predigte den Eingeborenen, deren Sprache er rasch erlernte.

Als sichtbares Zeugnis seiner aufopferungsvollen Arbeit überlebte San Xavier del Bac, eine seiner schönsten Missionskirchen, die um 1700 entstanden war. ‚Die weiße Taube der Wüste' erhebt sich anmutig aus dem Wüstensand, ungefähr neun Meilen südlich von Tucson, ein spirituelles Zentrum der Papago-Indianer, die sonntags immer noch in der Kirche beten. Ihre Lieder erklingen in dem barocken Prachtbau mit bunten Wandbildern und meterdicken Mauern. Das Gebäude wurde im mexikanischen ‚Folk Barock' errichtet – das ‚Folk' steht für künstlerische Freiheiten, zu denen die Baumeister aus Materialmangel gezwungen waren. Weil es keinen Marmor gab und der Transport von spanischen Kacheln viel zu teuer war, wurden der Altar und die Böden kunstvoll bemalt, und weil es an

Im Namen der Kirche zogen die Missionare ins Indianerland und bekehrten die ‚roten Heiden' zum katholischen Glauben.

Die mexikanische Tradition lebt im Südwesten.

Kronleuchtern fehlte, wurden sie von begabten Malern auf die Wände gepinselt.

Im kühlen Innenraum der Kirche spürt man das Geheimnis, das San Xavier del Bac umgibt: Der Geist des Jesuitenpaters schwebt über den Bankreihen und spricht mit den Geistern der Indianer, die zu überzeugten Christen wurden, ohne von ihren Gesängen und Tänzen zu lassen. Bis heute wurde nicht geklärt, warum der östliche der beiden Kirchtürme niemals fertig gestellt wurde. Nach einer Legende stürzte ein Padre während der Bauarbeiten zu Tode und man ließ den Turm ihm zu Ehren unvollendet. Die nüchterne Wahrheit ist wahrscheinlich, dass der Kirche das Geld ausging. Der Schönheit von San Xavier tut das keinen Abbruch. ‚Die weiße Taube der Wüste' erstrahlt in einem blütenreinen Weiß, selbst nach dem Gottesdienst, wenn Indianer und Mexikaner vor der Kirche einen großen Markt abhalten.

Die Spanier kontrollierten den amerikanischen Südwesten länger als die Amerikaner, von der

Mitte des 16. bis zur Mitte des 19. Jahrhunderts. Der Erfolg ihrer Mission wurde deutlich, als sich die ersten Siedler in den neuen Kolonien niederließen und Santa Fe zu einer bedeutenden Handelsmetropole wurde. Selbst ein blutiger Aufstand der Pueblos konnte den Ansturm der Spanier nicht aufhalten. Im 17. Jahrhundert folgten die Missionare, die im Rio Grande Valley zahlreiche Kirchen bauten und die meisten Pueblos zum christlichen Glauben bekehrten. 1625 gab es bereits fünfzig Kirchen im heutigen New Mexico. Der Sklavendienst der Indianer, die auf den Feldern arbeiteten und Kleider für den Export nach Spanien webten, wurde mit Mais und billigen Decken bezahlt. Den Pueblos blieb gar nichts anderes übrig, als den katholischen Glauben anzunehmen, wenn sie überleben wollten; sie akzeptierten die Heiligen der Missionare als neue Geister, die sich auch mit den Kachinas ihrer Religion, den hoch verehrten Seelen der Ahnen, vertrugen.

Die Mission von San Miguel steht noch heute

Missionskirche aus dem 18. Jahrhundert.

am Old Santa Fe Trail in Santa Fe. Die älteste Kirche der USA wurde um 1610 gebaut und wegen ihrer dicken Mauern auch als Bollwerk gegen feindliche Indianer benutzt. Die Löcher in einem der Wandgemälde sollen von Pfeilen stammen. Auch San Xavier wurde von Indianern angegriffen, aber die Pater und ihre verbündeten Papagos konnten den Angriff zurückschlagen. Nicht einmal die Apachen schafften es, Pater Kinos prachtvollste Kirche zu zerstören.

Die meisten Missionen bestanden aus der Kirche, dem Kloster, einer Schule, zahlreichen Werkstätten, dem Friedhof und einem Garten, der von den Padres mit hingebungsvoller Sorgfalt gepflegt wurde. Neben Teichen und sauberen Wegen gab es dort Rasenflächen und bunte Blumen, Pfirsich-, Birn-, Feigen- und Aprikosenbäume, die meist aus Spanien importiert worden waren. Die Kirche ließ es sich etwas kosten, den ‚heidnischen Eingeborenen' das Christentum beizubringen.

Vom typischen Arbeitstag eines Missionars berichtet Pater Kino in seinem Tagebuch, das lange Zeit in den Archiven von Mexico City verschollen war, bevor der Historiker Herbert E. Bolton es entdeckte und ins Englische übersetzte: „30. April 1700: Nach der Messe ritt ich nach San Cosme (das spätere Tucson), das drei Seemeilen entfernt lag, und weitere zwei Seemeilen nach San Agustín, um zu sehen, ob es Kranke gab und ob Neugeborene auf die heilige Taufe warteten. In San Cosme taufte ich eine kranke Frau und sechs Kinder, in San Agustín taufte ich drei weitere Kinder. Am Nachmittag kehrten wir nach San Xavier del Bac zurück. Mit der Dämmerung kamen verschiedene Beamte aus dem Nordwesten und aus Santa Catalina und vom Rio Gila und aus Casa Grande an, unter ihnen der Capitán und Gouverneur von La Encarnación, das fünfunddreißig Seemeilen entfernt lag. Wir führten lange Gespräche, vor allem über unseren Glauben, aber auch über den Frieden, die Stille, die Liebe und das Glück der Christen. Die Männer versprachen uns, diese guten Nachrichten und Lehren auch in andere Dörfer zu bringen."

„Er war gnadenvoll zu anderen, aber grausam zu sich selbst", schrieb Padre Luis Velarde über den legendären Pater Eusebio Francisco Kino, der 1711 während einer Messe im mexikanischen Magdalena starb. „Er starb, wie er lebte", schilderte Padre Velarde seinen überraschenden Tod, „voller Menschlichkeit und Armut. Sein Totenbett unterschied sich nicht von seinem sonstigen Lager: Zwei Kalbfelle dienten als Matratze, mit zwei dünnen Indianerdecken deckte er sich zu und ein Packsattel bildete das Kopfkissen. Der heilige Apostel, dem er sich immer ergeben fühlte, rief ihn in seiner Kapelle zu sich, damit er ihn in eine, wie wir glauben, ruhmvolle Ewigkeit begleite." Mit Pater Kino starb ein ehrfürchtiger Diener Gottes, aber auch ein Entdecker, ein Wegbereiter der Zivilisation, der die Besiedlung des amerikanischen Südwestens erst möglich machte. San Xavier del Bac ist ein bleibendes Denkmal für seine gottesfürchtige Mission.

29. In den Stromschnellen des Colorado

River Rafting in Arizona

Im Schlauchboot durch die Stromschnellen des wilden Colorado River, auf den Spuren von John Wesley Powell, der 1869 als erster Mensch in einem Holzboot durch den Grand Canyon fuhr.

„Ihr seid ja verrückt!“, sagen ein paar Freunde, als wir von unserem Vorhaben erzählen, die Stromschnellen des gefürchteten Colorado River mit einem Floß zu meistern. „Das sind keine Flöße, das sind Gummiboote! Ihr werdet absaufen!“ Wir schlagen die Warnung in den Wind, schauen aber doch betreten, als wir mit vier anderen Teilnehmern zum Fluss runtergehen und die Dinger zum ersten Mal sehen. Das sind zerbrechlich aussehende Gestelle aus vier torpedoförmigen, sechs Meter langen Luftschläuchen, zwischen denen Kisten und wasserdichte Gummisäcke mit unserer Habe verstaut sind. „Vollkommen ungefährlich“, meint Dave, unser Bootsführer, als er unsere ängstlichen Mienen sieht. Er erklärt, dass die Schläuche in mehrere Luftkammern unterteilt sind, damit das

Im Schlauchboot durch die Stromschnellen.

Der südliche Rand des Grand Canyon.

Floß auch dann noch schwimmfähig ist, wenn ein Loch in die Gummihaut gerissen wird. Dennoch ist uns mulmig zumute, als wir einsteigen.

Zwei Tage später hat sich die Angst verflüchtigt. Der Colorado River ist ruhig und spiegelglatt und wir treiben beinahe gemütlich zwischen den Felsen dahin. Immer wieder schweifen unsere staunenden Blicke an den gewaltigen Canyonwänden entlang, ergötzen sich an den schillernden Farben, in die eine brennende Sonne den roten Sandstein taucht. Früh am Morgen schimmern sie in einem hellen Rosa, mittags tritt der Sandstein hart und kantig hervor und abends präsentieren sich die Felswände zuerst in einem blutigen Rot und dann in einem türkisfarbenen Blaugrün. Dunkle Schatten greifen über den Fluss, bis der Mond aufgeht und sich silbern im Wasser spiegelt. Um diese Zeit sitzen wir längst am Lagerfeuer. Wir wärmen uns an den Flammen und essen die mitgebrachten Steaks. Bill Zoesch, ein Arzt aus St. Louis, schlägt ein paar Takte auf seiner Gitarre und wir anderen versuchen uns am Text eines alten Cowboylieds. Unser Gesang wird von den Canyonwänden zurückgeworfen.

Auch am nächsten Morgen zeigt der Colorado River ein ruhiges Gesicht und bei einigen von uns macht sich bereits Enttäuschung breit. Hat im Prospekt nicht etwas von schäumenden und stürmischen Stromschnellen gestanden, von einem haarsträubendem Abenteuer? Dave errät unsere Gedanken. „Heute geht's ein bisschen wilder zu", meint er grinsend, „wartet nur ab!" Er steht zwischen einigen Kisten am Ruder und schmunzelt so hintergründig in sich hinein, dass wir doch etwas nervös werden. Wir haben alle schon Bilder von den Stromschnellen des Colorado River gesehen und sind plötzlich gar nicht mehr so begierig darauf, die wilde Seite des Flusses kennen zu lernen.

Ein heftiges Rauschen reißt uns aus den Gedanken. Die Strömung wird schneller und vor uns taucht schäumendes, lehmbraunes Wasser auf. Die Wände des gefürchteten Cataract Canyons leuchten in der Sonne. Wir werden blass, starren wie gebannt auf die weißen und schäumenden Wassermassen. Sogar Bill, der bisher laut gesungen hat, ist ruhig geworden. Wir klammern uns an die Seile, die kreuz und quer über das Floß gespannt sind, und warten darauf, dass uns der Fluss in seine Arme nimmt. Erwartungsvolle Stille breitet sich aus.

Ein dumpfer Schlag erschüttert das Floß, macht uns klar, dass es von nun an kein Entkommen mehr gibt. Der Fluss fängt an zu toben, schäumendes Wasser schlägt über uns zusammen und durchnässt uns bis auf die Haut. Wir stehen, hocken, liegen auf dem Floß und stemmen uns mit aller Kraft gegen den Fluss, der das Gefährt wie einen Spielball herumwirft. Wir drehen uns, schrammen haarscharf an einem Felsen vorbei. Immer wieder schwappt Wasser über die Luftschläuche. Brodelnde Gischt schäumt um unsere Beine, lässt das Floß sekundenlang unter der Wasseroberfläche verschwinden. Wir schreien jetzt, aus Angst und auch vor Freude, aber niemand hört den anderen, weil der Fluss mit seinem Donnern und Dröhnen alles erstickt. Nur Dave bleibt ruhig, grinst in sich hinein, als wollte er sagen: „Na, hab' ich euch zu viel versprochen? Jetzt habt ihr euer Abenteuer!"

Das Floß steigt vorn hoch, steht fast senkrecht in der Luft, um dann hart auf das Wasser zurückzuschlagen. Bill verliert den Halt und stolpert ein paar Schritte, bis er von mir festgehalten und ans Halteseil gezerrt wird. Wir tauchen in ein Wellental, drehen uns erneut im Kreis und tanzen auf der schäumenden Gischt. Das Wasser quirlt und sprudelt. Die Felsen sind nicht mehr zu sehen, nur noch Wasser, brodelndes, schmutziges Wasser wie auf einem stürmischen Ozean in grauer Vorzeit. Wir sind in einem tosenden Inferno gefangen, sind eins mit dem Fluss.

Und dann ist alles vorbei, ganz plötzlich, als hätte es die Stromschnellen nie gegeben. Der Fluss wird ruhiger, das Dröhnen und Donnern nimmt ab und wir treiben wieder ruhig dahin. Wir sind nass, klitschnass, aber wir lachen und sind glücklich. Wir haben die Stromschnellen gemeistert. Wir haben ein Abenteuer bestanden und den Fluss so kennen gelernt, wie ihn John Wesley Powell erlebt haben muss, als er 1869 zum ersten Mal mit einem Holzboot den Colorado besiegte: unverfälscht und hautnah.

Bildseite 188/189: Grand Canyon - eines der größten Naturwunder der Erde.

30. Im Dampfzug durch den Westen

Im ‚Daylight' von Kalifornien nach Arizona

Impressionen von einer ungewöhnlichen Reise durch den Wilden Westen – im historischen Dampfzug von Kalifornien nach Arizona. Und die Geschichte von Gary Hart, dem Country-Sänger.

In alten Schwarzweiß-Filmen hab' ich ihn schon gesehen, den Daylight Train. Eine Dampflok wie aus dem Bilderbuch, stromlinienverkleidet und schwarzen Qualm über den mächtigen Aufbauten, die riesigen Räder fliegen vorbei und dann ein harter Schnitt und Gary Cooper oder Barbara Stanwyck sitzen in einem der Luxuswagen. An die Titel der Filme kann ich mich nicht mehr erinnern, nur die Erinnerung an den Zug blieb haften. Wie vor vierzig, fünfzig Jahren steht er im Bahnhof von Los Angeles, die schwarze Lok mit den breiten roten und orangefarbenen Streifen und die dreizehn langen Wagen, orange und rot, die originalen Farben des Daylight Train. Über dem Bahnhof schweben bunte Luftballons. Viele hundert Leute sind gekommen, den Zug zu bestaunen. Familien mit Kindern und Männer mit verträumten Augen und natürlich die vielen Verrückten, die Train Buffs, wie sie in Amerika heißen, die Eisenbahnfans, die aus allen fünfzig Staaten kommen, um den Anblick der 4447 auf Video und Tonband festzuhalten. Das ist die Nummer unserer schwarz-rot-orangefarbenen Lok der GS-4-Klasse, eine der modernsten Dampflokomotiven der Welt.

Der Bahnhof von Los Angeles liegt mitten in der Stadt, keine fünf Minuten von der Olvera Street entfernt. Irgendwie passt er gar nicht hierher, in Los Angeles erwartet man Flughäfen, meinetwegen auch einen Busbahnhof, aber keinen Bahnhof, in dem Züge ankommen und abfahren. Los Angeles, das ist Amerika in Reinkultur, und in Amerika sind Züge schon lange passé. Der Greyhoundbus und dann das Flugzeug haben die Eisenbahn verdrängt und der Güterverkehr spielt sich vor allem auf der Straße ab. Riesige Trucks bringen die Lasten in einer Rekordzeit von Küste zu Küste und lassen der Eisenbahn kaum eine Chance. Im Personenverkehr hat sie seit der Einführung moderner AMTRAK-Züge etwas aufgeholt, ohne allerdings schwarze Zahlen zu schreiben. Der Bahnhof von Los Angeles würde in Europa kaum für eine Kleinstadt ausreichen.

Nur heute drängen dort die Menschen, und morgen, wenn der Daylight weiter nach Südosten dampft, wird noch mehr los sein. Jeff, ein amerikanischer Freund, und ich genießen die angenehme Kühle in dem großen Steingebäude und gehen dann nach draußen auf den Bahnsteig, wo die Schaulustigen sogar an einem Werktag um neun Uhr morgens die Kameras zücken. Auch die auf Motorrädern angerückten Polizisten können sich dem Zauber des Dampfzuges nicht entziehen. Da steht er, der Daylight, als wären die vierziger Jahre des 20. Jahrhunderts

Der ‚Daylight Special' unter Volldampf.

noch lange nicht vorbei, als könnten ihm weder Busse noch Flugzeuge etwas anhaben. Ein Zug, wie es ihn sonst nur noch in Büchern gibt. Dreizehn Schnellzugwagen, einer schöner als der andere, in den traditionellen Farben Orange, Rot, Silber und Schwarz gestrichen. Eine gewaltige Lokomotive, die mit Öl beheizt wird. Der Daylight war der modernste Dampfzug, der je über amerikanische Schienen fuhr. Zwischen 1937 und 1957 drehten sich die Menschen an der Westküste nach ihm um.

Wir gehen an den Wagen entlang und ich werde von dem Fieber erfasst, das auch die anderen Passagiere längst gepackt hat. Es ist nicht das Reisefieber allein, das mir ohnehin im Blut steckt und mich auch auf einem Flughafen erfasst. Es ist diese Mischung aus Nostalgie und freudiger Erregung, das Bewusstsein, an einem historischen Ereignis teilzunehmen, das schon rettungslos in den Geschichtsbüchern verloren zu sein schien. Hinzu kommt die Aufregung, die mich auf jedem Bahnhof packt, auch heute noch. Die Stim-

Letzte Kontrolle im Bahnhof.

me aus dem Lautsprecher, das dumpfe Schlagen von Türen, das Gemurmel vieler Stimmen. Das Zischen und Tropfen unter den Wagen, das Hämmern der Mechaniker, die Bremsen und Schrauben überprüfen. Das Fauchen der Dampflok, die im goldenen Licht der Morgensonne noch schöner aussieht als auf den Fotos. „He, das ist ein toller Zug", sage ich begeistert, „und das sind die Originalwagen?"

Jeff lächelt stolz, als hätte er die Wagen persönlich auf die Schienen gestellt. „Klar", meint er, „die Southern Pacific und die National Railway Historical Society haben die Wagen überall aus den Museen geholt und restauriert. War 'ne Heidenarbeit, aber die Dinger laufen wie 'ne Eins. Wäre schade, wenn sie irgendwo in einem Museum versauern würden." Ich muss ihm zustimmen. Die Wagen machen einen erstklassigen Eindruck, nicht nur von außen, auch von innen, wie ich später noch zur Genüge feststellen kann. Vor allem die Mitglieder der National Railway Historical Society, einer Vereinigung von

Bereit zur großen Fahrt.

historisch interessierten Eisenbahnfreunden, haben monatelang geschuftet, um den Zug so herzurichten, wie er zu seiner Blütezeit in den vierziger Jahren ausgesehen haben muss.

Wir erreichen die Lokomotive. Zahlreiche Mechaniker klettern auf der Lok herum, ziehen Schrauben nach oder reparieren defekte Leitungen. Sie sind mit schmutzigen Lappen bewaffnet und winken uns freundlich zu. „Der da oben“, sagt ein Schaffner, „der Kerl mit der Halbglatze, das ist Doyle McCormick.“ Der Lokführer schwenkt einen schmutzigen Lappen. „Doyle ist der wichtigste Mann auf dem Zug“, erklärt der Schaffner. „Er ist nicht nur der Lokführer, sondern auch der Ingenieur, der die 4449 vom Schrottplatz geholt und wieder zusammengebaut hat.“ Der Schaffner wendet sich an den Mann auf der Lok. „He, Doyle, darf Tom morgen auf der Lok mitfahren?“ Und als er zustimmt: „Doyle wird dir die Lok genau erklären. Er weiß, welche Mühe es gemacht hat, das Ding zu restaurieren, und er weiß auch, wie es funktioniert.“

Am nächsten Morgen herrscht reger Betrieb auf dem Bahnsteig. Die ersten Passagiere wuchten ihre Koffer in die Wagen, andere verabschieden sich von ihren Angehörigen. Die meisten Fahrgäste sind Train Buffs und Mitglieder von Eisenbahnclubs, die jetzt schon ihre Fotoapparate und Videokameras zücken oder das Fauchen der Lokomotive auf Tonband aufnehmen. Sie sind abenteuerlich gekleidet, tragen historische Eisenbahnuniformen oder Fantasiekostüme und bestaunen jede einzelne Schraube des Zuges. Ich habe selten so viele begeisterte Gesichter gesehen. Die meisten fahren bis Yuma mit und haben 130 Dollar für die einfache Strecke gezahlt. Sie hätten aber auch das Doppelte und Dreifache ausgegeben. Diese Zugfahrt ist für viele der Höhepunkt ihres Lebens und für einige ältere Passagiere sogar eine Erinnerung an ihre Jugend, als sie mit dem wirklichen Daylight durch Kalifornien fuhren. „Das ist wie im Traum", erzählt mir eine ältere Dame mit Tränen in den Augen, „damals, in den vierziger Jahren, war ich noch ein junges Mädchen, ich besuchte meine Großeltern in San Francisco und kann mich noch genau an den Daylight erinnern." Sie blickt den Zug ungläubig an. „Dass ich das erleben darf..."

Ich gehe zur Lok und schüttele Doyle McCormack, dem Lokomotivführer, und seinem Heizer Jack Wheelihan die Hand. „Du kannst bis Indio auf dem Führerstand bleiben", sagt Doyle, „dort müssen wir Wasser nachfüllen. Sind gute vier Stunden, okay?"

Ich bedanke mich und nütze die verbleibende Zeit, mir noch einmal die Lok anzuschauen. In der Pressemitteilung, die ich bekommen habe, schlage ich die technischen Daten nach. Die 4449, eine Maschine der Baureihe GS-4, wurde 1941 von den Lima-Werken für die Southern Pacific gebaut. Zusammen mit einem der beiden Tender ist sie fast vierzig Meter lang, die Lok allein wiegt 378.000, der leere Tender 151.600, der volle Tender 394.800 amerikanische Pfund. Die Lok wurde am 30. Mai 1941 in El Paso in Betrieb genommen und kostete damals 140.000 Dollar. Sie erreichte eine Höchstgeschwindigkeit von 90 Meilen pro Stunde. Der Eisenbahnfan neben mir will es noch genauer wissen. Er hat ein schlaues Buch dabei, geht in die Hocke, legt sich auf den Bauch, begutachtet jeden Zoll der Maschine und geht eine Checkliste durch. Er lässt sich einige Angaben vom Heizer bestätigen und ist ganz glücklich, als ich ihn um genauere Angaben über die GS 4449 bitte. „Also", beginnt er mit leuchtenden Augen, „du weißt ja sicher, dass der Kessel mit Öl geheizt wird. Der Druck im Kessel beträgt 300 Pfund. Das gibt reichlich Power, die Lok schleppt, wenn es sein muss, bis zu 78.000 Pfund. Die großen Räder drehen sich während einer Meile genau 256,1 mal. Die Bremsen funktionieren mit Luft, aber das weißt du ja sicherlich, ja, und dann hab' ich hier noch einige Maße und Gewichte, aber die sind sehr speziell, weißt du..."

„Ich glaube, es reicht", wehre ich lächelnd ab.

Aber der Train Buff ist längst wieder in sein Buch vertieft und folgt einem Mann der Engine Crew, der mit einem Hammer alle Schrauben

Ein ‚Train Buff' bestaunt die mächtige Dampflok.

und die Bremsen überprüft. Ich blicke auf die Bahnhofsuhr. 8 Uhr 10. Es wird langsam Zeit für mich. Zusammen mit einem jungen Ehepaar, das mit Jack Wheelihan befreundet ist, klettere ich auf den Führerstand. Die Armaturen sind knallrot gestrichen und sehen aus, als wäre die Lok gestern aus der Fabrik gekommen. Auch die Instrumente sind klar und deutlich abzulesen. Es ist sauber auf der 4449, weil es hier keinen Kohlestaub gibt und das Öl relativ sauber verbrennt. Aber dann zischt Dampf aus einem Ventil, der Heizer legt einen Hebel um und die alte Herrlichkeit ist wieder da. Mit der urigen Stimmung, die auf einer Dampflokomotive herrscht, kommt keine Diesellok mit. Auf einer Dampflok riecht es nach Schweiß und Öl, da drehen Männer mit rußverschmierten Händen an Ventilen, die Gesichter von der Hitze und der Arbeit gezeichnet. „In einer modernen Diesellok ist jeder Meter programmiert", sagt Doyle, „da musst du alle paar Minuten auf einen Knopf drücken und damit hat es sich. Auf einer Dampflok musst du mit-

Jack Wheelihan auf der 4449.

denken, die Route im Kopf haben wie ein Autorennfahrer. Du musst die Strecke beobachten, ein verantwortungsvoller Job!“ Doyle McCormack kennt jeden Meter der Strecke zwischen L. A. und Yuma. Er erinnert sich an jede Kurve, an jedes Signal, und für alle Fälle gibt es noch einen Plan, in dem alle wichtigen Streckenabschnitte eingezeichnet sind. Aber zuerst einmal gilt es, den Daylight aus dem Bahnhof zu steuern, dampfend und schnaufend, mit Pauken und Trompeten sozusagen, mit viel Öl, damit die Rauchschwaden schwarz sind und die Fotografen auch etwas davon haben.

Sie stehen überall, an den Bahnhängen, längs der Strecke, sie hocken auf Mauern und Fensterbänken und sogar auf den Dächern der Lagerhäuser. Und nicht nur Fotografen. Alle sind gekommen, unseren Dampfzug zu bestaunen, wie er fauchend aus dem Bahnhof fährt und, eingehüllt in lange Rauchschleier, in der Ferne verschwindet. Schulklassen haben unterrichtsfrei und jubeln uns zu, Arbeiter verlassen ihren Job und blicken dem Dampfzug staunend nach. Die Abfahrt des Daylight ist ein Ereignis und zieht jeden in ihren Bann. Besonders mich, der ich hautnah dabei bin, auf der schaukelnden Lok stehe und mich mit beiden Händen an einer Griffstange festhalte. Dunkle Rauchschwaden hüllen mich ein, verflüchtigen sich und werden erneut herangetrieben. Das Rattern der Räder ist körperlich zu spüren. Ich stehe auf der Leiter zum Tender und blicke über die Lok hinweg, kneife die Augen gegen den Rauch und den Fahrtwind zusammen. Endlich fährt der Daylight Special wieder.

„Gleich haben wir L. A. hinter uns", sagt Doyle, als die Häuser flacher und die Zuschauer weniger werden. Er steckt sich eine Zigarette an und überlässt seinem Heizer das Kommando.

Ich klettere von der Leiter. Aus zusammengekniffenen Augen beobachte ich, wie Jack Wheelihan einen Hebel verstellt und die Lok an Fahrt gewinnt. Die Vorstadthäuser fliegen vorbei, der Wind bläst dem Heizer ins Gesicht und rupft an seiner schwarzen Jacke. Jack lehnt aus dem Fenster, seine Augen sind durch eine Motorradbrille geschützt. Nehme ich jedenfalls an. Später erzählt er mir, dass die Schutzbrille noch aus den glorreichen Zeiten der Dampfzüge stammt. Jack Wheelihan beschäftigt sich nicht nur beruflich, sondern auch privat mit der Eisenbahn. Zu Hause hat er sich sogar ein kleines Museum eingerichtet und in seiner Garage ist eine riesige Modelleisenbahnanlage aufgebaut.

„Unsere Lok ist eine ziemlich betagte Lady", erzählt Doyle McCormack, „die Vorgängerin dieser 4449 wurde schon Mitte der dreißiger Jahre eingesetzt und verkehrte vor allem in Kalifornien. Den orangefarbenen Anstrich bekam sie wahrscheinlich nur, damit sie ein bisschen positiv aussah. Wir hatten schwere Zeiten damals, die Wirtschaftskrise hatte ihren Höhepunkt erreicht und die Lok kam gerade recht, um den Leuten wieder ein bisschen Hoffnung zu geben. Sie sah gut aus und war so modern, dass viele Menschen glaubten, sie allein könne die Karre aus dem Dreck ziehen. Das war sicherlich übertrieben, aber was Wahres war schon dran. Die Lok hat geholfen, den verfahrenen Karren wieder flottzumachen und in eine bessere Zukunft zu steuern.

Während des Zweiten Weltkriegs wurde auch diese Lok für Truppentransporte eingesetzt. Die Schienen der Southern Pacific waren mit Häfen und Stützpunkten verbunden, in denen zahlreiche Operationen im Pazifik ihren Ausgang nahmen. Nach dem Krieg kamen die Diesellok und das Düsenflugzeug und die meisten Dampfloks wurden nur noch im Güterverkehr eingesetzt. Nur die 4449 wurde noch vor Schnellzüge gespannt. In den fünfziger Jahren sah man sie überall im amerikanischen Westen. Sie kämpfte sich durch den Schnee in Oregon und im nördlichen Kalifornien, dampfte durch die Wüsten von Nevada, die Sumpfgebiete von Louisiana und entlang des Mississippi und sie war in den Wüstengebieten von Utah, Arizona, New Mexico und Südkalifornien zu sehen. Sie konnte sich auch mit den neuen Diesellokomotiven messen und sah zudem

Bildseite 198/199: Der ‚Daylight Special' auf großer Fahrt.

besser aus. Schon damals sahen ihr die Leute bewundernd nach.

Ob sie wirklich die schönste Dampflok der Welt war, sei dahingestellt, auf alle Fälle bot sie einen eindrucksvollen Anblick, dem sich kaum einer entziehen konnte. Und das nicht allein wegen der für Dampflokomotiven ungewöhnlichen Farben. Die gesamte Lok war stromlinienförmig verkleidet, sogar der Schornstein und das Sicherheitsventil waren unter einem windschnittigen Schutzblech versteckt, das den Kessel in seiner vollen Länge bedeckte. Die beiden Scheinwerfer brannten in einer silbernen Kuppel. Die orangefarbenen Seitenwände der Lok gingen vorn in einen Stoßfänger über und gaben ihr ein dynamisches Aussehen. Die Lok sah schnell und kräftig aus und vermittelte den Eindruck nur mühsam gezügelter Energie. Manche Fans verglichen sie sogar mit einem Rennpferd, schnell und kräftig und schön. Der Verschrottung entgingen allerdings nur zwei Exemplare. Die SP 4460, lediglich für den Güterverkehr im Krieg gebaut und nicht stromlinienverkleidet, landete in einem Museum in St. Louis. Die GS 4449 wurde 1957 der Stadt Portland geschenkt. Dort stand sie achtzehn Jahre lang in einem Park und rostete vor sich hin. Obwohl sich ihre Räder nicht mehr drehten, ölten Eisenbahnfans regelmäßig alle Lager und Gewinde, falls man sich doch irgenwann entschloss, die 4449 noch mal einzusetzen. 1975 wurde die 4449 aus dem Park geholt und in das Burlington Northern Roundhouse an der Ninth Street gebracht. Dort wurden der Rost entfernt und Ersatzteile angebracht, die gesamte Lok wurde überholt und restauriert, weil man sie dazu auserkoren hatte, den American Freedom Train durch fast alle Staaten der USA zu ziehen. Die Fahrt der in den Nationalfarben Rot und Weiß und Blau gestrichenen Lok war eine gelungene Aktion zur 200-Jahr-Feier der USA im Jahre 1976. Über 30 Millionen Menschen jubelten der Lokomotive zu.

Am 1. Mai 1977 endete die Fahrt der 4449 in einem Frachthof der Union Pacific in Portland. Das Publikum bekam sie nur während gelegentlicher Ausstellungen zu sehen. 1979 wurde sie in ein Depot der Southern Pacific gebracht und Doyle McCormack und seine Helfer restaurierten sie erneut und strichen sie im originalen Schwarz, Orange und Rot. Zwei Jahre später, am 23. April 1981, ging es wieder auf die Schienen, als Doyle die Lok und einige Schnellzugwagen mit fünfhundert Passagieren zur Eröffnung des California State Railroad Museum nach Sacramento dampfen ließ. Dort traf sich die GS 4449 mit zahlreichen anderen Dampfloks aus dem ganzen Land, die größte Ansammlung von Dampfloks seit der Chicago Railroad Fair, der großen Eisenbahnmesse in den Jahren 1948 und 1949. Unter den historischen Loks waren die berühmte ‚Santa Fe‘ von 1895, die ‚Big Boy‘ der Union Pacific und die ‚Rocket‘ der Britischen Eisenbahnen. Nach der Museumseröffnung fuhr die 4449 zur 200-Jahr-Feier von L. A. und über die historische Daylight-Strecke nach Oakland bei San Francisco. Dann kehrte sie nach Portland zurück.

Nostalgie-Zug im Wilden Westen.

Nach unserem kleinen Ausflug", sagt Doyle, „bekommt die 4449 einen würdigen Platz, so viel ist sicher. Ob es mit dem Eisenbahnmuseum klappt, das wir schon seit ein paar Jahren in Portland einrichten wollen, weiß ich nicht, aber in einem öffentlichen Park lasse ich sie auf keinen Fall verrotten!"

Ich verstehe ihn, besonders jetzt, da ich selber im Führerhaus der Lokomotive stehe und den Fahrtwind im Gesicht spüre. Es ist ein Erlebnis, auf der 4449 mitzufahren, nicht nur weil ich wie viele andere Menschen für Nostalgie und die robuste Technik der dreißiger Jahre empfänglich bin. Die GS 4449 steht für das Ende einer ganzen Epoche. Das technische Zeitalter, als der Mensch die ersten Maschinen baute. Aber sie symbolisiert auch den Übergang in die Zeit des High Tech, als denkende Apparate die klobigen Dampfmaschinen antiquiert aussehen ließen und eine Lok wie die 4449 ins Museum verwiesen.

Garry Hart unterhält die Reisenden.

Gary Hart steigt in Yuma zu, die Gitarre auf dem Rücken, die Augen verklärt beim Anblick der riesigen Dampflokomotive. Wie gebannt starrt er auf die gewaltigen Räder, faustgroßen Schrauben und stromlinienverkleideten Aufbauten. Der zischende Dampf hüllt ihn ein und versetzt ihn in eine Welt, die bisher nur in seinen Träumen und in seinen Liedern existiert hat – die große Zeit der transkontinentalen Dampfzüge, als man noch nicht anonym über den Wolken schwebte und auf einer Reise noch das richtige Feeling mitbekam. Wie oft hat er die Songs von Jimmie Rodgers, Boxcar Willie und Johnny Cash gehört. *Waiting for A Train*, *Casey Jones*, *I've Got a Thing About Trains*. Er steigt in den vorletzten Wagen und bleibt auf der Plattform stehen, als der Daylight langsam anrollt. Dunkle Dampfwolken treiben am Fenster vorbei und das Stampfen der Kolben und Mahlen der Räder ist bis hierher zu hören. Überall stehen Menschen und winken dem Zug zu. Gary winkt ihnen zu, ist froh, an dem Abenteuer teilhaben zu können, das andere nur aus der Ferne erleben.

Es ist wie in den Songs, die Gary singt oder im Radio hört. Und er kann jetzt einen Mann wie den Country-Star Merle Haggard verstehen, der tausend Meilen reist, um sich einen Zug wie diesen anzuschauen. Der Daylight entführt Gary in eine andere Zeit, in den Bereich zwischen Traum und Wirklichkeit, den sie in Amerika die ‚Twilight Zone' nennen. Das Rattern der Räder ersetzt den Herzschlag, die Dampfschwaden werden zum festen Bestandteil der Luft, die er jetzt zum Atmen braucht. Das Signal der Zugpfeife klingt sehnsuchtsvoller als je zuvor und verursacht eine Gänsehaut. Gary hat die wirkliche Welt verlassen und die Welt seiner Lieder betreten. Die Anspannung des Alltags weicht einer Ausgeglichenheit, die alles andere unwichtig werden lässt. Es gibt nur noch den Zug, die Lok und dreizehn Wagen.

Die letzten Häuser von Yuma fliegen am Fenster vorbei. Noch ein paar Hütten, ein Autofriedhof mit rostigen Wracks und ein paar Motels und Hamburger-Buden an einem Highway, dann ändert sich auch die Landschaft und die Welt sieht

Historische Dampflok in New Mexico.

wieder aus wie vor vierzig, fünfzig, hundert Jahren. Endlose Ebenen, schroffe Felsenberge, tiefe Canyons, ausgetrocknete Flüsse und der stählerne Schienenstrang, flankiert von Telegrafenmasten und Signalen. Der amerikanische Westen, wie er schon zur Zeit der Cowboys und Comanchen ausgesehen haben muss, und nur der Hubschrauber einer Fernsehstation, der dem Zug im gewagten Tiefflug folgt, erinnert daran, dass Gary im 20. Jahrhundert lebt. Der Zug macht jetzt Tempo, braust mit über neunzig Meilen über die Schienen. Einige Rinder springen zur Seite, als die Zugpfeife ertönt, und einige beginnen zu bocken. Heißer Wind weht Gary ins Gesicht und rötet seine Augen. Er betritt den Wagen, lässt sich nieder und bestellt ein Coors. Das kühle Bier tut gut nach der glühenden Hitze auf der Plattform. Er stellt die Flasche hin und zupft einige Akkorde auf seiner Gitarre.

„He", ruft ein Passagier, „bist du 'n Country-Sänger?"

Gary lächelt. „Ich singe öfters in 'nem Club und trete bei Hochzeiten und Familienfesten auf."

„Kannst du 'n paar Eisenbahn-Lieder?"

„Darauf kannst du wetten", sagt Gary, „warum hätte ich denn sonst meine Gitarre dabei?"

„Worauf wartest du dann noch?"

Gary legt los. „From the great Atlantic Ocean to the wide Pacific Shore..." Der *Wabash Cannonball*, der *Orange Blossom Special*, *All Around the Watertank* ... ein Train Song nach dem anderen, und das Publikum wird immer zahlreicher. Aus allen Wagen kommen die Leute angelaufen, um dem Mann aus Arizona zuzuhören. Sogar ein Fernsehteam aus dem Pressewagen rückt an und richtet die Kamera auf den Sänger. Der schwebt in einer anderen Welt, lebt die Lieder, die er sonst nur im Club singt. Ein paar Tage später wird er glauben, alles nur geträumt zu haben.

Der Zug wird langsamer, windet sich über eine stählerne Brücke. Gary klebt am Fenster, blickt in ein trockenes Bachbett hinab. Dort draußen hat die US-Kavallerie gegen die Apachen gekämpft, das ist noch gar nicht so lange her. Saguaro-Kakteen und Mesquite-Sträucher fliegen vorbei, die Lehmhäuser eines kleinen Dorfes. Gary greift wieder nach seiner Gitarre, zupft einen Akkord. „Jetzt singe ich euch mal 'nen eigenen Song vor", sagt er. „Ich hab' ihn für Johnny Cash geschrieben, ehrlich, und er hat ihn sich auch angehört, aber ich weiß natürlich nicht, ob er ihn jemals aufnehmen wird. Er heißt *Road to Freedom Land* und hört sich ungefähr so an..." Und dann singt er von dem armen Wandersmann, der jahrelang durch den Westen wandert, auf der Suche nach dem Zug, der in die Freiheit fährt.

Gary Hart hat ihn gefunden. Zumindest einen Tag lang ist er losgelöst vom Alltag und seinen Problemen, acht Stunden lang ist die Traumwelt seiner Lieder greifbare Wirklichkeit. Der Dampfzug entführt ihn in ein freies Land und das Tuten der Dampfpfeife wird zum Signal der Freude, es endlich geschafft zu haben. „I'm on that road to Freedom Land..."

31. Die Büffel kehren zurück

Indianisch essen im Restaurant

Weiße Jäger hatten die riesigen Büffelherden, die zur Zeit von Winnetou und Old Shatterhand über die Prärie zogen, fast ausgerottet. Aber die zottigen Tiere kehren zurück. Inzwischen gibt es wieder über 200.000 Bisons in Nordamerika.

„Das ist Norman", sagt Mike, „der junge Büffel, der sich gerade an die Lady ranmacht. Als Kalb hat er bei uns zu Hause gewohnt. Dann wurde er zu groß und wir mussten ihn zur Herde bringen." Mike Karley bewirtschaftet eine Buffalo Ranch im nördlichen Idaho, besitzt ungefähr 130 Tiere und lebt vom Verkauf der Kälber. Das Fleisch verkauft er nur an seine Freunde, „es gibt noch keine Klassifizierung für Bisonfleisch, aber für ein sechs Monate junges Kalb bekomme ich ungefähr 1.800 Dollar."

Seit acht Jahren beschäftigt sich der Rancher mit der Bisonzucht. „Immer mehr Rancher steigen auf Büffel um, weil der Handel mit den Tieren wieder lukrativ geworden ist. Heute gibt es ungefähr 200.000 von ihnen in den USA, kein Vergleich mit den zehn Millionen, die vor der

Die Bisons haben sich stark vermehrt.

Ankunft des weißen Mannes über die Prärie zogen, aber doppelt so viel wie vor ein paar Jahren. In zehn Jahren", sagt Mike voraus, „werden Buffalo Ranches genauso selbstverständlich wie Cattle Ranches sein. Die Tiere sind leichter zu halten und das Fleisch ist wesentlich gesünder. Bisonfleisch hat einen leichten Wildgeschmack, ist extrem mager und enthält kaum Cholesterin, eignet sich sogar für eine Diät."

Bei den Prärieindianern war der Büffel ein heiliges Tier. Er stand im Zentrum ihrer Kultur und gab ihnen alles, was sie zum Leben brauchten. Das Fleisch wurde frisch gegessen oder getrocknet und mit Waldbeeren zu Pemmikan zerstampft. Die Felle und Häute wurden zu Umhängen und Decken, die Knochen zu Werkzeugen und Waffen verarbeitet. Aus Rohhaut wurden Seile und Steigbügel geknüpft, mit größeren Stücken wurden Trommeln und Schneeschuhe bespannt. Die Hörner waren Gefäße. Die Sehnen dienten als Bogensehnen und Nähgarn. Aus den Blasen wurden Medizinbeutel und Wasserbehälter hergestellt.

Der weiße Mann zerstörte diese Kultur. Während der Indianerkriege ermutigten Generäle die professionellen Büffeljäger, so viele Tiere wie möglich abzuschießen, weil damit die Lebensgrundlage der Prärieindianer vernichtet wurde. Ganze Herden wurden nur wegen der Häute abgeknallt, in Handelszentren wie Dodge City verladen, und auf den Ebenen verrotteten die Kadaver. Einer der bekanntesten Büffeljäger war ‚Buffalo Bill' Cody, der heute als Nationalheld verehrt wird, obwohl er die Zerstörung des Alten Westens propagiert hat. 1883 fand die letzte Büffeljagd der USA in North Dakota statt, auch Indianer machten mit.

Mit dem neuen Gesundheitsbewusstsein der Amerikaner und der gesteigerten Nachfrage nach Büffelfleisch wachsen auch die Herden. Allein auf der National Bison Range bei Moiese, Montana, weiden fünfhundert Tiere. Große Herden befinden sich auch im Yellowstone National Park, auf der Terry Bison Ranch südlich von Cheyenne und im Custer State Park von South Dakota, wo die Jagdszenen für DER MIT DEM WOLF TANZT gedreht wurden. Auch Feinschmecker kommen wieder auf ihre Kosten. Wer wie Winnetou und Old Shatterhand essen will, kehrt in ‚The Fort' ein, einem stimmungsvollen Restaurant bei Denver. Das Lokal ist dem historischen Bent's Fort nachempfunden, das um 1845 für den Handel mit den Indianern errichtet wurde. „Wir fanden alte Stiche von dem Handelsfort und beschlossen, Bent's Fort originalgetreu nachzubauen", berichtet Sam Arnold, der Besitzer. „Meine Frau hielt mich für verrückt, aber dann wurde sie von meiner Begeisterung angesteckt. Wir studierten alte Tagebücher und Fachbücher und ließen den Adobe-Lehm von Baumeistern aus Taos herstellen. 80.000 Adobeziegel wurden verbaut. Es musste alles authentisch sein! Natürlich war das Fort zu groß für ein Privathaus, also überredeten wir einen Banker in Golden, uns Geld für ein Restaurant vorzuschießen. Am 1. Februar 1963 eröffneten wir ‚The Fort' – natürlich mit riesigen Büffelsteaks!"

‚The Fort' - legendäres Restaurant bei Denver.

Sam Arnold kommt aus Pittsburg, Pennsylvania, lebt aber schon seit fünfzig Jahren bei Denver in den Rocky Mountains. „Ich wollte unbedingt im Westen leben", berichtet er, „das wurde mir schon auf dem College klar." Er studierte Französisch, Deutsch und Englisch in Yale. „Also packte ich meine Klamotten in den Wagen und fuhr nach Santa Fe. Ich arbeitete für die Zeitung und eine Rundfunkstation, dann eröffnete ich einen Spielwarenladen. Ich mochte die Stadt, und auch das scharfe Essen gefiel mir, aber das Leben war nicht einfach und ich zog weiter nach Denver. Das war meine Stadt! Damals hatte Denver nur 400.000 Einwohner, heute sind es über zwei Millionen! Ich arbeitete in der Werbung, verkaufte BMW-Isettas, ehrlich, und machte ordentlich Geld. Dann kam die Idee mit dem Restaurant. Es dauerte zehn Monate, bis die Mauern standen, und wir investierten eine Viertelmillion. Das war damals ein Heidengeld!"

Sam Arnold ist eine Frohnatur, köpft Champagnerflaschen mit einem Tomahawk und lässt

Bildseite 208/209: Meinungsverschiedenheit zwischen kräftigen Tieren.

Sam Arnold öffnet Champagner-Flaschen nur mit dem Tomahawk.

einen halben Büffel auf unserem Tisch abladen: riesige Knochen, saftige Steaks, herzhafte Wurst und schmackhafte Zunge, eine ausgesuchte Delikatesse im Wilden Westen. Wir müssen alles probieren. Mit dieser Mahlzeit wäre auch Old Shatterhand zufrieden gewesen.

32. Rendezvous in Fort Bridger

Treffen der Mountain Men

Jeden Sommer treffen sich moderne Trapper und Indianer zum traditionellen Fort Bridger Rendezvous. Vor dem historischen Handelsposten im südwestlichen Wyoming wird getauscht und gefeiert.

Der Wilde Westen beginnt in Fort Bridger, nur ein paar hundert Meter vom Highway entfernt. Vor dem historischen Handelsposten im südwestlichen Wyoming, der 1843 von Jim Bridger und Louis Vásquez errichtet wurde, haben über vierhundert Trapper und Indianer ihre Tipis aufgestellt. Begeisterte Hobbyisten, die am liebsten in der Vergangenheit leben und auf den Spuren ihrer Vorfahren durch die Berge streunen. ‚Rendezvous' nannte man die jährlichen Treffen mit den Handelsgesellschaften, auf denen getauscht und verkauft, aber auch kräftig gefeiert wurde. Ähnlich wie beim Fort Bridger Rendezvous, das jedes Jahr am Labour Day Weekend (erstes Wochenende im September) stattfindet. Die Moun-

Trapper-Treffen im südlichen Wyoming.

Wildlederkleidung vor dem Trapper-Tipi.

tain Men, wie man die Trapper auch nannte, tragen historische Kleidung, authentisch von der Biberfellmütze über die mit Hirschhirn gegerbte Wildlederkleidung bis zu den mit Handelsperlen verzierten Mokassins. In den Tipis und Zelten wird mit kostbaren Büffelfellen, hirschledernen Hemden, originalgetreuen Bowie-Messern und anderen Waren gehandelt. Auf dem Programm stehen dieselben Wettkämpfe, die schon bei den Mountain Men im 19. Jahrhundert gefragt waren: Schießwettbewerbe, Indianertänze und Ringkämpfe. Accessoires aus der Gegenwart sind unerwünscht. „Die Fort Bridger Rendezvous Association bittet alle Teilnehmer, das diesjährige Rendezvous so authentisch wie möglich zu halten“, schreiben die Veranstalter im Programmheft. „Handelswaren sollten aus der Zeit vor 1840 stammen, damit die Besucher das richtige Gefühl für die Geschichte bekommen. Im Tipi Village sollen die Teilnehmer so primitiv wie möglich leben“ – ohne Marlboro und Feuerzeuge.

Abends sitzen wir mit einigen Trappern am Feuer und lauschen den Geschichten eines gewissen Rabbit. Eigentlich ein sympathischer Bursche, aber wir haben gehört, dass er schon mal nach seinem Gewehr gegriffen haben soll, als sich ein Betrunkener in sein Tipi verirrte. Seine Geschichte soll er von dem legendären Jim Bridger geklaut haben: „Also, das war 1855, als ich mit dem alten Jack in den Bergen unterwegs war, am Green River im Ute Country. Eines Tages tauchten ungefähr hundert Krieger am Waldrand auf. Sie hatten ihre Gesichter bemalt und wirkten ziemlich unfreundlich. Als sie uns auf die Pelle rückten, sprangen wir auf die Pferde und ritten davon. Wir wechselten uns mit dem Schießen ab und hatten ungefähr vierzig Krieger getötet, bis es dunkel wurde. Aber unsere Pferde waren verdammt müde. Wir versteckten uns in einem Wäldchen und schlichen nachts weiter, aber die Hundesöhne hatten aufgepasst und verfolgten uns wieder. Am nächsten Tag erschossen wir noch mal zwanzig Krieger. Jetzt waren noch vierzig Indianer übrig. Unsere Pferde knickten bereits mit den Vorderhufen ein und unsere Lage wurde verzweifelt. Wir schleppten uns in einen Canyon und standen plötzlich vor einem Wasserfall. Er versperrte uns den Weg!" Er legt eine Pause ein und wartet auf die unvermeidliche Frage: „Wie seid ihr den Injuns entkommen?" Rabbit grinst über beide Backen. „Gar nicht. Wir wurden erschossen!"

Der Humor der Mountain Men ist sprichwörtlich. Sie waren wilde und ungehobelte Burschen, die fernab jeder Zivilisation durch die Rocky Mountains streiften, vor keiner Gefahr davonliefen, gegen wilde Tiere und feindliche Indianer

Die Mountain Men, furchtlose Fallensteller und Jäger, wagten sich als erste Weiße ins Indianerland vor.

Bildseite 214/215: Auf der Jagd.

Auf den Spuren der Mountain Men.

kämpften und ihre Biberfallen in unwegsamen Gebieten auslegten, die kein Weißer vor ihnen betreten hatte. „Der Mountain Man ist ganz auf sich allein gestellt“, schrieb ein Zeitgenosse über die schon zu Lebzeiten legendären Trapper, „und unvergleichlich ist seine Eignung für das Leben in der Wildnis. Er kennt jedes Merkmal in der Landschaft, findet den Rückweg über die einförmigste Ebene oder die verschlungensten Bergpfade. Keine Gefahr und kein Hindernis lassen einen Mountain Man erbleichen, auch ist es weit unter seiner Würde, sich über Entbehrungen zu beklagen.“

Die ersten Bemühungen, die Pelztierjagd in Amerika einzuführen, scheiterten jedoch kläglich. Manuel Lisa, einer der ersten Mountain Men, und seine Freiwilligen kapitulierten vor den Blackfeet-Indianern am oberen Missouri und ließen sich in weniger ertragreiche Gebiete abdrängen, wo die Jagd kaum noch einen nennenswerten Gewinn für die Missouri Fur Company abwarf. Noch weniger Glück bewies Johann Ja-

Leben wie die Mountain Men.

cob Astor aus Waldorf bei Heidelberg, damals einer der reichsten Männer der USA, der auch gegen die betrügerischen Machenschaften seiner eigenen Leute anzukämpfen hatte und von ihnen betrogen und ausgenutzt wurde. Der British American War, der 1812 ausbrach, setzte seinen Hoffnungen und der Pacific Fur Company endgültig ein Ende.

Die große Zeit der amerikanischen Trapper begann nach dem Krieg, als der Pelzhändler William H. Ashley seine Rocky Mountain Fur Company ins Leben rief, die auf feste Stützpunkte in der Wildnis verzichtete und ihren Sitz in der neuen Pelzhandelsmetropole St. Louis hatte. Die Trapper arbeiteten von nun an auf eigene Rechnung, wurden für ihre Beute mit Lebensmitteln und Ausrüstungsgegenständen bezahlt und bewahrten sich ihre Freiheit und Unabhängigkeit – ganz im Gegensatz zu ihren kanadischen Kollegen, die bei der Hudson Bay Company fest angestellt waren und einen monatlichen Lohn für ihre Dienstleistungen bezogen.

Die Schwierigkeit, Trapper und Pelzhändler zusammenzubringen, löste William H. Ashley auf einfache Weise. Bevor er seine Pelztierjäger in die Wildnis entließ, vereinbarte er mit ihnen einen Treffpunkt in den Bergen, wohin die Karawanen mit den Tauschgütern aus St. Louis kommen und Händler die von den Trappern erbeuteten Pelze in Empfang nehmen sollten. Das erste dieser so genannten Rendezvous, wie die Treffen bald genannt wurden, fand 1826 bei Henry's Fork am Green River statt und entwickelte sich in den folgenden Jahren zu einem regelrechten Jahrmarkt, bei dem Pferderennen mit befreundeten Indianerstämmen, Wettschießen unter den einzelnen Trappern und wilde Saufgelage veranstaltet wurden. „Man bewies seine Geschicklichkeit in Wettläufen, im Weitsprung, im Ringen, im Schießen mit dem Gewehr und in Pferderennen", schrieb Captain Bonneville, der viele Trappertreffen besuchte. „Dazu gehörten auch die Feste und Trinkgelage der rauen Jäger. Sie tranken, sangen, lachten und schrien. Jeder suchte den anderen mit wirklichen und erfundenen Geschichten über bestandene Abenteuer und Heldentaten auszustechen. Hier erschienen die freien Trapper in ihrer vollen Glorie. Sie betrachteten sich als die ‚Hähne im Gehege' und trugen den Kamm so hoch wie möglich. Gelegentlich wurde die Vertraulichkeit zu weit getrieben und es kam zu einem Handgemenge oder einer Schlägerei. Sie endete immer in herrlicher Versöhnung und rührseliger Umarmung."

Im Jahre 1840, nach einer jahrzehntelangen Vorherrschaft des Pelzhandels im fernen Westen, fand das letzte Rendezvous in den Rocky Mountains statt. Biberpelze waren aus der Mode gekommen und die Zylinder der feinen Herren in London und Paris wurden inzwischen mit Seide bespannt. Die Pelztierjäger sahen sich nach anderen Aufgabengebieten um, dienten der nach Westen vorstoßenden Armee als Scouts oder den Planwagenzügen der Siedler als Kundschafter und Jäger. Nur einige wenige wollten nichts mit der Zivilisation zu tun haben, sie zogen weiter nach Norden, um in der Einsamkeit ihr Glück zu suchen.

Die modernen Trapper, mit denen wir abends am Lagerfeuer sitzen, denken ähnlich. „Hier draußen, die Natur, das ist unsere Kirche", sagt Terry Davis. „Fernsehen und solche Sachen brauchen wir nicht. Mag sein, dass uns manche Leute belächeln, aber du solltest uns mal hören, wenn wir an die vielen Dummköpfe denken, die den Kontakt zur Natur verloren haben und zu Sklaven der Zivilisation geworden sind!" Aber es gibt noch einen anderen Grund, warum man sich auch heute noch zu einem Rendezvous trifft. „Wegen der Menschen. Sie sind abenteuerlich, unabhängig und haben ein großes Herz, wie die echten Mountain Men. Auf einem Rendezvous hilft einer dem anderen, du lernst von deinen Freunden. Das ist eine Mentalität, die man im sonstigen Amerika nicht mehr findet. Bei diesen Menschen fühlt man sich zu Hause. Ihr Leben wird zum Lifestyle. Wir sind alle eine große Familie."

33. Auf den Spuren von Karl May: *Old Surehand*

Im Rocky Mountain National Park hat sich die Natur seit *Old Surehand II* kaum verändert, aber aus dem ‚Bärental' wurde eine Touristenfalle mit Bergbahn und einem kleinen Jahrmarkt.

„Nun befanden wir uns hoch oben in den eigentlichen Rocky Mountains", schrieb Karl May im neunten Kapitel von *Old Surehand II,* „und ritten an der östlichen Seite des Pah-savahre-payavh hinan. Das Riesenpanorama, in dem wir Zwerggeschöpfe uns bewegten, war überwältigend großartig. Hier wirkte die ungeheure Massigkeit der Gebirgsstöcke im Verein mit dem Farbenreichtum der unbekleideten Felsen. Das waren himmelhohe und meilenlange Granitmauern mit wunderbar gestalteten Bastionen, über die es kein Hinüberkommen zu geben schien. Wenn wir, uns umwendend, rückwärts blickten, lag im Osten die weite Prärie wie ein endloser flimmernder See tief, tief zu unseren Füßen. Die Bäume rauschten um uns wie zu Schaum gewordenes flüssiges Silber dahin; Frau

Auch Karl May beschrieb die Rocky Mountains.

Flora stieg, gekleidet in ihr künstlerisch abgetöntes, grünes Sammetgewand und ihr Haupt mit Gold gekrönt, stolzen Schrittes zu den erhabenen Scheiden und Kuppen des Gebirges empor. Hier bauten sich gigantische Felsenstufen, eine über die andere, auf, mächtige Balsamtannen tragend und den Geistern des Gebirges als Treppe dienend, wenn sie nächtlicherweise niedersteigen, ‚eine Wildschur um die Lenden, eine Kiefer in der Faust'. Dort wieder haben sich zu Füßen eines einzeln thronenden Bergtitanen ganze Reihen riesiger Säulen herausgebildet, hinter deren Waldkulissen die wunderbaren Geheimnisse der Hochwelt träumen. Hinter den scharfgezeichneten, dunklen Kanten der scheinbar höchsten Höhen flimmern silberne und goldene Punkte und strahlen diamantene Linien und Streifen aus blaugrauen Schleiern hervor. Sind das die Grüße einer für den Sterblichen unerreichbaren Märchenwelt, eines jenseits der Erde befindlichen Zauberlandes, oder scheint dort die Sonne wider von fernen Gebirgshäuptern, mit deren Höhe die der uns umgebenden Felsenriesen nicht zu wetteifern vermag?"

Ähnlich begeistert beschrieb Enos Mills, ein engagierter Naturschützer, die Rocky Mountains zu Beginn des 20. Jahrhunderts, als er sich für die Einrichtung eines Rocky Mountain National Parks jenseits der kontinentalen Wasserscheide einsetzte. Die wilde Berglandschaft, abenteuerlicher Schauplatz des erbitterten Kampfes zwischen Winnetou, Old Shatterhand, Old Surehand und den Utah-Indianern, wurde schon zu Karl Mays Lebzeiten durch Unternehmer und Geschäftemacher bedroht, die das Gebiet durch Touristenzentren und Hotels verschandeln wollten. 1915 wurde zumindest ein Teil der Rockies in Colorado unter Naturschutz gestellt. Wir lernen die Gegend auf einer Fahrt über die ‚Trail Ridge Road' kennen, eine der höchstgelegenen asphaltierten Straßen der USA. Sie führt durch den Rocky Mountain National Park, einen der schönsten und aufregendsten Parks im amerikanischen Westen. Schneebedeckte Gipfel erheben sich über tiefgrünen Tälern und spiegelklaren Seen und zahlreiche Wanderwege durchkreuzen die urwüchsige Natur. Ein Drittel des Nationalparks liegt oberhalb der Baumgrenze, fernab der belebten Touristenorte. In der 3.000 Meter hohen Bergwildnis wachsen Englemann-Fichten und bunte Wildblumen, in der hochgelegenen Tundra, zwischen verkrüppelten Fichten und empfindlichen Moosen, sonnen sich gelb-bäuchige Murmeltiere.

Nur im Hochsommer ist die Straße geöffnet, im Winter versperren Lawinen den Weg in diese eindrucksvolle Bergwildnis. Wir halten abseits des Highways, lassen uns auf einem einsam gelegenen Aussichtspunkt den Wind um die Nase wehen. Jenseits eines tiefen Gletschertales erstreckt sich eine schroffe Bergkette, von leuchtenden Schneefeldern zerfurcht und unberührt von der Zivilisation. Durch den Feldstecher glaube ich Old Surehand vor einem Berghang zu sehen, aber bei genauerem Hinsehen erkenne ich einen Ranger, der die Berge auf einem Patrouil-

Die Wildnis von Colorado.

lenritt erkundet. Selbst heute noch erreicht man einige entlegene Gegenden des Parks nur auf dem Pferderücken. Die Berge liegen unter einem verwaschenen Himmel, glänzen im schwachen Sonnenlicht, das hinter der dichten Wolkendecke leuchtet.

Wir sind über den Highway 50 nach Colorado gekommen, ungefähr auf der Route, die Winnetou und Old Shatterhand in *Old Surehand II* genommen haben. In Canon City, einer unscheinbaren Stadt, die mit ihrer Main Street wie ein Abziehbild aus den fünfziger Jahren wirkt, übernachten wir. Abseits der Hauptstraße erhebt sich der hässliche Betonklotz des staatlichen Zuchthauses, ein Fremdkörper in dieser urwüchsigen Wildnis, aber die Bewohner haben es selbst gewollt, im Jahre 1871 schon, um Steuergelder nach Canon City zu bringen. In den zwanziger Jahren des 19. Jahrhunderts geriet Canon City erneut in die Schlagzeilen, als der Ku-Klux-Klan die kleine Stadt zu seinem Hauptquartier machte. Sogar eine Zeitung veröffentlichten die Klans-

Bildseite 222/223: Über die Royal Gorge, das mögliche Bärental in ‚Old Shatterhand II', führt eine Seilbahn.

ROYAL GORGE
AERIAL TRAM
HAS CARRIED OVER
PASSENGERS
TRAVELED MORE THAN
MILES

ROYAL
GORGE

männer und in der Klan-Bank wurden zweifelhafte Geschäfte abgewickelt. Die Kapuzenmänner kontrollierten das Rathaus und die Schulen und erst der massive Protest der Bevölkerung machte dem bösen Spuk ein Ende. Der Klan löste sich auf und die Mitglieder verschwanden oder landeten im Zuchthaus nebenan. Der Barkeeper in der Hotelbar lacht, als wir wieder auf das Gefängnis zu sprechen kommen. „Das Ding ist gar nicht so schlecht“, meint er, „es versorgt uns mit Jobs und hält unsere Schornsteine am Dampfen. Meinetwegen kann es bleiben.“

Das Bärental, in dem Old Surehand den gefährlichen Grizzly jagte, entdecken wir in der Royal Gorge, einer vielbesuchten Schlucht im südlichen Colorado. Ein spektakulärer Canyon, der Karl Mays Beschreibung entspricht: „Wir ritten jetzt auf einer schräg hinaufziehenden, mehrere englische Meilen breiten Ebene, die wie ein Dach zur Höhe stieg und vollständig von Wald bedeckt war. Das war nicht der in den Wipfeln dicht verschlungene, grün überdachte Urwald des Nordens, sondern die riesigen Koniferen standen einzeln, weit auseinander, sich kaum mit den Wipfelrändern berührend; ihr Streben ging nur in die Höhe, nicht nach Vereinigung. Die Sonnenstrahlen fanden den Weg zwischen sie herein und ließen nicht jenes Dunkel aufkommen, das den nördlichen Wäldern eigen ist.“ Nur mit der Einsamkeit ist es im ‚Bärental‘ vorbei. Eine Hängebrücke zieht sich in fast vierhundert Metern Höhe über den Arkansas River. Die höchste Hängebrücke der Welt wurde 1929 über den Fluss gebaut und gestattet einen atemberaubenden Blick in den schmalen und tiefen Canyon. Leider wird am Rand der Schlucht kräftig abgezockt. Die Brücke ist in Privatbesitz und um die Seilbahnstation wurde ein Mini-Disneyland errichtet, das kaum den Eintritt wert ist. In den Drahtkäfigen eines stählernen Ungetüms rattern die Besucher durch einen Felskanal, den Abgrund vor Augen. Old Surehand hätte beim Anblick dieser Bahn wohl kräftig gelacht.

Zur Zeit des Wilden Westens tobte ein erbitterter Eisenbahnkrieg in dieser Schlucht. Der Silberrausch in Leadville und die Ausicht auf einen schnellen Profit hatten die ‚Denver & Rio Grande‘ und die ‚Santa Fe‘ ermutigt und beide Gesellschaften begannen gleichzeitig mit dem Bau einer Strecke durch das unwegsame Gelände. Die bewaffnete Auseinandersetzung ließ nicht lange auf sich warten. Bereits 1878 fielen die ersten Schüsse und eine Reihe von Sabotageakten erschütterte den Canyon. Revolvermänner wurden angeheuert. Wie durch ein Wunder wurde niemand verletzt, aber der Krieg ging weiter und erst ein Gerichtsurteil beendete den Eisenbahnkrieg und gestattete der ‚Denver & Rio Grande‘, die Strecke fertig zu stellen.

In Gunnison erfahren wir, wie erbittert sich die Indianer der Rocky Mountains gegen die weißen Eindringlinge zur Wehr setzten. Die Stadt wurde nach Captain John W. Gunnison benannt, der bereits 1853 eine Expedition in das Bergland führte, um nach einer Route für die Eisenbahn zu suchen. Die Indianer waren nicht

Magisches Lichterspiel im Bärental.

damit einverstanden und töteten den Captain mit fünfzehn Pfeilen. Sie hackten seine Arme und Beine ab, schnitten sein Herz und seine Zunge aus dem Körper und ließen seinen geschändeten Leichnam in der Sonne liegen. Ein deutliches Signal für die Weißen, die Eisenbahn nicht zu bauen. Doch zwanzig Jahre später triumphierten die Eindringlinge und die Indianer wurden in Reservationen abgedrängt. Gunnison wurde zu einem bedeutenden Handelsposten während des Goldrausches und auch der Traum des Captains ging in Erfüllung: Um 1880 wurden gleich zwei Eisenbahnlinien durch die Rocky Mountains gebaut und beide endeten in seiner kleinen Stadt: die ‚Denver & Rio Grande' und ‚Denver South Park & Pacific'.

34. Fort Laramie

Historisches Fort in Wyoming

Der Miltärposten in Wyoming spielte eine bedeutende Rolle im Krieg gegen die Prärieindianer. Rex Norman, ein Ranger in Fort Laramie, kennt die bewegte Geschichte des Forts.

Der Highway 85 führt in den Wilden Westen. Abseits der asphaltierten Straßen hat sich das Land kaum verändert und man erwartet immer noch, jagenden Kriegern der Lakota oder Cheyenne oder einer Einheit aus Fort Laramie zu begegnen. Selbst das Fort sieht von den umliegenden Hügeln noch genauso aus wie im 19. Jahrhundert. Inmitten der endlosen Prärie erheben sich die restaurierten Häuser des legendären Militärpostens, der ein wichtiger Haltepunkt für die vielen Siedler war, die über den Oregon Trail nach Westen vorstießen, und zum Brennpunkt des erbitterten Krieges zwischen Weißen und Indianern wurde. Die Sonne steht hoch über dem Paradeplatz, als ich vor dem ehemaligen Lagerhaus des Forts aus meinem Wagen steige und von Rex Norman begrüßt werde, einem Ranger des Militärpostens, der inzwischen vom National Park Service verwaltet wird.

Die Soldatenquartiere in Fort Laramie.

Ranger Rex Norman vor ‚Old Bedlam'.

Der schnauzbärtige Ranger in der Uniform des National Park Service hat sich jahrelang mit der Geschichte des Forts beschäftigt und berichtet vom eintönigen Leben der Soldaten, die in dieser Wildnis stationiert waren. Obwohl man in den Westernfilmen meist berittene Soldaten sieht, gehörten die meisten Männer der Garnison zur Infanterie. Wenn sie im Einsatz waren, marschierten sie fünf oder sechs Stunden über die kahlen Ebenen, bevor ihnen eine Pause gegönnt wurde, begleitet von Kavallerie und Artillerie und in der ständigen Gefahr, von einer Übermacht feindlicher Sioux oder Cheyenne angegriffen zu werden. Sie exerzierten in schmucklosen Uniformen auf dem Paradeplatz des Forts oder schwitzten beim Stalldienst, sehnten die seltenen Tage herbei, an denen Sold ausgezahlt wurde und sie die wenigen Dollar für leichte Mädchen und schlechten Schnaps ausgeben konnten. Die meisten Soldaten waren Einwanderer aus dem fernen Europa, verstanden kaum ein Wort Englisch und bereuten schon nach wenigen Mona-

Über den Oregon Trail in den Goldenen Westen.

ten, die fünfjährige Dienstzeit angetreten zu haben. Zwischen 1865 und 1890 desertierten über dreiunddreißig Prozent aller Soldaten, andere verfielen dem Alkohol, der in der Marketenderei streng rationiert wurde, aber außerhalb des Stützpunktes in rollenden Bordellen verkauft wurde. „Das wirkliche Leben sah anders aus, als es uns die alten Western weismachen wollen", verrät Rex Norman nachdenklich.

William Sublette, ein erfolgreicher Pelzhändler, gründete das erste Fort Laramie am Zusammenfluss von Platte River und Laramie River, einer Gegend, die 1834 als ‚Laramai's Point' bekannt war. Damals lebten die Sioux und Cheyenne noch in Frieden mit den Weißen und es entwickelte sich ein reger Tauschhandel zwischen den Kriegern und den Mountain Men. 1836 wurde das Handelsfort von der American Fur Company übernommen. 1841 ersetzten einige Gebäude aus Adobe-Lehm die bisherigen Bauten. Aus dem neuen Fort John wurde das zweite Fort Laramie, das als wichtiger Ver-

Urlauber auf dem Oregon Trail.

sorgungspunkt für die Wagenzüge über den Oregon Trail fungierte und 1849 in den Besitz der Armee überging. Die Soldaten errichteten ein neues Fort, dessen strategische Lage im Herzen des Indianerlandes zu einem unschätzbaren Vorteil für die vorrückende US-Armee wurde.

Die Feindseligkeiten zwischen Indianern und Weißen begannen in den späten vierziger Jahren, als immer mehr Siedler nach Westen strömten und das Ende der langen Wagenzüge kaum noch auszumachen war. Einige Krieger verlangten Wegezoll von den durchziehenden Siedlern, baten um Kaffee und Tabak, und die Stimmung wurde immer gereizter. 1851 wurde einige Meilen südlich von Fort Laramie, am Horse Creek, ein Vetrag zwischen den Indianern und der amerikanischen Regierung geschlossen. Über zehntausend Sioux, Cheyenne und Arapaho folgten dem Ruf des Indianeragenten Thomas Fitzpatrick und schlugen ihre Tipis am Ufer des schmalen Flusses auf. Sie unterzeichneten ein ‚Spre-

Bildseite 230/231: Die Prärieindianer wehrten sich verzweifelt gegen die weißen Eindringlinge.

Wütend reagierten vor allem die jungen Krieger auf den endlosen Strom der Wagenzüge.

chendes Papier', aber als der Strom der Siedler kein Ende nahm, kam es zu den ersten Überfällen. Offiziell wurde der Krieg erst im August 1854 erklärt. John L. Grattan, ein ehrgeiziger junger Lieutenant, marschierte mit neunundzwanzig Soldaten in ein nahes Lager der Sioux, um nach einer gestohlenen Kuh zu suchen. Der unerfahrene Offizier, der seit vielen Wochen auf seinen ersten Feldeinsatz brannte, brach einen Kampf vom Zaun und wurde von den aufgebrachten Kriegern getötet.

Die Goldfunde in Montana führten zu einer weiteren Bedrohung für die Indianer. Jetzt strömten die ‚Wasicun', wie die Weißen von den Sioux genannt wurden, über den Bozeman Trail nach Norden, fielen mit Hacke und Schaufel in die Jagdgründe der Indianer ein. Rote Wolke, ein Häuptling der Sioux, nahm die Verletzung des Vertrages vom Horse Creek nicht hin und grub das Kriegsbeil aus. Seine Krieger griffen Goldsucher und Siedler an, brannten einsame Farmen nieder. Die Armee versuchte vergeblich, die Indianer zurückzutreiben, scheiterte selbst, als sie die Forts Reno, Phil Kearny und C. F. Smith am Bozeman Trail errichtete. Rote Wolke, ein gewiefter Stratege, zermürbte die Soldaten und schwor, erst Frieden zu schließen, wenn die Soldaten ihre neuen Forts verlassen hatten. 1868 wurde auf einer Wiese vor Fort Laramie verhandelt. „Rote Wolke ist der einzige Häuptling, der einen Krieg gegen die Armee gewonnen hat", berichtet Rex Norman, als wir über den Paradeplatz gehen und zum Fluss hinüberblicken, wo die Verträge unterzeichnet wurden, „und er hatte Erfolg damit. Die Regierung ließ sich auf seine Bedingungen ein und brannte die Forts bis auf die Grundmauern nieder."

Der Frieden währte lediglich sechs Jahre. 1874 wurde Gold in den Black Hills gefunden und ein neuer Strom von Siedlern ergoss sich nach Westen. Einige Häuptlinge ergaben sich und wählten den Weg des Weißen Mannes, aber stolze Anführer wie Crazy Horse und Sitting Bull riefen die Krieger zusammen und schworen, bis zum letzten Atemzug um ihre Heimat zu kämpfen. Die Black Hills waren den Sioux heilig. „Es war ein grausamer Krieg und Fort Laramie war das Zentrum vieler Aktivitäten", berichtet Rex Norman, „fast alle Soldaten nahmen an den Kämpfen teil." Am 25. Juni 1876 triumphierten die vereinigten Sioux, Cheyenne und Arapaho über die Siebte Kavallerie und töteten Lieutenant Colonel George Armstrong Custer und mehr als zweihundertfünfzig Soldaten am Little Bighorn River. Ein vergeblicher Sieg, wie sich später herausstellte, denn die Indianer hielten dem wachsenden Druck der Weißen nicht stand und es blieb ihnen nichts anderes übrig, als in Reservationen zu ziehen.

„Über Fort Laramie weht der Atem der Geschichte", wird Rex Norman feierlich. Wir bleiben vor dem besterhaltenen Gebäude des Forts stehen, einem zweistöckigen Holzhaus mit Veranda. ‚Old Bedlam', das Quartier der unverheirateten Offiziere, wurde 1849 erbaut und war zwischen 1863 und 1864 das Hauptquartier des

Auch nach der Unterzeichnung eines Friedensvertrages blieb die Situation im Indianerland gespannt.

Die historischen Gebäude wurden restauriert.

Militärpostens. Lieutenant Colonel William O. Collins, der Oberbefehlshaber, und seine Frau lebten im zweiten Stock. In den Schlafquartieren der Soldaten sieht es wieder genauso aus wie während der Indianerkriege. Die Betten sind gemacht, die Decken sauber gefaltet, über dem Kopfende hängen Kleidung und Waffen der Soldaten. Die private Habe ist in einer kleinen Kiste am Fußende untergebracht. Auf einem Tisch liegen Spielkarten, als wären die Männer eben noch im Raum gewesen. „Manchmal spukt es hier“, meint Rex Norman ernst, „dann hört man die Stimmen der toten Männer, die von blutigen Kämpfen erzählen!“

Fort Laramie gehört zu den besterhaltenen Forts im amerikanischen Westen. Über ein Dutzend der historischen Gebäude wurden restauriert und sehen teilweise noch genauso aus wie zur Zeit der Indianerkriege. Das Commisary Storehouse von 1884, in dem heute das Besucherzentrum und ein kleines Museum untergebracht sind. Die alte Bäckerei von 1876, in der

Fort Laramie ist heute ein beliebtes Touristenziel.

täglich ungefähr siebenhundert Brote gebacken wurden. Die Infantry Barracks mit den Mess Halls, das alte Wachhaus von 1866, die Captain's Quarters von 1870, das Pulvermagazin. Das Quartier des Post Surgeons, der viele Kranke in seinem Hinterzimmer verarztete, der Laden des Post Traders, in dem heute noch Biberfelle an der Wand hängen und Werkzeuge und Decken in den Regalen liegen. Die Ruinen des Krankenhauses von 1873. Am Fahnenmast auf dem Paradeplatz weht das Sternenbanner.

Es dämmert bereits, als ich mich von Rex Norman verabschiede und in den Sonnenuntergang nach Westen fahre. Hinter mir bleiben die Gebäude des Fort im rotgoldenen Abendlicht zurück. Ein Trompetensignal erklingt, und als ich anhalte und aussteige, sehe ich, wie die Flagge eingezogen wird. Wahrscheinlich bilde ich mir ein, dass Rex Norman salutierend auf dem Paradeplatz steht. Ich steige in den Wagen und fahre weiter nach Westen.

35. Der Pferdeflüsterer

Der Cowboy, der mit den Pferden spricht

Seit dem Weltbestseller *Der Pferdeflüsterer*, der von Robert Redford verfilmt wurde, stehen die geheimnisvollen Männer aus dem amerikanischen Westen in der Öffentlichkeit.

Peter Campbell sieht wie der Cowboy aus der Marlboro-Werbung aus. Er raucht sogar dieselbe Marke, als gehörte das zum Image. Er sitzt beinahe aufreizend lässig im Sattel und spricht mit den jungen Pferden. „Das ist nicht mehr so wie im Wilden Westen", berichtet er, „man schwingt sich nicht mehr auf einen nackten Pferderücken und reitet den verdammten Gaul, bis er nicht mehr kann. Zumindest wir tun das nicht. Wir gehen sanft mit den Pferden um und schaffen in einer Woche, wozu andere Cowboys viele Monate brauchen." Das klingt arrogant, aber der Erfolg gibt ihm Recht. „Tom Dorrance hat diese Methode entwickelt", fährt er fort, „ein alter Cowboy aus Oregon, den ich sehr verehre. Ich glaube, der alte Haudegen ist schon über achtzig, aber ich gehe jede Wette ein, dass er mehr über Pferde weiß und besser mit ihnen umgehen kann als jeder junge Cowboy."

‚True Unity' nennt er seine Methode, die ‚wahre Einheit' zwischen Mensch und Tier. Das Pferd verstehen, seine Sprache sprechen. „Tom Dorrance hat von den Pferden gelernt", klärt er uns auf, „er hat sie besser beobachtet als jeder andere, er hat ihre Körpersprache studiert. So wie die Indianer, die waren auf die Pferde angewiesen und taten ihnen niemals Gewalt an. Auch wir arbeiten gewaltfrei. Wir sprechen mit ihnen und schaffen eine Atmosphäre, in der sie sich wohl fühlen. Wenn die Pferde ruhig sind und keine Abwehrhaltung einnehmen, sind sie leicht zu führen. Das ist unser Geheimnis. Wir haben Respekt vor ihnen."

Peter Campbell zieht von einer Ranch zur anderen. Überall im Westen weiß man, dass er am besten mit den jungen Pferden zurechtkommt. Er wirft die Zigarette in den Schlamm und lacht. „Nein, ich brauche keine Werbeplakate." Wieder diese Arroganz, aber dann reitet er am Zaun entlang und wir verzeihen ihm vieles. Sein Körper scheint mit dem Pferd verwachsen zu sein und seine Bewegungen sind so geschmeidig, dass man kaum spürt, wie er die Zügel benutzt. Er beugt sich zu einem der jungen Tiere hinunter, spricht mit ihm, streichelt ihm den Hals. „Wenn man die Pferde zu sehr in die Enge treibt, reagieren sie mit natürlichen Instinkten: Sie laufen weg oder kämpfen. Ich lasse sie immer laufen. Sie sollen sich wohl fühlen, das ist das Wichtigste."

Von der Bezeichnung ‚Pferdeflüsterer' hält er genauso wenig wie sein Kollege Buck Brannaman, der mit seiner Frau und seinen drei Töchtern auf einer Ranch in Wyoming lebt und als Berater für Robert Redford arbeitete. „Weil das Buch so populär ist", sagt Buck, „und der Film überall lief, gibt es kaum noch jemanden, der kein Pferdeflüsterer ist. Ich finde den Ausdruck okay, aber wenn ich rumlaufen und jedem er-

Peter Campbell, ein echter Pferdeflüsterer.

zählen würde, dass ich ein Pferdeflüsterer bin, würden sie mich sowieso für einen Angeber halten. Also lass ich es lieber. Ich brauch' das alles nicht, ehrlich."

Dabei kommt er dem Pferdeflüsterer im Film genauso nahe wie Peter Campbell. Seine einzigartigen Methoden im Umgang mit jungen Fohlen und verletzten oder aggressiven Pferden haben ihm internationales Ansehen verschafft. Auch er hat bei Tom Dorrance gelernt. „Buck schafft eine sehr intime und vertrauensvolle Beziehung zwischen Mensch und Pferd und wendet niemals Gewalt an", berichtet Patrick Markey, der den Film zusammen mit Robert Redford produzierte. „Er zeigt dem Besitzer eines Pferdes, wie er die besten Ergebnisse mit einem Tier erzielt, in dem er ihm vertraut und keine Angst vor ihm hat. Auch wenn das jetzt ein bisschen nach Newage klingt, aber die Leute neigen dazu, ihre Sorgen an ihr Pferd weiterzureichen. Das Pferd reagiert, weil es diese Last loswerden will. Buck zeigt den Besitzern, wie man damit fertig wird und wie man das Pferd davon befreit. Er dringt in die Psyche der Menschen und findet Geheimnisse."

Buck Brannaman träumte schon als kleiner Junge davon, einmal Cowboy zu werden. Als Sechsjähriger führte er Tricks mit dem Lasso vor. Er wuchs in Harrison, Montana, auf und arbeitete auf einer Ranch in Norris, Montana. Auf der Koppel fühlte er sich wohl. Als Dreizehnjähriger hatte er bereits einen Job als Pferdetrainer. Nach der High School ging er bei Ray Hunt, einem Schüler des legendären Tom Dorrance, in die Lehre. Er begleitete ihn zu seinen ‚clinics' und wurde selbst ein ‚Pferdeflüsterer'. Er sieht das nüchterner: „Ich bringe den Leuten bei, wie man mit Pferden arbeitet. Ich arbeite mit Problempferden, wie Tom Booker im Film, nur muss ich die Arbeit an einem Wochenende erledigen. Wenn ich mit einem Pferd arbeite, denke ich darüber nach, wie es in diese Situation gekommen ist. Wenn es sich fürchtet oder wenn es aggressiv ist, möchte ich wissen, warum es so geworden ist. Manchmal werden Pferde so geboren, manchmal sind die Besitzer schuld, weil sie die Tiere falsch behandeln. Wenn man erkennt, warum ein Pferd in eine bestimmte Lage gekommen ist, und wenn man das Problem vom Standpunkt des Pferdes betrachtet, hat man die Lösung schon gefunden. Jedes Pferd ist ein Individuum, so wie jeder Mensch. Wenn man in ein Wesen hineinblickt, löst sich alles wie von selbst."

Robert Redford arbeitet seit beinahe dreißig Jahren mit Pferden. Der Superstar besitzt eine Ranch in Utah und betrachtet den amerikanischen Westen als eigentliche Heimat. Für die Rolle des Tom Booker in THE HORSE WHISPERER (DER PFERDEFLÜSTERER) war er die Idealbesetzung. „Natürlich steckt einiges von diesem Mann auch in mir", gibt er zu, „obwohl ich nicht derselbe Mann bin. Tom Booker ist ein Einzelgänger, lebt abseits von der Zivilisation auf einer Ranch in Montana. Er ist tief in seiner Heimat verwurzelt. Er repräsentiert den amerikanischen Westen, und obwohl ich den Westen liebe und teilweise dort lebe, bin ich kein reiner Westerner. Ich bin in einer Umgebung großgeworden, die ganz anders ist. Einen Tom Booker kann ich mir in Hollywood nur schwer vorstellen. Auch in New York wäre er ein Fremder. Schon diese Unterschiede trennen mich von ihm. Aber ich besitze Pferde, arbeite mit Pferden, lebe auf einer Ranch im amerikanischen Westen und ich bin gerade in den letzten Jahren sehr oft in der Natur gewesen. Ich fühle mich der Natur sehr verbunden und liebe Tiere, deshalb kann ich mich gut in Tom Booker hineinversetzen. Ich liebe den amerikanischen Westen."

Gelernt hat Robert Redford wenig von Tom Booker, „weil ich schon sehr viel über Pferde weiß. Ich habe mich immer für Pferde interessiert, habe schon vor vielen Jahren von der Technik gehört, die Tom Booker im Film anwendet. So etwas haben wir selber schon auf unserer Ranch gemacht, obwohl wir natürlich nicht die Erfahrung eines Tom Booker haben. Ich arbeite seit beinahe dreißig Jahren mit Pferden. Aber Buck

Im Westernsattel durch den Wilden Westen.

Brannaman, unserem technischen Berater, habe ich einige Kniffe abgeschaut. Er ist ein erfahrener Cowboy aus Wyoming, der schon seit vielen Jahren als Pferdeflüsterer arbeitet. Ein sehr interessanter Mann."

THE HORSE WHISPERER entstand nach dem gleichnamigen Bestsellerroman von Nicholas Evans. Das Buch erzählt von Grace MacLean, der vierzehnjährigen Tochter eines rechtschaffenen Anwalts und einer karrieresüchtigen Chefredakteurin eines Frauenmagazins, die während eines Schneesturms mit ihrem Lieblingspferd Pilgrim verunglückt und ihr Bein verliert. Ihre Freundin kommt bei dem Unfall ums Leben. Pilgrim ist schwer verletzt und soll erschossen werden, aber Annie MacLean ahnt, dass das Schicksal des Pferdes und der psychische Zustand ihrer Tochter untrennbar verbunden sind und Grace erst aus ihrer selbstgewählten Verbannung zurückkehren wird, wenn Pilgrim gesund ist. Durch Zufall hört sie von Tom Booker, einem Pferdflüsterer aus Montana. „Ein Pferde-

Peter Campbell kennt sich mit Pferden aus.

flüsterer ist ein Cowboy mit besonderen Gaben", erklärt Robert Redford, „er spricht mit dem kranken Pferd und baut eine geistige Beziehung zu ihm auf. Mit viel Verständnis und auch Leidenschaft gelingt es einem solchen Pferdeflüsterer, eine Basis des Vertrauens aufzubauen. Er schlägt und bestraft das Pferd nicht."

Zusammen mit ihrer Tochter und dem aggressiven Pilgrim fährt Annie nach Westen. In der Abgeschiedenheit der weiten Ebenen von Montana verliert ihr Job immer mehr an Bedeutung und auch Grace verfällt dem Zauber und der Rechtschaffenheit des amerikanischen Westens und seiner Menschen. Tom Booker gelingt es, das Vertrauen von Pilgrim und Grace zu gewinnen, und er verliebt sich in die selbstbewusste Frau aus New York. „Ich habe diesen Film gemacht, weil mir die Rolle gefiel", sagt Robert Redford. Der Pferdeflüsterer ist ein Cowboy der alten Schule, ein Gentleman in Bluejeans, der es versteht, mit Pferden, Frauen und Kindern zu reden. Die Story ist ein Plädoyer für die Lebensart im amerikanischen Westen, die unter den Bulldozern der Grundstücksmakler zu ersticken droht. Pferde sind ein Symbol für den Westen, die grenzenlose Freiheit der weiten Ebenen und die zerklüfteten Rocky Mountains. In ihren Seelen wohnt das Geheimnis, das diese Landschaft umgibt.

36. Der Mann aus den Bergen

Wie ein Trapper um 1820

Terry Davis lebt wie ein Mountain Man im frühen 19. Jahrhundert und fühlt sich wohl dabei. Mit seiner indianischen Frau zieht er durch den unberührten Hoback Canyon und die wilden Berge.

Wir paddeln durch den Hoback Canyon, nur wenige Meilen und doch ein ganzes Jahrhundert vom Touristentrubel in Jackson, Wyoming, entfernt. Die schneebedeckten Gipfel der Rocky Mountains spiegeln sich im unruhigen Wasser des Flusses. Unser Kanu gleitet über die Wellen, bringt uns immer weiter in die Vergangenheit zurück. Im unbekannten Hinterland von Wyoming ist die Welt noch in Ordnung. Die Natur erscheint unberührt, verzaubert mit einer jungfräulichen Schönheit, selbst außerhalb der großen Nationalparks. Die Sonne leuchtet über den endlosen Wäldern und wir lauschen dem Wind, der von den Menschen erzählt, die dieses Naturparadies entdeckt haben. Von den Indianern, die schon vor dreihundert Jahren am Ufer des Flusses lagerten, und von den Fallenstellern, die zu Beginn des neunzehnten Jahrhunderts in den Rocky Mountains jagten.

Terry Davis und seine indianische Frau.

Terry Davis vor den Gipfeln der Teton Range.

Terry Davis, in der Wildlederkleidung eines Trappers aus dem frühen 19. Jahrhundert, legt das Paddel nieder. Seine Freizeit verbringt der Mechaniker als Mountain Man, einer jener legendären ‚Männer der Berge', die zwischen 1810 und 1840 ihre Fallen auslegten und fernab der Zivilisation ein raues Leben führten. Sie heirateten Indianerfrauen, weil keine weiße Frau in dieser Wildnis überlebt hätte, und führten das entbehrungsreiche Leben der indianischen Krieger, die viele hundert Jahre vor ihnen in dieses Land gekommen waren und wussten, wie man sich mit der unerbittlichen Natur arrangierte. „Du musstest zum Indianer werden, sonst wärst du nach drei Tagen tot gewesen!"

Die Mountain Men waren tollkühne Burschen, die jenseits der Besiedlungsgrenze durch abgelegene Bergtäler streiften, vor keiner Gefahr davonliefen, mit wilden Tieren und feindlichen Indianern kämpften und ihre Biberfallen in Gebieten auslegten, die kein Weißer vor ihnen betreten hatte. „Ihre Angst vor Gott war gering",

Altes Siedlerhaus in den Teton Mountains.

schrieb ein Zeitgenosse, „und vor dem Teufel fürchteten sie sich überhaupt nicht!" Jim Bridger, einer der bekanntesten Mountain Man, legte sogar in den Jagdgründen der Blackfeet seine Fallen aus. Er kehrte mit einem Pfeil in der Schulter zurück und lachte dröhnend, als ihn jemand zu einem Arzt schicken wollte. Erst drei Jahre später ließ er die Pfeilspitze entfernen. An den Lagerfeuern und auf den Rendezvous' wurde von entbehrungsreichen Märschen durch die Wildnis und tobenden Schneestürmen erzählt, von blutigen Kämpfen mit wilden Grizzlys und feindlichen Indianern, und wenn genug Alkohol geflossen war, wurde mit den amourösen Abenteuern geprahlt, die viele Trapper in den Dörfern befreundeter Indianer erlebt haben wollten. Jenseits der Besiedlungsgrenze wurden die weißen Jäger selber zu Indianern, sie lebten und kleideten sich wie Krieger, weil sie sonst nicht in der Einsamkeit überlebt hätten.

Die große Zeit der amerikanischen Trapper begann 1822, als William H. Ashley, der Gründer der Rocky Mountain Fur Company, eine Anzeige in St. Louis veröffentlichte: „An unternehmungslustige Männer: Der Unterzeichner möchte hundert Männer anstellen, die zur Quelle des Missouri Rivers vordringen und dort ein, zwei oder drei Jahre arbeiten. William H. Ashley." Unter den Männern, die an diesem Abenteuer teilhaben wollten, waren Draufgänger wie Thomas Fitzpatrick und Jim Bridger, die auch dann nicht aufgaben, als eines ihrer Boote im Missouri versank. Die zweite Expedition wurde von den Arikara aufgerieben und erst beim dritten Versuch gelang es ihnen, zum Yellowstone vorzudringen. Die Rocky Mountain Fur Company verzichtete auf feste Stützpunkte in der Wildnis und behielt ihren Sitz in St. Louis. Die Trapper arbeiteten auf eigene Rechnung, verkauften ihre Felle auf den Rendezvous', die an verabredeten Treffpunkten in der Bergwildnis abgehalten wurden, und bewahrten sich ihre Freiheit und Unabhängigkeit – für Männer vom Schlage eines Jim Bridger oder Thomas Fitzpatrick das höchste Gut.

Alfred Jacob Miller, einer der bekanntesten Maler des amerikanischen Westens, besuchte das Rendezvous von 1837 und schrieb über sein Gemälde: „Hier rasteten wir einen Monat lang im Schatten der eindrucksvollen Wind River Mountains. Ungefähr 3.000 Indianer kampierten mit den Trappern, wollten Büffelfelle und Pelze gegen Lebensmittel, Munition und Tabak tauschen. Es war ein imposanter Anblick. Die weißen Zelte der Indianer vor der endlosen Weite, die tapferen Krieger auf ihren Pferden, einige von ihnen in barbarischer Großartigkeit gekleidet. Der erste Tag wird mit wilden Spielen verbracht. König Alkohol erfreut sich einer großen Nachfrage, obwohl die Gallone für vierundsechzig Dollar verkauft wird. Er treibt die armen Wilden zum Wahnsinn, lässt sie Amok laufen oder zusammenbrechen. Glückspiele, Ballspiele, Wettläufe und andere Unterhaltungen gehören zur Tagesordnung. Die folgenden Tage sehen anders aus. Das Zelt der Pelzhandelsgesellschaft wird aufgestellt und ein reger Handel beginnt. Die Trapper bekommen ihre Ausrüstung und brechen in kleinen Gruppen auf, den wertvollen Biber zu jagen." Erst 1840 wurde das letzte Rendezvous abgehalten.

Terry Davis hat sich dem ‚Native American Lifestyle' der Mountain Men verschrieben. Er denkt wie ein Indianer, der sich als unbedeutenden Teil einer übermächtigen Natur sah und auch die Tiere und Pflanzen als lebendige Wesen verehrte. Seit 1975 zieht er als Mountain Man durch die Rocky Mountains, trifft sich mit gleich gesinnten Trappern, die auf ihren Rendezvous die Vergangenheit beschwören. Seine Frau Arilee, eine Halbindianerin, ist immer dabei. „Die Mountain Men waren unabhängig", sagt er, „sie liebten das Abenteuer, entwickelten einen eigenwilligen Sinn für Humor und gingen keinem Kampf aus dem Weg. Das hat sich bis heute nicht geändert. Wenn wir in den Bergen lagern, fernab der Zivilisation, lebt dieser Geist wieder auf."

Wir ziehen das Kanu ins Uferschilf und klettern über einen steilen Pfad in die Berge hinauf. Von einem Felsen blicken wir ins Jackson Hole

Leben wie die Trapper im 19. Jahrhundert.

hinab, das lang gezogene Tal zwischen Teton Mountains und Gros Ventre Range. Ein Touristengebiet mit Guest Ranches und Campingplätzen, einem der attraktivsten Skigebiete im amerikanischen Westen und den Souvenirshops und Boutiquen von Jackson, aber abseits der befahrenen Highways noch immer wild und urwüchsig. So wie im Winter 1806, als John Colter in diesem Teil der Rocky Mountains jagte und Yellowstone und Jackson Hole für die Zivilisation entdeckte. Ein Hinterwäldler aus Virginia, der im Westen eine neue Freiheit suchte, über den Togwotee Pass in das Tal vorstieß und am Teton Pass mit den Blackfeet in einen Kampf verwickelt wurde.

Wir fahren denselben Weg, folgen dem asphaltierten Highway, der die Strapazen der Mountain Men kaum erahnen lässt. Die Blackfeet wurden nach Norden abgedrängt, leben auf einer Reservation in Montana und kämpfen nur noch vor Gericht gegen den Weißen Mann und die vereinzelten Lagerfeuer der Fallensteller sind den Lichtern von Jackson gewichen, das sich weiter zwischen

Im Hinterland des Hoback Canyon.

den Bergen ausbreitet. Im Hochsommer fahren täglich über 40.000 Urlauber durch die Stadt. Der Yellowstone und der Grand Teton National Park sind keine fünfzig Kilometer entfernt.

Terry hält es nicht lange in Jackson aus, als ‚echter' Mountain Man braucht er die schroffen Berge und die ungezähmte Natur. Im Wind River Country, den ehemaligen Jagdgründen der Trapper, findet er beides. Das Land hat sich kaum verändert, zumindest in den schwer zugänglichen Bergtälern, und nur wenige Highways zerschneiden die Natur. Ich muss einen weiten Umweg fahren, um nach Pinedale zu kommen, einer verschlafenen Siedlung in dieser Wildnis. Dort erinnert das ‚Museum of the Mountain Man' an die große Zeit des Pelzhandels. Terry Jackson wird wie ein alter Freund begrüßt und fühlt sich zwischen den historischen Flinten und Biberfallen sichtlich wohl. Abends rasten wir in einem Blockhaus am Highway und nach einem ausgewachsenen Buffalo Burger zieht er nachdenklich an seiner Pfeife. „Wird Zeit, dass ich weiterziehe", meint er ungeduldig, „wir wollen zum Yellowstone rauf, dort warten einige Freunde auf uns. Mountain Men aus Idaho." Wir verabschieden uns und ich blicke ihnen nach, als sie den nahen Bergen entgegenfahren.

37. Auf den Spuren von Karl May: *Der Schatz im Silbersee*

Der Silbersee aus Karl Mays berühmtem Roman soll sich irgendwo im nördlichen Utah befinden. Im Grand Teton National Park, viele hundert Meilen von Utah entfernt, liegt ein Gewässer, das diesen Namen ebenfalls verdient.

„Turmhohe Felsbastionen, in allen Farben schillernd wie die im Cañon, schlossen ein Tal ein, das vielleicht zwei Stunden lang und halb so breit sein mochte", schrieb Karl May im 15. Kapitel von *Der Schatz im Silbersee*. „Hinter diesen Bastionen stiegen neue und immer wieder neue Bergriesen auf, der eine immer das Haupt über den anderen erhebend. In den zahlreichen Klüften, die sie durchrissen, wuchsen Bäume und Sträucher. Tiefer herab wurde der Wald immer dichter, der rundum bis nahe an den See trat und zwischen sich und dem Wasser nur einen schmalen Grasstreifen freiließ. ... Der Wald spiegelte seine Wipfel im Wasser des Sees und die Berghäupter warfen ihre Schatten über die Flut. Dennoch war das Wasser weder grün noch blau oder überhaupt dunkel gefärbt. Es glänzte vielmehr silbergrau. Kein Lufthauch kräuselte die

Der Jenny Lake im Grand Teton National Park.

Die Einsamkeit ist nicht ausverkauft.

Oberfläche. Man hätte meinen mögen, ein mit Quecksilber gefülltes Becken vor sich zu haben.“

Einen See, der dieser Beschreibung am nächsten kommt, habe ich im Grand Teton National Park gefunden, also viele hundert Meilen von der Stelle entfernt, die Karl May in seinem Buch angibt. Auch in Utah bin ich auf den Spuren des Autors gereist, aber dort spürte ich nicht diese andächtige Stimmung, die mir am Ufer des Jenny Lake in Wyoming sofort entgegenschlug. Ich fahre im Geländewagen über die kurvenreiche Schotterstraße vom Teton Village, dem Skigebiet des Jackson Hole, nach Moose Junction im Osten des Parks. Es ist Frühling und ich bin fast allein unterwegs. Die Straße führt an einem Steilhang entlang, wie der schmale Pfad, über den Winnetou, Old Shatterhand und ihre Freunde zum Silbersee ritten. Eine Elchkuh bricht durch das Gebüsch, bleibt auf der Straße stehen und versperrt mir minutenlang den Weg. Ich schalte den Motor ab und sehe ihr beim Fressen zu. Sie zupft einige Blätter und trabt gemütlich weiter.

Der Grand Teton National Park wird für zwei Wochen zu meiner Heimat, begeistert mich am frühen Morgen, wenn sich die ersten Sonnenstrahlen in den Seen spiegeln und ein rosafarbener Schimmer auf den Bergen liegt. Im grellen Sonnenlicht, wenn sich die Bergkette plastisch gegen den tiefblauen Himmel abhebt. Am frühen Abend, wenn die Sonne blutrot auf den Gipfeln schmilzt. Sogar im strömenden Regen, der die Felshänge hinter einem grauen Schleier versteckt und eine geheimnisvolle Atmosphäre schafft. Die atemberaubenden Ausblicke bleiben lange im Gedächtnis: der riesige Jackson Lake mit seinen romantischen Buchten und zwei gemütlichen Lodges; die Elchkühe am Oxbow Bend und auf den Willow Flats; die eindrucksvolle Aussicht vom Snake River Overlook; der mächtige Gipfel des Mount Moran; die Büffelherden in den sonnenüberfluteten Bergtälern.

Der ‚Silbersee' liegt versteckt hinter einem dunklen Wald, beinahe so, wie Karl May ihn beschrieben hat. Oder noch schöner und atemberaubender. Spiegelglatt breitet sich das Wasser zwischen den Bäumen aus, glänzt im hellen Licht der aufgehenden Sonne. Silberne Lichtblitze tanzen auf den leichten Wellen. Ein einsamer Angler lenkt sein Indianerkanu über den See, genießt die morgendliche Stille. Um diese Zeit glänzt der See tatsächlich wie Quecksilber, strahlt er die silbergraue Farbe aus, die Karl May so plastisch in *Der Schatz im Silbersee* beschrieb. Die Sonne leuchtet anders im amerikanischen Westen, viel heller und intensiver als in unseren Breiten, und

Im Indianerkanu über einen einsamen Bergsee, der an den sagenhaften Silbersee erinnert.

Bildseite 250/251: Unberührte Wildnis am Jenny Lake.

ihr Licht bricht sich auf dem Wasser zu einem eindrucksvollen Farbenspiel, das auch mich verzaubert. Es ist so still, dass man das leichte Rauschen des Windes in den Baumwipfeln hört. Der Bootsverleih am westlichen Ufer hat geschlossen, die Urlauber schlafen noch.

Die kurvenreiche Jenny Lake Road führt bis zum Ufer. Ich wandere um den See herum und in den dunklen Cascade Canyon hinein, sehe die Felsen kerzengerade nach oben steigen und irgendwo im Dunst verschwinden. Hinter mir verblasst der See zwischen den Bäumen. Der Cascade Canyon Trail beginnt am West Boat Dock des Jenny Lake, führt am Inspiration Point und den Hidden Falls vorbei in die grandiose Bergwildnis des Cascade Canyon, endet am Lake Solitude, dem einsamen See inmitten der dreitausend Meter aufragenden Teton Mountains. Die schneebedeckten Riesen spiegeln sich im klaren Wasser, werfen zitternde Schatten auf den traumhaften See. Ich wähne mich in einer wundersamen Fabellandschaft, der mythischen Welt von Karl May und der Legenden der Indianer und Trapper.

Ein Vergleich zwischen dem Jenny Lake und dem Lake Solitude würde keinem der beiden Seen gerecht, beide entsprechen dem Bild, das Karl May vom Silbersee gemalt hat. Am Ufer beider Seen spürt man den Zauber einer ungestümen Natur, die sich in dieser Einsamkeit und abseits der erschlossenen Touristengebiete noch ungehemmt entfalten kann. Ich sitze lange am Ufer, vertilge die mitgebrachten Sandwiches und trinke das klare Wasser aus meiner Feldflasche. Hier ist das Leben noch zum Greifen nahe, wird der Flügelschlag eines Vogels zum Erlebnis und das Spiegelbild der wilden Bergriesen zum schönen Traum.

Ich kehre am frühen Abend zum Jenny Lake zurück. Im abendlichen Sonnenlicht heben sich die Bäume wie Scherenschnitte vom dunkelblauen Wasser ab. Einige Spaziergänger erholen sich auf dem Rundweg, zu dem Angler haben sich zwei weitere Männer in Kanus gesellt. Am Bootsverleih stehen zwei Kinder und winken ihnen zu. Der Jenny Lake ist der schönste von sechs Seen, die sich wie Perlen an einer Kette durch den Nationalpark ziehen. Lediglich der Bootsverleih und einige Hütten weisen auf Menschen hin. Vier andere Seen, Leigh, Bradley, Taggart und Phelps, liegen unberührt zwischen den Bergen. Obwohl eine asphaltierte Straße durch den Nationalpark führt, hat man nirgendwo das Gefühl, von Menschen bedrängt zu werden. Die Einsamkeit wartet neben den befestigten Wegen und am Ufer des Jenny Lake habe ich das Gefühl, viele hundert Kilometer von der Zivilisation im Niemandsland zu verharren.

38. Reite den wilden Bullen

Frontier Days in Cheyenne, Wyoming

Die ‚Cheyenne Frontier Days' gehören zu den größten Rodeos der Welt, ‚the Daddy of 'em All', ein riesiges Festival für alle Western-Begeisterten. Jeff Cathcart gehört zu den Bullenreitern.

Jeff Cathcart hat den wildesten Bullen erwischt. Er steht über dem schnaubenden Tier, die Beine gespreizt, die Stiefel auf den Stangen des massiven Eisengitters. Er wickelt das Halteseil fest um seine rechte Hand. Das Seil muss sich sofort lösen, wenn er stürzt. Langsam lässt er sich auf den Rücken des mächtigen Tieres hinab. Über zweitausend Pfund bringt der Bulle auf die Waage. „Fertig?", ruft der Cowboy hinter ihm. „Okay", antwortet Jeff. Das Gatter wird aufgezogen und der Bulle schießt aus der Umzäunung. Er bäumt sich auf, springt nach vorn und stemmt die Vorderhufe in den Sand. Er wirbelt um die eigene Achse, ist in ständiger Bewegung. Die vielen tausend Zuschauer johlen begeistert. Jeff spürt jeden Muskel des Bullen, steckt die Schläge und Hiebe ein. Drei Sekunden, vier Sekunden. Er streckt die Beine nach vorn, rudert mit den Armen, feuert den Bullen an. Er

Junge Cowboys beim Calf Wrestling.

ist immer noch oben. Fünf Sekunden, sechs Sekunden. Der Bulle macht eine scharfe Rechtsdrehung, aber Jeff kann sich halten, macht eine gute Figur. Acht Sekunden. Die Sirene ertönt. Jeff lässt sich in den Sand fallen, ist gleich wieder auf den Beinen. Er hat es geschafft, er hat die acht Sekunden durchgestanden. Die Clowns bringen ihn in Sicherheit, das Publikum freut sich. Achtzig Punkte, so gut hat ihr Junge schon lange nicht mehr abgeschnitten. Jeff Cathcart kommt aus Cheyenne, hat sozusagen ein Heimspiel und will unbedingt ins Finale der Frontier Days.

Die ‚Cheyenne Frontier Days', eines der größten Rodeos der Welt, gibt es seit dem September 1897. Damals gab es das Wort ‚Rodeo' noch gar nicht, die Cowboyspiele wurden ‚Bucking and Pitching' genannt. Die Legende will wissen, dass F. W. Angier, ein Angestellter der Union Pacific Railroad, einige Cowboys dabei beobachtete, wie sie ein störrisches Pferd in einen Güterwagen schoben. Der Anblick des bockenden Tieres brachte ihn auf die Idee, einen Wettbewerb für Cowboys zu veranstalten. Die Stadtväter von Cheyenne waren begeistert. Schon die ersten Frontier Days waren ein riesiger Erfolg, sogar eine Schlacht zwischen Kavalleristen und Indianern ging über die Bühne – eine Anleihe beim legendären Buffalo Bill Cody, der ein Jahr später an der Eröffnungsparade teilnahm. 1910 ritt Präsident Theodore Roosevelt, selber ein ‚Raureiter', mit den Cowboys durch die Arena. Legendären Ruf besitzt das ‚Pancake Breakfast', das an ungefähr zehntausend Besucher verteilt wird. Der Pfannkuchenteig wird in einem Zementmischer angerührt. Im Frontier Park ist die Rodeo Arena von einem riesigen Jahrmarkt mit Achterbahnen und Karussells umgeben. An zahlreichen Ständen werden Hamburger und Hot Dogs verkauft. In den Läden werden Souvenirs angeboten. Im Tipi Village tanzen Indianer und abends treten die Top-Stars der Country Music auf.

Das Rodeo gehört zu den schwersten Prüfungen im Westen. Jeff Cathcart: „Die Frontier Days sind besonders schwer zu gewinnen. Dort bieten sie die wildesten Pferde und die gefährlichsten Bullen auf. Du musst verdammt viel Glück haben, wenn du das Rodeo gewinnen willst." Seit zwölf Jahren zieht Jeff mit dem ‚Rodeo Circuit' durch die Lande. Ein fröhlicher Bursche, gerade erst dreißig geworden und durchtrainiert wie ein Leistungssportler. Gesundes Essen und tägliches Krafttraining stehen auf seinem Tagesplan. „Als vierzehnjähriger Junge saß ich zum ersten Mal auf einem Bullen", berichtet er. „War ein komisches Gefühl, aber so musste es ja mal kommen. Auch mein Vater war Bullenreiter und meine Brüder setzten sich auf wilde Pferde. Ich konnte reiten, bevor ich aus dem Laufstall kam. Ich wuchs auf dem Land auf, unter Cowboys, und irgendwann wollten wir alle zum Rodeo. Ich hab' bei Jugendrodeos und Amateurwettbewerben mitgemacht, bevor ich als Profi anfing und bei der PRCA, der Professional Rodeo Cowboys Association, um Preisgeld ritt."

Die PRCA hat mehr als zehntausend Mitglieder und schüttet jährlich ungefähr 23 Millionen

Calf Roping - eine Disziplin beim Rodeo.

Dollar an Preisgeldern aus. In Cheyenne sind 400.000 Dollar ausgeschrieben, allein der Sieger im Bullenreiten erhält 10.000 Dollar. „Wenn du wirklich gut bist, kannst du viel Geld einstreichen“, sagt Jeff. „Natürlich müssen wir Versicherung bezahlen, die ist bei einem Bullenreiter ziemlich hoch. Das Bullenreiten ist die gefährlichste Disziplin beim Rodeo. So ein Bulle wiegt an die 2.000 Pfund und wenn du einen Huftritt abbekommst, kannst du tot sein!“ Ein Grinsen huscht über sein Gesicht. „Ich kann mir trotzdem kaum was Schöneres als ein Rodeo vorstellen. Es ist ein unglaubliches Gefühl, auf einem wilden Bullen in die Arena zu reiten. Wichtig ist, dass dein Seil okay ist und du einen festen Griff hast. Dann ist es gar nicht so schwierig, auf einem Bullen zu bleiben.“ Er grinst wieder. „Viel schwieriger ist es, herunterzukommen! Wenn du die falsche Seite erwischst und deine Hand unter dem Seil festsitzt, hast du ganz schön zu tun, bis du den Bullen los bist! Dann helfen dir nur noch die Clowns, sie lenken das Tier mit ihren Späßen

Jeff Carthcart reitet den wilden Bullen.

ab. Ich habe großen Respekt vor den Clowns, sie haben den gefährlichsten Job! Die leben gefährlicher als ich!"

Von den Einwänden der Tierschutzvereine, die besonders in Europa laut werden, hat Jeff gehört. „Ich weiß", erwidert er, „es gibt immer noch Tierschützer, die sich über unseren Sport aufregen, dabei brauchen die Bullen und Pferde keinen Schmerz zu leiden. Der Gurt, der sie zum Bocken bringt, ist mit Schaffell gefüttert und kitzelt sie lediglich am Bauch. Die Bullen sind nicht dumm, die wissen genau, was sie tun müssen, und haben großen Spaß daran, mit uns in der Arena aufzutreten." Jeder Cowboy bringt sein eigenes Seil mit und trägt praktische Kleidung, die nichts mit den Karnevalskostümen der Hollywood-Cowboys zu tun hat. „Bei der Ausrüstung darf man nicht sparen", sagt Jeff.

Viel hängt von der Auslosung der Tiere ab. Ein guter Bulle bockt besonders viel und dreht sich nach allen Seiten. Der Reiter muss sich acht Sekunden auf dem Rücken des Tieres halten, sonst wird er disqualifiziert. Zwei Schiedsrichter bewerten den Ritt, jeder verteilt maximal 25 Punkte für den Bul-

Auf dem Rücken eines wilden Pferdes.

len und den Reiter. „Die Höchstwertung von 100 Punkten kommt nur alle paar Jahre vor", meint Jeff. „Mein Rekord liegt bei 90 Punkten und das war verdammt gut. Ich hab' sie in Wichita, Kansas, bekommen. An den Namen des Bullen kann ich mich nicht mehr erinnern, aber es war ein wilder Bursche, das ist sicher! Der hat mir alles abverlangt!" Es liegt nicht am Reiter allein, auch die Aktivität des Bullen, die Heftigkeit seine Bewegungen, wird benotet.

„In Cheyenne ist am meisten los", freut Jeff sich, wenn er bei den Frontier Days seiner Heimatstadt auftritt, „das ist ein riesiger Jahrmarkt! Das Rodeo wird vom Fernsehen übertragen. Einmal hatten wir eine höhere Einschaltquote als Tiger Woods, der berühmte Golfspieler! Nur die Chicago Bulls und das Indy Car Racing schneiden besser ab. Wir treten in einem großen Stadion auf und werden von großen Firmen wie Wrangler und Chevy gesponsert!" Gewonnen hat Jeff Cathcart auch dieses Jahr nicht, aber er hat die Runde der letzten fünfzehn Bullenreiter erreicht und das ist auch nicht schlecht. „Ich bin zufrieden", sagt der Cowboy und schließt seine Frau und sein Kind in die Arme.

39. Auf den Spuren von Karl May: *Im Tal des Todes*

Das Tal des Todes gehört zu den unwirtlichsten Gegenden des amerikanischen Westens. Selbst heute kann die Hitze noch unvorsichtigen Wanderern gefährlich werden.

„Der Talkessel hatte einen Durchmesser von reichlich drei Kilometern", schrieb Karl May im 13. Kapitel von *Im Tal des Todes*. „Er wurde von schwarzen Felswänden gebildet, die beinahe lotrecht abfielen und von schmalen, tiefen Klüften zerrissen waren. Diese Wände machten einen unheimlichen Eindruck. Es war, als hätte hier einmal ein großer Brand gewütet, der die Felsen schwarz färbte, oder als wäre hier der Eingang in das glühende Innere der Erde, der sich mit Felstrümmern vor kurzem erst verschloss. Die Sonne war nicht mehr zu sehen, aber die Glut, die sie hier in der Tiefe zurückgelassen hatte, fand keinen Ausweg und benahm Mensch und Tier fast den Atem. Die Pferde schnauften ängstlich. Keine Spur eines Baumes, eines Grashalms. Tot, tot, tot war alles ringsumher."

Death Valley, das Tal des Todes, wie ich es auf zahlreichen Fahrten durch die siedend heiße Natur an der Grenze zwischen Kalifornien und Nevada kennen gelernt habe. Ein Brutofen, der zahlreiche Menschen das Leben kostete und einem Besucher noch heute gefährlich werden kann, wenn er ohne einen ausreichenden Wasservorrat in den versteckten Tälern dieses trockenen Landes wandert. Die heißeste Temperatur, die im Death Valley gemessen wurde, lag weit über fünfzig Grad Celsius und wurde nur von einer Messung in der libyschen Wüste übertroffen. Ich weiß noch, wie glücklich ich war, als ich nach einer Erkundungswanderung zu der Oase im Death Valley zurückkehrte und mich im kühlen Pool erholte.

Die Menschen hat es nie in diesen Teil der Mojave-Wüste gezogen. Nach Meinung der meisten Historiker haben auch die Spanier das Tal des Todes nie gesehen und erst John Fremont soll den südlichen Teil des Tales im Jahr 1844 entdeckt haben. In geschichtlichen Aufzeichnungen taucht Death Valley zum ersten Mal fünf Jahre später auf, als ein Wagenzug mit goldhungrigen Siedlern in der unbarmherzigen Wildnis des Todestales strandete. Zweihundert Menschen waren mit einhundertsieben Wagen und fünfhundert Pferden und Ochsen aufgebrochen, um die Goldfelder in Kalifornien zu erreichen und dort ihr Glück zu machen. Nach einigen Wochen hatten sie ihrem Scout, dem Mormonenführer Captain Hunt, gekündigt, weil der Treck zu langsam vorankam und Hunt nicht damit einverstanden gewesen war, einen kürzeren Weg zu erkunden. Die Siedler suchten die Route selbst und landeten in der Amargosa Desert, einer östlich von Death Valley gelegenen Wüste, die in den Männern und Frauen zum ersten Mal Zweifel an ihrer Entscheidung aufkommen ließ. Ein großer Teil der Siedler trat enttäuscht den Rückweg an, die restlichen siebenundzwanzig Wagen fuhren weiter nach Westen, einem ungewissen Schicksal entgegen.

Zwanzig dieser Wagen gehörten zur Jayhawker-Party, einer Gruppe von Männern, die bei den anderen nicht allzu beliebt war. Die sechsunddreißig jungen Männer aus Galesburg in Illinois empfanden alle Frauen und Kinder des Trecks als lästig und hatten nur einen Wunsch, so schnell wie möglich nach Kalifornien zu kommen. Sie trennten sich von den anderen Familien und versuchten, auf eigene Faust den goldenen Westen zu erreichen. Reverend Brier, ein unerschrockener Pfarrer mit seiner Frau und seinen drei kleinen Söhnen, folgte ihnen dennoch.

Die übrigen Familien, die sich in der so genannten Bennett-Arcane-Party zusammengeschlossen hatten, kamen nur langsam voran. Die Umgebung wurde immer trostloser und die Vorräte und das Trinkwasser immer knapper, aber sie blickten unverwandt nach vorn und hofften, schon bald die grünen Täler Kaliforniens zu erreichen. Von der Existenz des mörderischen Death Valley hatten sie keine Ahnung. Sie ließen sich auch nicht durch den Anblick der Familie Brier und einiger anderer Mitglieder der Jayhawker-Party abschrecken, die erschöpft zurückgeblieben waren und nun mit ihnen weiter in das Tal des Todes hineinzogen. Erst als das Trinkwasser zur Neige ging, als ihr Zungen anschwollen und die Kräfte der Zugtiere nachließen, stieg die Angst in ihnen hoch. In verzweifelter Panik suchten sie nach einem Pass, einem rettenden Weg

Death Valley, das Tal des Todes. Eine unwirtliche Gegend im amerikanischen Westen. Über 50 Grad wird es hier heiß.

über die Panamint Range nach Westen. Sie töteten einen der Ochsen, um nicht zu verhungern, sie umfuhren die Salzfelder und zerklüfteten Felsplateaus, bis die Zugtiere erschöpft zusammenbrachen und auch sie am Ende ihrer Kräfte zu Boden sanken.

„Müssen wir jetzt sterben?", fragte der kleine Sohn der Bennetts ängstlich. Er war noch gut bei Kräften, seine Eltern hatten fast alles Trinkwasser für ihn geopfert.

Bennett blickte verzweifelt in die Runde. Er war ein großer Mann, der immer schon Kummer mit seinem Kreislauf gehabt hatte und besonders unter der Hitze litt. Seine Augen lagen tief in den Höhlen und er konnte kaum noch sprechen. „Nein, mein Junge!", antwortete er leise. „Wir finden bestimmt einen Ausweg!"

„Was sollen wir denn tun?", fragte Mrs. Bennett heiser.

Ihr Mann zuckte mit den Schultern. „Wir können nicht vor und nicht zurück", sagte er müde. Er schien sich selbst und den Treck schon lange aufgegeben zu haben.

„Vielleicht doch!", meinte John Rogers hoffnungsvoll. Er wandte sich an einen der Treiber, die für die Vorräte verantwortlich waren. „Wie lange halten wir noch durch?", fragte er.

Der Mann sah ihn mit leeren Augen an. „Zehn Tage", kam es heiser über seine aufgesprungenen Lippen. „Vierzehn, fünfzehn vielleicht, wenn wir uns einschränken!"

„Das müsste reichen..."

„Was hast du vor?", fragte Bennett erstaunt. „Die Zugtiere sind tot und ohne sie bringen wir die Wagen nicht von der Stelle!"

„Ich werde allein gehen", erwiderte Rogers, „allein habe ich die größte Chance, einen Weg aus dieser Hölle zu finden. Ich hole Packtiere und Vorräte und Wasser. Dann komme ich zurück und hole euch hier raus!"

Die anderen überlegten lange. Keiner von ihnen war begeistert von Rogers' Idee, denn das lange Warten würde an den Nerven zehren und einige vielleicht kopflos machen und in den Wahnsinn treiben. Aber es gab keine andere Wahl.

„Gut", sagte Bennett nach einer Weile. „Wir beten zu Gott, dass du es schaffst!"

John Rogers nickte und ließ sich von dem Treiber etwas Trockenfleisch geben. Er wollte sich gerade zum Gehen wenden, als William Lewis Manly mit einem Bündel neben ihm auftauchte.

„Ich komme mit", sagte er nüchtern, dann machten sich die beiden Männer auf den Weg.

John Rogers und Bill Manly wussten, dass sie es kaum nach Kalifornien schaffen würden. Vor ihnen lag das weite, trockene Panamint Valley und dahinter stiegen die Berge der Slate Range und der Argus Mountains auf; kein Mensch konnte diese Strecke in acht oder zehn Tagen bewältigen. Aber sie gaben nicht auf. Sie waren den anderen schuldig, dass sie alles versuchten, um den Treck zu retten. Stumm, um die entzündeten Kehlen zu schonen, und auf schwachen Beinen schleppten sie sich nach Westen.

Nach einigen Tagen blieben sie erstaunt ste-

‚Zabriskie Point' im Death Valley.

hen. Vor ihnen, unterhalb einiger Felsenhügel, lag ein weiter See, dessen Wasser hell und verlockend in der brennenden Sonne glitzerte. Die Männer glaubten an eine Luftspiegelung, aber der See blieb und schien nur auf sie zu warten. Doch die Freude über das unerwartete Geschenk des Himmels währte nur kurze Zeit. Das Wasser war mit Salzen und anderen Mineralien völlig durchsetzt und wenige Schlucke hätten für sie den sicheren Tod bedeutet. Verzweifelt marschierten die Männer weiter.

Sie erreichten die Ausläufer der Argus Range, wo sie auf zwei Gräber von Mitgliedern der Jayhawker-Party stießen, sie durchquerten das Indian Wells Valley und zogen über eine zerklüftete Ebene, die von mehreren Felsen gegen den glutheißen Wind geschützt wurde. Als es dunkelte, sahen sie einen hellen Punkt in der Ferne glimmen.

„Ein Feuer!", sagte Rogers erstaunt.

Sie gingen langsam näher und waren erleichtert, Captain Doty, Tom Shannon und einige andere Mitglieder der Jayhawker-Party im Feuerschein sitzen zu sehen.

„Hallo Captain!“, brachte Rogers leise hervor. „Wir dachten schon, wir hätten es mit Indianern zu tun!“

„Indianer?“ Doty lachte spröde. „Ich möchte wetten, dass sich niemand außer uns in diesem verdammten Tal befindet. Wie geht es den anderen?“

John Rogers erzählte die Geschichte. „Wir haben die Gräber von Fish und Ischam gesehen“, sagte er dann.

„Sie haben von dem Wasser des Sees getrunken“, antwortete Doty schwer. „Sie waren verrückt danach! Wollt ihr die Nacht über hier bleiben?“

Rogers schüttelte den Kopf. „Wir müssen weiter, Captain! Wir dürfen keine Zeit verlieren!“

„Viel Glück!“

Die beiden Männer bedankten sich und lenkten ihre Schritte wieder nach Westen. Unermüdlich marschierten sie den fernen Bergen entgegen, durch den Red Rock Canyon zur Grenze des zerklüfteten Todestales. Aber vor ihnen lag jetzt die endlose Weite der Mojave-Wüste, die ihnen den letzten Mut geraubt hätte, wäre der Gedanke an ihre durstigen und erschöpften Freunde nicht gewesen. Ausgezehrt und am Ende ihrer Kräfte bewältigten sie auch dieses letzte Stück, bis sie das San Fernando Valley und die rettende Zivilisation erreichten.

Sie tranken von einer Bergquelle und aßen von dem Fleisch, das ihnen einige Bürger anboten, dann besorgten sie sich Packtiere, gefüllte Wasserflaschen und Vorratstaschen, die sie von den Bewohnern eines kleinen Ortes bekamen. So schnell sie konnten, machten sich die beiden Männer auf den Rückweg.

Als sie einige Tage später das Lager im Todestal erreichten, war keine Spur von Leben zu sehen. Nur langsam krochen Bennett, Arcane und die anderen aus Verstecken hervor, die sie aus Furcht vor Indianern und wilden Tieren aufgesucht hatten. Ungläubig starrten sie ihre Retter an. Ihre Kehlen waren ausgetrocknet und sie waren zu erschöpft, um reden zu können. Stumm griffen sie nach den Wasserflaschen, die ihnen Rogers und Manly reichten, dann machten sie sich auf den Weg in die Freiheit. Für die kleine Martha Bennett war die Hilfe gerade noch rechtzeitig gekommen. Aber sie mussten vier Männer zurücklassen, die wahnsinnig geworden und in den sicheren Tod gelaufen waren.

Als sie den Rand des zu dieser Zeit noch namenlosen Death Valley erreicht hatten und noch einmal auf die zerklüftete Wildnis zurücksahen, stöhnte John Rogers erleichtert auf. „Good-bye, Death Valley!“, sagte er. „Auf Wiedersehen, Tal des Todes!“ Auf diese Weise bekam das lang gestreckte Wüstental östlich der Sierra Nevada einen mehr als treffenden Namen, den die Menschen heute noch mit Angst und Ehrfurcht aussprechen.

40. Crow Nation Fair

Größtes Pow-wow der Welt

Beim größten Pow-wow der Welt auf der Crow Reservation in Montana tanzt Edwina Little Light in die Vergangenheit. Über zweitausend Tipis stehen in einem Tal des Bighorn River.

Edwina Little Light sitzt im Schatten einiger Sträucher und lauscht dem Klang der Trommeln. Der rhythmische Singsang ihrer Stammesbrüder erzählt von der glorreichen Zeit, als ihre Vorfahren auf wendigen Ponies über die Prärie ritten und den Büffel jagten. ‚Apsaalooke', die ‚Kinder des Vogels mit dem großen Schnabel', nannte sich ihr Volk. Erst die weißen Eindringlinge machten ‚Crow' daraus. Noch vor tausend Jahren lebten sie als sesshafte Ackerbauern am Missouri River und erst die kriegerischen Lakota und Cheyenne trieben sie weiter nach Westen, in die Ebenen und Wälder am Bighorn River. „Dies ist unser Land", sagte Eelapuash, ein Anführer des Volkes, als sie die neue Heimat erreichten, „deshalb hat der Große Geist uns nach Westen geführt. Hier wollen wir unsere Zukunft erleben."

Doch auch am Bighorn River waren die Crow gezwungen, ihre Heimat mit Waffengewalt zu verteidigen. Im Norden und Westen wurden sie

Crow Nation Fair in Montana.

Edwina Little Light bei der Arbeit.

durch die Blackfeet, im Süden durch die Shoshone und im Osten durch die Lakota und Cheyenne bedroht. Vielleicht verbündeten sie sich deshalb mit den Weißen. „Wir versuchten nicht, uns auf eine bestimmte Seite zu schlagen", erklärt Edwina, „wir kämpften ausschließlich für unsere eigenen Interessen. Wir waren von Feinden umgeben und als die ersten Weißen kamen, führten ihre wichtigsten Handelswege durch unser Gebiet. Sollten wir einen Krieg gegen diesen übermächtigen Feind führen? Wir haben niemals gegen die US-Armee gekämpft. Wir waren schlauer als die anderen Stämme. Wir handelten mit den Weißen und wurden zu einem wohlhabenden und stolzen Volk."

Wie kaum ein anderer Stamm waren die Crow gezwungen, den Wechsel als Teil ihres Lebens zu akzeptieren. Inmitten eines Landes, das von den meisten anderen Stämmen und den Weißen begehrt wurde, blieb ihnen gar nichts anderes übrig, als sich den veränderten Bedingungen anzupassen. In einem Krieg wären sie unterlegen gewesen, auch

Indianischer Tänzer beim Pow-wow.

wenn sie erfolgreiche Kriegszüge gegen die Lakota und Cheyenne durchführten und in mancher Schlacht die Oberhand behielten. „Unsere Krieger waren sehr stolz", betont Edwina lächelnd, „und sie waren die bestaussehenden Männer der Prärie. Wir wollen immer gut aussehen, auch wenn die Lakota und Cheyenne uns ‚Angeber' nennen. Sie sind neidisch. Auch heute noch. Wenn die Schule beginnt, ziehen wir unsere schönsten Kleider an und besuchen unsere Freunde und Nachbarn. So erweisen wir ihnen Respekt."

‚Nur die Berge sind ewig', heißt ein Sprichwort der Indianer und die Crow machten aus diesen Worten eine Tugend. Als sie von den Lakota nach Westen abgedrängt wurden, lernten sie, wilde Ponies zu reiten, mit Pfeil und Bogen umzugehen und Büffel zu jagen, sie vertauschten die Lanze mit der Muskete und die Muskete mit dem Repetiergewehr, und als die Übermacht der Weißen zu groß wurde, teilten sie ihr Land mit ihnen, ohne dabei ihre Identität zu verlieren. „Wir sind ein mobiles Volk", sagt Edwina, „selbst un-

Zum Klang der Trommeln tanzt der junge Lakota über den festgestampften Boden.

sere Religion tragen wir von einem Ort zum anderen. Wir brauchen keine Kirche, um den Großen Geist zu loben, und wir brauchen keine festen Häuser für eine Heimat."

Im blutigen Krieg zwischen der US-Armee und den Kriegern der Sioux, Cheyenne und Arapaho verhielten die Crow sich neutral. Selbst an der Schlacht am Little Bighorn beteiligten sie sich nicht als Kämpfer. Die Scouts, die mit der Armee zur Biegung des Flusses geritten waren und das Indianerlager gefunden hatten, wurden vor der eigentlichen Kampfhandlung weggeschickt, wie es Brauch bei der Armee war. Was die Sioux und Cheyenne nicht daran hindert, noch heute mit Fingern auf die Crow zu zeigen. Edwina Little Light: „Das stimmt, zwischen den Sioux und Cheyenne und unserem Volk gibt es noch immer Probleme. Wir mögen uns nicht besonders, obwohl es Crow gibt, die Sioux oder Cheyenne geheiratet haben. Auch hier, auf der Crow Fair, sind uns die ehemaligen Feinde willkommen. Wir sehen das nicht so eng, aber zu Auseinandersetzungen kommt es noch."

Ungefähr zehntausend Indianer wohnen auf der Crow Reservation, die bereits 1851 gegründet wurde. „Ein schönes Land mit reichen Bodenschätzen", wie Edwina betont, „ideales Farmland", auch wenn die Crow niemals Geld genug besaßen, um in moderne Farmen zu investieren und Wohlstand zu erlangen. „Ich habe mein ganzes Leben hier verbracht und würde niemals weggehen", sagt sie, „hier wurde ich geboren und hier liegen meine Wurzeln. Ich gehöre zum Greasy Mouth Clan, zum

Clan des fettigen Mundes, weil wir so gerne essen und immer fettige Lippen haben." Die Clans, ein Zusammenschluss verwandter Familien, halten den Stamm zusammen, kennzeichnen das soziale Gefüge der Apsaalooke, wie sich die Crow heute immer noch nennen. „Ich lebe nach den Traditionen meines Volkes", sagt Edwina, „als meine Tochter heiratete, gaben wir ihr ein Tipi voller Geschenke mit und den Brüdern und Schwestern unseres Schwiegersohnes spielten wir derbe Streiche. So ist es Brauch seit vielen Monden. Wir sind anders als die Weißen, wir verschenken unseren schönsten Besitz, wenn wir uns freuen. Beim Pow-wow gibt es einen Give-Away-Dance. Heute Nachmittag wurde ein weißer Junge in den Stamm aufgenommen und aus diesem Anlass wurden Geschenke an alle Bedürftigen verteilt."

Auf der Crow Nation Fair, die seit über achtzig Jahren jedes Jahr am dritten Wochenende im August abgehalten wird, feiern die Crow das Leben. Tausende von Indianern aus allen Teilen der Vereinigten Staaten tanzen in der Sommerhitze. Zum rhythmischen Klang der Trommeln kündigt der ‚Master of Ceremonies' den ‚Grand Entry' an, den Einzug aller Tänzer und Tänzerinnen, und der Klang der Fußschellen begleitet die buntgekleideten Indianer auf den Festplatz. Männer, Frauen und Kinder. Farbenprächtige Federn schmücken ihre Kostüme mit traditionellen und fantasievollen Mustern. Hohe Geldpreise warten auf die besten Tänzer in den verschiedenen Disziplinen. Wie Gras im Wind wogen die Wollfransen an den Kostümen der

Beim ‚Traditional Dance' tanzt Ron Hawks für seine Vorfahren und die Vergangenheit seines Volkes.

Indianermädchen rüsten sich zum Jingle Dance.

Grass Dancers, mit ihren Bewegungen drückten ihre Vorfahren im 19. Jahrhundert das wuchernde Präriegras für die anderen Tänzer platt. Die Fancy Dancers, meist junge Männer, tanzen ‚Freestyle', bestimmen ihre eigene Choreographie. Die Fancy Shawl Dancers, anmutige Frauen und Mädchen in schimmernden Kostümen, schwingen einen Tanzschal zu ihren fließenden Bewegungen. Kleine Glöckchen erklingen zum Tanz der Jingle Dancers, die ihre Kleider mit kleinen Metalltrichtern verziert haben. Selbst die Kinder nehmen an den Wettbewerben teil, klatschen einander ab, wenn die Wertung kommt und sie gut abgeschnitten haben.

Edwina Little Light gehört zu den Traditional Dancers, trägt das dunkelblaue Kleid mit den Elchzähnen, das sie am selben Nachmittag genäht hat. Würdevoll betritt sie den Festplatz, ein Tanzschal liegt über ihrem ausgestreckten linken Arm, in der rechten Hand hält sie einen Federfächer. Es ist dunkel geworden und das Licht der Scheinwerfer liegt auf ihrer bronzefarbenen

Bildseite 269: Crow-Indianerin beim Pow-wow.

Haut. Ihre Augen leuchten stolz, blicken in die Vergangenheit, die bei diesem Tanz lebendig wird. So wie Edwina haben auch die Crow-Frauen vor zweihundert Jahren getanzt. Ihre anmutigen Bewegungen verschmelzen mit dem Rhythmus der Trommeln, ihre Füße gleiten über den Boden. Ihr Körper bleibt kerzengerade und die langen Fransen an ihren Ärmeln und ihr Tanzschal schwingen im Rhythmus hin und her. Die Gleichmäßigkeit dieser Bewegungen und ihre würdevolle Haltung sind ausschlaggebend für eine gute Wertung. Aber Edwina denkt nicht an das Preisgeld, hört nur die Trommeln und denkt an die Zeit, als ihre Vorfahren den Büffel jagten und nach einer erfolgreichen Jagd am großen Feuer feierten und tanzten. „Ich habe die Vergangenheit in meinem Herzen bewahrt", sagt sie stolz, „und solange ich tanze, wird diese Zeit niemals verloren gehen."

Indianerin beim Fancy Shawl Dance.

41. Albert Red Bear, Krieger der Oglala

Traditioneller Tänzer mit Anliegen

Albert Red Bear, ein Mitglied der Lakota Oglala, auf der Suche nach indianischen Werten und der eigenen Identität. In der Vergangenheit beginnt für ihn der Weg in eine neue Zukunft.

„Für einen Indianer ist es wichtig, sich an der Vergangenheit zu orientieren“, sagt Albert Red Bear, ein fünfundvierzigjähriger Oglala aus der Pine Ridge Reservation. Er ist mit seiner Frau Madelyn zur Crow Fair gekommen, will beim Traditional Dance seine Seele erforschen. „Während wir in die Zukunft blicken, müssen wir nach hinten schauen, denn dort liegen die traditionellen Werte, die unser Leben wertvoll machen. Wir dürfen die ungeschriebenen Gesetze, nach denen unsere Vorfahren gelebt haben, nicht vergessen. In unserer Vergangenheit liegt der Schlüssel für eine bessere Zukunft.“ Wir sitzen unter der Markise seines Wohnmobils, trinken Eistee und ich schaue geduldig zu, wie der Indianer, der sich immer noch ‚Krieger‘ nennt, sein Gesicht mit roter Farbe bemalt und seinen bunten Federschmuck anlegt.

Albert Red Bear ist ein stolzer Mann. Seine Weisheit ist angeboren und auf den langen Reisen erworben, die ihn bis nach Deutschland und Österreich geführt haben. Dort hat er verwundert zur Kenntnis genommen, wie interessiert viele Europäer an seiner Kultur und seinem Leben sind. „Wir sind mit der Native American Church in Europa gewesen. So heißt unsere Kirche. Sie will eine Brücke zwischen der Geisterwelt unserer Vorfahren und dem Christentum der Weißen schlagen.“ Obwohl Albert keine hohe Meinung davon hat, wie die Weißen mit ihrer Religion umgehen. „Die Indianer haben ihre Gebote nie gebrochen. Sie leben im Einklang mit Mutter Erde und respektieren die Geister, die in allen Dingen leben. Die Menschen hatten die Wahl zwischen dem Geld und der Religion und wir haben uns für die Religion entschieden. Bei den Weißen war es umgekehrt. Sie verehren das Geld und haben sogar ihren eigenen Gott getötet. Das würden wir niemals tun. Wir verehren den Großen Geist!“

Über die steigende Zahl von Weißen, die wie Indianer leben wollen und ihren Urlaub in Schwitzhütten und beim Sonnentanz verbringen, lächelt der Oglala. „Das beweist doch nur, dass ihnen die eigene Kultur keine Werte vermittelt. Die westliche Kultur kennt keine Spiritualität. Aber ich freue mich über das steigende Interesse. Ein Film wie DER MIT DEM WOLF TANZT hat einen Lernprozess in Gang gesetzt. Die Weißen denken über ihre Kultur nach und beginnen daran zu zweifeln. Deshalb tauchen auch Namen wie Crazy Horse in ihren Geschichtsbüchern auf. Er war der berühmteste Vier-Sterne-General. Er konnte die Sterne deuten. Der Große Geist hatte ihn auserwählt und er bedankte sich, indem er unser Volk zum großen Sieg am Little

Albert Red Bear, ein Tänzer der Lakota, steht der westlichen Kultur kritisch gegenüber.

Bighorn führte. Auch wenn wir den Krieg verloren haben: Durch Männer wie Crazy Horse und Sitting Bull haben wir unseren Stolz behalten."

Der Oglala betrachtet sein bemaltes Gesicht im Spiegel auf dem Klapptisch. „Ich nehme mir die Freiheit, indianisch zu denken", sagt er entschieden. „Wir brauchen keine Störung von außen. Wir sind ein Stück des Weges mit dem Weißen Mann gegangen und es hat uns nichts gebracht. Die westliche Kultur kennt keine Werte, zerstört den Charakter eines Menschen. Der Weg ist bequem, aber während wir ihn gegangen sind, haben wir unsere Identität verloren. Wir brauchen keine anderen Kulturen. Wir haben alles, was wir zum Leben brauchen, sogar einen Himmel, in den wir gehen können, wenn der Große Geist uns auf die andere Seite ruft. Ich betrachte dieses Leben als Geschenk. Die Bäume, die Steine, das Wasser sind ein Geschenk des Großen Geistes und sprechen zu uns. Wir dürfen die Natur nicht zerstören. Wir sind ein Teil dieser Erde und wir sollten aufhören zu versuchen, uns die Mutter Erde untertan zu machen."

Mit Tabakopfern und Gebeten versucht Albert, die Geister zu versöhnen, so wie seine Vorfahren zu der Zeit, als noch gewaltige Büffelherden über die Prärie zogen. Die Büffel sind gegangen, aber die Kultur und die Religion der Lakota sind noch nicht verloren. „In meiner Familie wurden die Geschichten und Lieder von einer Generation zur nächsten vererbt", erklärt Albert, „wir kennen keine Geschichtsbücher und brauchen die

Albert Red Bear und seine Frau.

Er glaubt an die Zukunft seines Volkes - wenn die Kultur der Lakota überlebt.

mündliche Überlieferung, wenn wir unsere Kultur nicht verlieren wollen. Ähnlich ist es mit der Sprache. Die englische Sprache kennt keine Werte, ist lediglich ein Mittel zur Verständigung. Unsere Sprache gibt uns Werte, die in unserem Leben eine Rolle spielen."

Spiritualität und Religion bedeuten keine Fluchtwege für Albert Red Bear und seine Familie. „Ich habe den Blick für die Realität nicht verloren. Wir sind Amerikaner und müssen uns dem Alltag stellen. Den meisten Leuten in der Reservation geht es sehr schlecht. Die Arbeitslosigkeit beträgt über fünfzig Prozent und viele Männer und Frauen, besonders Jugendliche, sind Alkohol und Drogen verfallen. Die Sozialhilfe wird nur fünf Jahre bezahlt und viele Menschen enden in Armut. Wir müssen uns diesen Problemen stellen. Wir haben gelernt, wie man in aussichtsloser Lage überleben kann, und wir lernen täglich dazu. Die Indianer werden nicht untergehen. Doch wir werden nur eine Zukunft haben, wenn wir die Kultur unseres Volkes am Leben erhalten."

Albert steht auf und legt die Weste mit den bunten Stickereien an. Sein Gesicht bleibt ernst. „Der Besuch eines Pow-wows ist eine Möglichkeit, die alten Werte aufzuspüren. Der Tanz gehört zu unserem Leben und drückt viel mehr aus, als viele Weiße glauben. Er ist das Spiegelbild unseres Lebens, unserer Religion. Wir haben viel Spaß auf einem Pow-wow, aber wir sind auch hier, um die alten Werte zu verinnerlichen. Ich habe die traditionellen Tanzschritte von meinem Großvater gelernt und muss immer an seine Worte denken, wenn ich zum Pow-wow fahre. ‚Der Tanz hält dich gesund, die Schritte helfen dem Körper, im Einklang mit der Seele zu leben. So bleibst du im Gleichgewicht.'"

Albert Red Bear und seine Frau gehen zum Festplatz und reihen sich in die Schlange der wartenden Krieger ein. Gleich beginnt der Grand Entry und sie werden bei den Männern und Frauen sein, die für eine neue Zukunft tanzen. Die Spiritualität als Lebenszweck und die Tradition als Rettungsanker: Männer wie Albert Red Bear geben ihrem Volk eine neue Hoffnung.

42. Die Schlacht am Little Bighorn

Der große Sieg über Custer

Am 25. Juni 1876 errangen die Indianer ihren größten Sieg gegen die Weißen. Eine Übermacht von Sioux, Cheyenne und Arapaho tötete Custer und seine Soldaten am Little Bighorn River.

Raymond Brown parkt seinen Pickup Truck hinter den Tipis. Die kegelförmigen Indianerzelte stehen auf einem salbeibewachsenen Hang im östlichen Montana, nur ein paar Meilen vom Interstate und doch mehr als ein ganzes Jahrhundert von der Zivilisation entfernt. Hier haben sie RETURN TO LONESOME DOVE und andere Western gedreht, weil das Land noch genauso aussieht wie vor mehr als hundert Jahren, als die Sioux und Cheyenne über die Hügel zogen und den Büffel jagten. Sanfte Hügel, vereinzelte Cottonwoods, versprengte Rinderherden. Der Horizont kaum sichtbar unter dem weiten Himmel, und der endlose Interstate, der sich in der Ferne zu verlieren scheint.

Die Hochprärie im östlichen Montana. Ein weiter Ozean aus Büffelgras und Salbei. Die Reifen des Mietwagens summen über den Interstate 90, ein graues Band unter dem weiten Himmel. Indian Country. Selbst die Wolken sehen hier anders aus, die Kontraste sind stärker und nachts glaubt man den Geistern der Indianer nahe zu sein. Ich fahre über die lange Straße, der untergehenden Sonne entgegen. Aus dem Radio tönt Country Music. Der Alte Westen ist immer noch lebendig und selbst am Steuer eines modernen Wagens fühlt man sich wie der einsame Reiter in einem Western. Wie der Cowboy, der auf den saftigen Wiesen seine Rinderherden hütete, wie der Sioux oder Cheyenne, der in den Hügeln mit seinen Geistern sprach.

Ray Brown spielt den Medizinmann in ‚Custer's Last Stand', einem abenteuerlichen Open-Air-Spektakel, das an die Schlacht am Little Bighorn erinnern soll, die am 25. Juni 1876 zu einem traurigen Höhepunkt im Kampf zwischen Weißen und Indianern wurde. Auf dem Schlachtfeld in Montana starben Lieutenant Colonel George Armstrong Custer und mehr als 260 Soldaten und Bedienstete seines 7. Kavallerie-Regiments im Kampf gegen die vereinigten Sioux, Cheyenne und Arapaho. Mehrere tausend Krieger empfingen den Offizier, der seine Streitmacht geteilt hatte und zu spät erkannte, dass er einer vielfachen Übermacht gegenüberstand. Die Krieger überrollten ihn und seine Einheit.

Wenn es nach den Befehlshabern der US-Armee gegangen wäre, hätte es eine solche Schlacht niemals gegeben. Ihre Offensive war so ausgerichtet, dass drei Expeditionen die aufständischen Indianer unter Sitting Bull und Crazy Horse in die Zange nehmen und vernichten sollten. General Crook kam aus Fort Fetterman im Wyoming Territorium, näherte sich den Indianern, die man im südöstlichen Montana vermutete, von Süden. Colonel John Gibbon verließ Fort

Lieutenant Colonel George A. Custer und seine Frau, gespielt von zwei Schauspielern in Hardin, Montana.

Ellis im Montana Territorium, kam aus dem Westen. Und die Einheiten von General Alfred H. Terry, zu denen auch Lieutenant Colonel George Armstrong Custer und sein 7. Kavallerieregiment gehörten, kamen aus Fort Abraham Lincoln im heutigen North Dakota und fuhren mit dem Steamboat ‚Far West' über den Yellowstone River ins Indianergebiet. Die beiden Expeditionen unter Terry und Gibbon trafen sich an der Mündung des Rosebud River und beratschlagten über ihr weiteres Vorgehen. Man vermutete inzwischen, dass sich die Hauptmacht der Indianer im Little Bighorn Valley befand. Während Terry sich der Einheit unter Gibbon anschloss und die Indianer von Norden angreifen wollte, sollte Custer dem Lauf des Rosebud River folgen und die Indianer von Süden angreifen. General Crook war mit seiner Einheit zurückgeschlagen worden.

Lieutenant Colonel George Armstrong Custer, der im Bürgerkrieg den Rang eines General bekleidet hatte, war vom Ehrgeiz zerfressen. In seiner weißen Wildlederjacke, dem roten Halstuch und seinen langen blonden Haaren entsprach er dem Bild des strahlenden Indianerkämpfers, wie er in den Groschenheften an der Ostküste verherrlicht wurde. Er hatte sich in zahlreichen Schlachten hervorgetan und galt als ungestümer Kämpfer, lag aber auch in einem dauerhaften Clinch mit der militärischen und politischen Führung des Landes und betrachtete diesen Feldzug als letzte Gelegenheit, sich als erfahrener Stratege zu profilieren. Vielleicht hörte er deshalb nicht auf seine Indianerscouts, die das feindliche Lager am Little Bighorn River ausmachten und von ‚sehr vielen Indianern' sprachen. Ungefähr dreitausend Sioux, Cheyenne und Arapaho, so eine Schätzung, warteten nur darauf, dass Custer in ihre Falle ging. Mit seinen knapp sechshundert Männern hatte Custer keine Chance gegen die Indianer.

Aber der General, wie er in den meisten Büchern über die Schlacht am Little Bighorn genannt wird, ließ sich nicht beeindrucken. Anstatt auf Terry und Gibbon zu warten, teilte er seine Expedition und griff an. Drei Kompanien unter Captain Frederick W. Benteen sollten die Hügel im Süden erkunden, während drei Kompanien unter Major Marcus A. Reno den Fluss überqueren und das Lager von Süden her angreifen sollten. Custer und die verbleibenden fünf Kompanien wollten die feindlichen Indianer im Norden und Osten beschießen. Am Fluss wurde Reno von einer vielfach überlegenen Streitmacht der Indianer erwartet und hinter die Hügel zurückgetrieben. Er traf mit Benteen zusammen, der bereits einen schriftlichen Hilferuf von Custer erhalten hatte: „Komm her! Großes Dorf! Schnell!" Aber die beiden Offiziere standen unter Beschuss und konnten froh sein, wenn sie selbst den Indianern entkamen. Custer und seine Einheit standen allein gegen die Hauptstreitmacht der Indianer unter Crazy Horse.

Niemand weiß genau, welchen Weg die Einheit unter Custer nach der Trennung von Reno und Benteen nahm, aber die Augenzeugenberichte beteiligter Indianer sprechen davon, dass

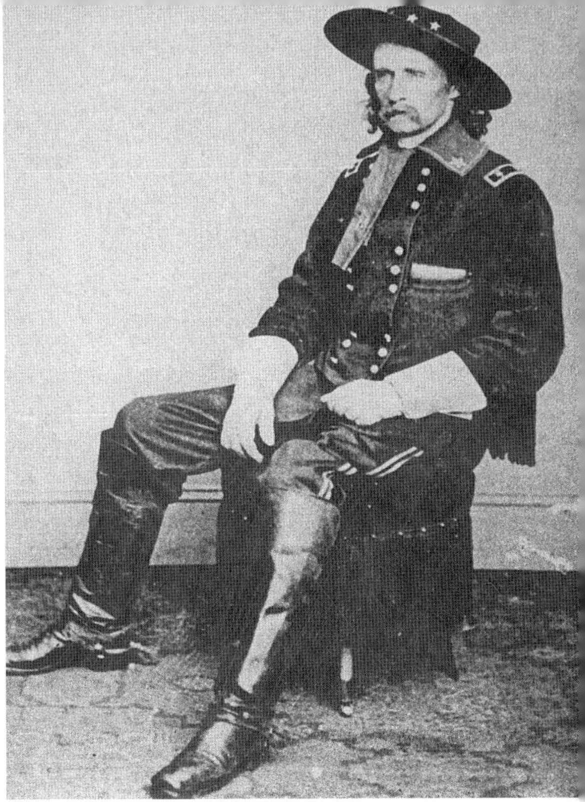

George A. Custer (historisches Foto).

er von den vereinigten Sioux, Cheyenne und Arapaho überrollt wurde, seine Männer absteigen ließ, sich auf einen Hügel zurückzog und dort den Tod fand. „Es wurde schnell geschossen", diktierte der Cheyenne-Häuptling Two Moons einem Übersetzer, „wir kreisten sie ein wie rauschendes Wasser einen Stein. Wir schossen und ritten und schossen.

Die Indianer gehen auf den Kriegspfad.

Soldaten fielen von ihren Pferden." Mit Custer starben 225 Soldaten seiner Einheit. Fünf Kompanien wurden ausgelöscht. Unter Reno und Benteen verloren 47 Männer ihr Leben. Ungefähr hundert Indianer kamen bei den Kämpfen ums Leben. Die siegreichen Krieger feierten ihren Sieg und zerstreuten sich in alle Winde, aber auch ihnen blieb nichts anderes übrig, als sich während der folgenden Monate und Jahre dem Weißen Mann zu ergeben. Sie hatten am Little Bighorn River nur eine Schlacht, aber nicht den Krieg gewonnen.

Kleine Grabsteine erinnern noch heute an diesen Kampf und zahlreiche Schaubilder und Museumsstücke im Visitor Center des ‚Little Bighorn Battlefield National Monument' beweisen den Besuchern, dass die meisten Filme und Bücher ein falsches Bild von Custer und seiner letzten Schlacht gezeichnet haben. Lieutenant Colonel George Armstrong Custer war kein strahlender Held. Er versagte, weil er seine politischen Ambitionen mit einem glorreichen Sieg gegen die Indianer untermauern wollte und die Streit-

Custer rüstet zum entscheidenden Angriff.

macht der vereinigten Sioux, Cheyenne und Arapaho unterschätzte. Auch deshalb wurde der Name des National Monuments von ‚Custer Battlefield' in ‚Little Bighorn' geändert.

Die Vorfahren von Ray Brown waren bei den Cheyenne, die Custer in die Enge trieben. Sein Urgroßvater erzählte oft von der Schlacht, obwohl er zu den Männern gehörte, die Frauen und Kinder in Sicherheit brachten, und an den Kampfhandlungen gar nicht teilnahm. Auch Ray Brown, der keinen Indianernamen angenommen hat, greift nicht zu Pfeil und Bogen. In der Freilichtaufführung ist er ein heiliger Mann, ein Schamane, steht mit Sitting Bull auf einem Hügel und spricht zu den Geistern, als Custer mit seinen Männern auf dem fernen Hügelkamm auftaucht und die Krieger über ihn herfallen.

Die Schlacht der neunziger Jahre geht bei Hardin im östlichen Montana über die Bühne, nur zehn Meilen vom historischen Schlachtfeld entfernt. Indianer aus den nahen Reservationen, vor allem Cheyenne und Crow, haben sich in (mehr

Von allen Seiten greifen die Krieger an.

oder weniger) authentischen Kostümen auf ihre Pferde geschwungen und ziehen noch einmal in den Krieg. Auf der anderen Seite stehen weiße Laiendarsteller in der blauen Uniform der US-Kavallerie. Auch weiße Forscher, wagemutige Trapper und ein salbungsvoller Missionar haben ihren Part in dem patriotischen Theaterstück, bevor ein Wagenzug von den Indianern angegriffen wird und sich die Häuptlinge zu einem Palaver mit den Offizieren und Politikern treffen. Ein dauerhafter Frieden wird vereinbart und von den Weißen gebrochen, als Gold in den Black Hills gefunden wird und immer mehr Abenteurer in die Jagdgründe der Indianer strömen. Custer wird beauftragt, die Sioux zu unterwerfen.

Die Szenen bleiben nahe an der historischen Wahrheit und sind abwechslungsreich und spannend inszeniert. Nur der heldenhafte Auftritt von Custer und die abschließende Nationalhymne passen nicht ins Bild. Aber die Amerikaner mögen es patriotisch und ein bisschen Kitsch darf schon sein. Die Zuschauer auf den beiden Tribünen applaudieren begeistert und einige bleiben sogar, um sich die nächste Vorstellung anzu-

Bildseite 281: Custer am Little Bighorn.

Soldatengräber auf dem Little Bighorn Battlefield.

sehen. Die anderen flüchten zu den Verkaufsständen, essen ‚Buffalo Burgers' und löschen ihren Durst mit Cola oder Limonade. Es ist heiß an diesem 25. Juni, beinahe so heiß wie im Sommer 1876, als nur ein paar Meilen entfernt gekämpft wurde.

In einem Zelt, das zwischen zahlreichen Wohnmobilen vor dem Schlachtfeld aufgestellt ist, treffe ich Steve Alexander, den ‚General Custer' der Aufführung. Er kommt aus Jackson, Michigan, arbeitet dort in einem Kraftwerk und verbringt seine Freizeit damit, sich mit dem historischen Leben von George Armstrong Custer zu beschäftigen und den ‚General' zu spielen. Natürlich muss er zugeben, dass Custer den Rang eines Generals nur während des Bürgerkriegs innehatte, aber wen interessiert das schon in Montana? Dort will man den ‚General', wie man ihn aus den vielen Büchern und Filmen kennt, dort will man den edlen Ritter, der sich erst einer Übermacht von Indianern geschlagen gab.

Die Wahrheit wird zur Legende – auch am Little Bighorn River, wo die Indianer ihren größten Sieg gegen die Weißen errangen.

43. Kein Wort für Freiheit

Auf der Northern Cheyenne Reservation

Die Zustände auf der Northern Cheyenne Reservation in Montana erinnern an die Dritte Welt. Beim Pow-wow beschwören die Indianer ihre Vergangenheit und träumen von einer besseren Zukunft.

Ron Hawks ist wütend. Sein Gesicht ist mit roter Farbe bemalt und wenn er spricht, spürt man die Verbitterung seines Volkes. Die Cheyenne-Indianer oder tsis-tsis-tas, wie sie sich selber nennen, haben endgültig genug von den Versprechungen des Weißen Mannes. „Wir wollen die Knochen unserer gefallenen Krieger zurück", sagt Ron Hawks, „der Weiße Mann hat sie uns gestohlen und in Museen ausgestellt. Wir wollen sie in der Heimat bestatten und den Großen Geist bitten, sie auf die andere Seite in eine neue Zukunft zu begleiten. Wir wollen Geld. Wir wollen eine Entschädigung für das Leid, das man unseren Vorfahren angetan hat. Wir wollen damit Schulen und Kindergärten bauen, um unseren Kindern eine bessere Zukunft zu ermöglichen."

Ich treffe Ron Hawks, einen Cheyenne-Lakota, in der Nähe von Lame Deer, Montana, nur wenige Meilen von Hardin und dem Interstate entfernt. In einer romantisch gelegenen Senke der Northern Cheyenne Reservation findet das jährliche ‚Northern Cheyenne Pow Wow' statt. Ein buntes Stammestreffen mit traditionellen Tanz- und Trommel-Wettbewerben, zu dem auch befreundete Indianer eingeladen werden. Ihre Wohnmobile und Camper stehen zwischen den kegelförmigen Tipis, die an die Zeltlager im letzten Jahrhundert erinnern sollen. Sogar Weiße sind herzlich eingeladen, vor allem Europäer, „die mehr Respekt vor unserer Vergangenheit haben als die meisten Amerikaner."

Das sagt Ron Hawks am späten Nachmittag, als wir vor dem Wohnmobil von Jimmy Little Coyote sitzen und an Wassermelonen lutschen. Eine aufgespannte Plane schützt uns vor der Sonne, die auch jetzt noch vom Himmel brennt. Eine Frau kämmt ihre Tochter für den Junior Dance, nebenan steigt ein Sioux aus seinem Camper und legt seinen Federschmuck an. Vor einem Pickup unterhalten sich zwei Cheyenne-Frauen, die eine aus dem Norden, die andere aus dem Süden. Sie haben sich lange nicht gesehen und plappern ohne Unterlass. Zwei junge Sioux prahlen damit, in DER MIT DEM WOLF TANZT mitgespielt zu haben. Ron Hawks beschwört die Geister in allen vier Himmelsrichtungen. Seine Gebete erheben sich in den schwülen Sommerwind und verklingen über den Tipis. Sein Blick ist auf die heiligen Berge am Horizont gerichtet. Er verbringt viel Zeit in einer Schwitzhütte und sucht nach den Visionen und Träumen seiner Vorfahren. Seine Mokassins scharren über den sandigen Boden und sein eintöniger Singsang klingt wie eine Beschwörungsformel.

Am frühen Abend wird die amerikanische Flagge gehisst. Dasselbe Sternenbanner, das am Sand Creek mit Blut bespritzt wurde, als die US-Ka-

Endloser Highway im Indianerland (Montana).

vallerie sein Volk massakrierte. Die Flagge, die zum Symbol des Untergangs für sein Volk wurde. „Wir tanzen zu Ehren der amerikanischen Soldaten, die im Golfkrieg einen heroischen Tod gestorben sind", kündigt der Ausrufer an und Ron Hawks findet nichts Besonderes dabei, für die ehemals so verhassten Weißen zu tanzen. „Auch junge Männer der Cheyenne haben für die amerikanische Armee im Golfkrieg gekämpft", sagt er, „sie sind in diesem Krieg erwachsen geworden. Sie haben ihren Mut bewiesen, so wie Little Wolf und Dull Knife vor mehr als hundert Jahren." Die beiden Häuptlinge, die ihr Volk aus der Reservation in die alte Heimat zurückführten, werden von den Cheyenne wie Heilige verehrt. „Wir ehren auch die Amerikaner", fährt er fort, „sie sind jetzt unsere Verbündeten. Aber sie sollen nicht vergessen, dass wir ein eigenständiges Volk sind. Wir sind tsis-tsis-tas, das Volk. Wir sind eine unabhängige Nation."

Ungefähr 6.500 Stammesmitglieder leben auf der Northern Cheyenne Reservation. Die Southern Cheyenne hat es nach Oklahoma verschla-

Die Northern Cheyenne Reservation in Montana.

gen. Zur Trennung des Stammes war es bereits im letzten Jahrhundert gekommen, als die Northern Cheyenne auf der Hochprärie in Montana blieben und die Southern Cheyenne den Büffelherden nach Süden folgten. Die Zustände auf der Reservation erinnern an Dörfer in der Dritten Welt. Hastig errichtete Bretterhütten, zwischen den Häusern verrostete Autos und anderer Müll, überall Kinder in abgetragenen Kleidern. Kaum noch etwas erinnert an das stolze Reitervolk aus dem vergangenen Jahrhundert. Der Stammesrat, der sich um die Belange der Indianer kümmern soll, ist in politische Querelen verstrickt und hat wenig zu sagen. Fast alle Cheyenne schimpfen auf ihre Politiker, dabei werden sie vom Volk gewählt. Aber sie kümmern sich kaum um die Probleme, die vor allem in der Arbeitslosigkeit vieler Cheyenne-Familien begründet liegen.

Über die Hälfte der Bewohner lebt von der Sozialhilfe oder schlägt sich mit Gelegenheitsjobs durchs Leben. „Der Alkohol ist zum größ-

Medizinmann der Cheyenne-Indianer.

ten Problem auf der Reservation geworden", sagt Jenny Parker, eine Nachfahrin des legendären Cheyenne-Häuptlings Two Moons. Sie gehört zur High School Commission des Stammes und hat zahlreiche Hollywood-Crews als Expertin für Cheyenne-Kultur und -Sprache beraten. „Vor allem die jungen Leute trinken Alkohol oder nehmen Drogen, obwohl der Verkauf auf der Reservation streng verboten ist. Aber es gibt immer wieder Händler, die dieses Verbot missachten, wie vor hundert Jahren, als weiße Händler unseren Kriegern billigen Fusel verkauften. Die Polizei ist machtlos gegen diese Verbrecher und unsere jungen Leute werden krank von dem Zeug. Die Zahl der Leberkranken ist alarmierend, auch Diabetes ist stark verbreitet."

Der Stammesrat kann wenig tun, hat keine Lobby in Washington. „Es ist nicht damit getan, dass Präsident Clinton sich eine Federhaube aufsetzt und mit unseren Häuptlingen posiert", schimpft Jenny Parker, „es müssten Hilfsprogramme her, die wirklich greifen. Mehr Arbeit, bessere Schulen, finanzielle Mittel, aber auch in dieser Hinsicht hat sich kaum etwas geändert seit dem letzten Jahrhundert. Indianer wählen nicht, bei uns gibt es kaum etwas zu holen. Wir sind die verdammten Rothäute, von denen niemand etwas wissen will. Sogar Kevin Costner, der mit DER MIT DEM WOLF TANZT einen sehr guten Film gemacht hat, lässt sich kaum noch bei unseren Freunden, den Lakota, blicken."

Die meisten Weißen fahren nur wegen der farbenprächtigen Tänzer beim Pow-wow auf die Reservation. Ein paar Schnappschüsse für das Familienalbum, natürlich ohne zu fragen, rein in den Wagen und rasch weiter zur nächsten Sehenswürdigkeit. Die Reservation als Menschenzoo, als Dritte-Welt-Land, das man nur wegen der ‚farbenprächtigen Eingeborenen' besucht. Die Cheyenne reagieren misstrauisch auf alle weißen Besucher und sind besonders auf ihre amerikanischen Mitbürger schlecht zu sprechen. „Die Amerikaner haben kein Verständnis für unsere Probleme", sagt Jenny Parker, „sie behandeln uns wie Ausländer, obwohl wir lange vor ihnen in diesem Land waren. Sie sagen, dass wir dreckig und verlaust seien, und in den gemischten Schulen werden unsere Kinder beschimpft. Eine weiße Mutter hat ihren Sohn aus der Schule genommen, weil sie nicht wollte, dass er neben einem Cheyenne sitzt. Das ist wirklich passiert."

Die Cheyenne flüchten in die Vergangenheit. Ins frühe 19. Jahrhundert, als stolze und unerschrockene Krieger über die Prärie ritten und der Große Geist den tsis-tsis-tas noch wohlgeson-

Die Besinnung auf ihre glorreiche Vergangenheit und die Tradition ihres Volkes gibt neue Kraft.

Tipis werden beim Pow-wow errichtet.

nen war. Die Freiheit war so selbstverständlich für sie, dass es nicht einmal ein Wort in der Cheyenne-Sprache dafür gab. Jenny Parker: „Unsere Enkel und Urenkel haben das vergessen. In ihren Schulen gab es nur die Schulbücher des Weißen Mannes und dort stand wenig zu lesen über Sand Creek." Dort wurden Männer, Frauen und Kinder von betrunkenen Soldaten der US-Armee massakriert, obwohl sie die weiße Flagge des Friedens gehisst hatten. „Aber das hat sich inzwischen geändert. In den Schulen wird wieder die Sprache der Cheyenne gelernt und wir bemühen uns, den Kindern unsere Kultur nahe zu bringen."

Die Besinnung auf eine Tradition, die alle lebendigen Dinge ehrt und Ehrfurcht vor der Natur lehrt. Das neue Selbstverständnis der Indianer zehrt von der noch lebendigen Geschichte. Jenny Parker lächelt: „Die Weißen können viel von uns lernen. Aber solange sie nur dem Geld hinterherlaufen und das Land ausbeuten, werden sie niemals den wahren Weg finden."

Cheyenne-Indianer in Festtagskleidung.

Was bleibt, ist das Land. Die endlose Weite der Hochprärie, die einstigen Jagdgründe der Sioux und Cheyenne. Ein Land, in dem es kaum Sehenswürdigkeiten gibt und das man doch genießen kann. Weil man es mit dem Herzen fühlen kann. Wie die Indianer, die diesen heiligen Boden noch heute verehren. Mutter Erde. Selbst die Steine sind in dieser Einsamkeit lebendig und erzählen von der großen Zeit der Indianer, als noch endlose Büffelherden über die salbeibewachsenen Hänge donnerten. Wenn man das Wohnmobil am Straßenrand parkt und zum fernen Horizont sieht, kann man sie noch immer sehen. Ei-e-ya, ich habe gesprochen.

44. Leben nach der Tradition

Interview mit Cheyenne-Indianern

Vern Sooktis und Karen Stone gehören zu den Northern Cheyenne und leben in Lame Deer, auf der Reservation ihres Volkes im südöstlichen Montana. Vern ist ein Ceremony Man, ein verantwortungsvoller Mann, der jahrhundertealte Zeremonien seines Volkes leitet und mit hilfsbedürftigen Männern und Frauen seines Volkes spricht. Karen Stone ist eine engagierte ‚Power-Frau', die sich als Filmemacherin einen Namen gemacht und an einer Dokumentation über ihr Volk mitgearbeitet hat.

„Die Frauen der Prärieindianer waren stärker, als es uns die meisten Filme und Bücher weismachen wollen. Sind sich die heutigen Frauen dieser Tatsache bewusst und wie wichtig sind die Traditionen deines Volkes für dich, Karen?"

Karen: „Bei den Recherchen für einen Dokumentarfilm stieß ich auf die Tatsache, dass es bei den Cheyenne auch Warrior Women gab, also Kriegerfrauen. In den Geschichtsbüchern wird

Messer der Prärieindianer in einem Museum.

selten darauf hingewiesen, dabei waren diese Frauen selbstbewusst und sehr stark. Aber auch die Frauen, die nicht kämpften, waren keine willenlosen Sklavinnen, wie man sie aus dem Kino kennt. Auch heute gibt es noch Warrior Women, auch wenn diese Frauen nicht mehr in den Kampf ziehen. Aber sie gehören zu den Kriegerbünden, die sonst nur Männer aufnehmen und die es in unserem Volk immer noch gibt. Verns ältere Schwester ist eine solche Kriegerfrau. Die Stärke dieser Warrior Women ist angeboren, wird von ihnen als Geschenk betrachtet. Es ist wichtig, dass wir uns der Traditionen erinnern, und ich bin sehr dankbar dafür, dass unsere Kultur überdauert hat. Es gibt die Kriegerbünde, wir tanzen immer noch den Sonnentanz, verehren die Büffelkappe und die vier heiligen Pfeile. Die Büffelkappe steht für die weibliche Kraft und liegt bei den Northern Cheyenne, die vier heiligen Pfeile symbolisieren die männliche Kraft und liegen bei den Southern Cheyenne in Oklahoma. Was mir Sorge macht, ist die Tatsache, dass wir unsere Sprache verlieren. Wir dürfen unsere Sprache nicht verlieren, sie ist wichtig für unsere Kultur."

„Wie steht es mit den Kindern, Vern? Erfahren sie etwas über die Kultur eurer Vorfahren und lernen sie die Cheyenne-Sprache?"

Vern: „Das müssen die Eltern entscheiden – oder die Kinder, wenn sie groß genug sind. Für meine Familie kann ich sagen, dass wir als gute

Vern Sooktis, ein ‚Ceremony Men' der Northern Cheyenne, leitet jahrhundertalte Zeremonien seines Volkes.

Cheyenne erzogen wurden. Die Kultur wird von einer Generation an die nächste weitergegeben. Natürlich tragen wir nicht mehr die Wildlederkleidung unserer Vorfahren, in der modernen Kleidung der Amerikaner fühlen wir uns wohler, aber bei uns wurde immer darauf geachtet, dass wir die traditionelle Perlenstickerei und andere Fertigkeiten beherrschen. Auch ich sorge mich um den Verlust der Sprache. Die heutigen Indianer werden immer panamerikanischer, unterscheiden sich kaum noch voneinander. Aber auch unsere Welt ist im Wandel begriffen und ich hoffe nur, dass wir in eine bessere Zeit gehen."

„Wie sieht die wirtschaftliche und soziale Wirklichkeit in der Northern Cheyenne Reservation aus?"

Karen: „Die wirtschaftliche Lage ist schlecht und die Arbeitslosigkeit ist sehr hoch, über fünfzig Prozent. Es gibt zu viele Alkoholiker in der Reservation und einige der jungen Leute haben den Ghetto Lifestyle angenommen, konsumieren Drogen und üben Gewalt aus. Wir sind uns dieser Tatsache bewusst, erkennen die Probleme, können aber nur wenig tun. Wir beten mehr, fahren zum Bear Butte, einem heiligen Berg, tanzen den Sonnentanz und gehen in Schwitzhütten. Ich hoffe, dass unser Volk diese Probleme überwindet, bin eigentlich überzeugt davon. Unser Volk ist stark. Ben Nighthorse Campbell, der einzige indianische Senator, ist ein Northern Cheyenne. Es gibt eine Baufirma, die Morning Star Construction Company, die von einer Frau geleitet wird. Wir haben ein gutes College und Rechtsanwälte und Ärzte."

„Gibt es immer noch Feindseligkeiten zwischen Weißen und Indianern? Öffnen sich die Indianer den Weißen?"

Karen: „Über die Haltung der Weißen möchte ich nicht sprechen. Für die Cheyenne kann ich sagen, dass wir uns mehr öffnen. Wir wollen, dass Besucher in unsere Reservation kommen, haben sogar eine Chamber of Commerce eingerichtet, um den Tourismus voranzutreiben. Bei Lame Deer gibt es einen stammeseigenen Campingplatz. Auch beim Pow-wow sind Besucher willkommen. Nur wenn wir Zeremonien wie den Sonnentanz durchführen, wollen wir unter uns sein, das ist eine religiöse Handlung."

„Das Sand-Creek-Massaker gehört zu den tragischsten Ereignissen in der Geschichte der Cheyenne. (Am 29. November 1864 wurden 170 Cheyenne, überwiegend Frauen und Kinder, von Colonel Chivington und seinen Freiwilligen auf grausame Weise getötet und verstümmelt, obwohl die Indianer eine weiße Flagge gehisst hatten.) Welche Gefühle bewegen dich, wenn du daran denkst, Karen?"

Karen: „Ich bin dankbar, dass dieses Massaker in den Geschichtsbüchern nicht totgeschwiegen wird. Ich bin die direkte Nachkommin eines Kriegers, der bei diesem Massaker ermordet wurde. Er hieß Rotes Hemd und war mein Ururgroßvater. Zu seiner Zeit galt das Wort eines Menschen noch etwas, wurden auch mündliche Abmachungen eingehalten. Deshalb waren Black Kettle und seine Cheyenne so sorglos, als die Weißen kamen. Sie wähnten sich unter dem Schutz der US-Armee und glaubten, dass nichts passierte, wenn sie eine weiße Flagge hochzogen. Aber die Weißen griffen dennoch an. Ich bin sehr traurig und es macht mir sehr zu schaffen, wenn ich daran denke, wie Angehörige meiner Familie abgeschlachtet wurden. Ich fühle stark mit diesen Menschen. Ich war letztes Jahr am Schauplatz des Massakers und habe für sie gebetet."

Karen Stone gehört zu den selbstbewussten Frauen der Northern Cheyenne. Sie hat sich als Filmemacherin einen Namen gemacht.

45. Marcus Roubideaux, Indian Artist

Indianerkünstler der Lakota

Der Lakota-Künstler arbeitet für die Prairie Edge Trading Company, den größten Indianerladen der Welt in Rapid City, South Dakota. Er stellt originalgetreue Gebrauchsgegenstände her.

„Ich gehöre zu den Lakota", sagt Marcus Roubideaux, der auch französische und deutsche Vorfahren hat, „wahrscheinlich Trapper oder Händler, die im 19. Jahrhundert bei meinem Volk gelebt haben und in unsere Familie aufgenommen wurden. Meine Großmutter mütterlicherseits war eine Hunkpapa und auch mein Vater war Indianer, aber er wuchs außerhalb der Reservation auf und besuchte ein Internat der Weißen. Ich habe beide Welten kennen gelernt und mich erst vor einigen Jahren für die indianische entschieden. Ich hatte Computer Science studiert und ließ diese Karriere sausen, weil ich mich lieber als Künstler betätigen wollte. Ich bin bei der Prairie Edge Trading Company angestellt, arbeite dort im Verkauf und stelle Handwerkszeuge, Waffen, Kleidung und zeremonielle Gegenstände nach historischen Vorlagen der Prärieindianer her."

Prairie Edge ist der größte Indianerladen der Welt, nimmt einen halben Häuserblock in Rapid City, South Dakota, ein und bietet auf zwei Stockwerken alles, was das Herz eines Indianer-Fans begehrt. In der Plains Indian Gallery sind von Indianern hergestellte Kunstgegenstände, aber auch Kleidungsstücke und andere Dinge des alltäglichen Gebrauchs ausgestellt. Im Sioux Trading Post werden Felle, Stoffe, Muscheln und Perlen verkauft, wie in einem Handelsposten des 19. Jahrhunderts. Die Trading Co. und der Toy Store bieten preiswerte Souvenirs und Spielsachen. In der Italian Glass Bead Library sind über 2.600 Glasperlen aus Italien sorgfältig in Schubladen katalogisiert, von derselben Gilde, die auch die Händler des Wilden Westens belieferte.

Prairie Edge kaufte den gesamten Vorrat der Societa Veneziana Conterie auf, als die Gesellschaft im Jahr 1992 ihre Tore schloss. Der Book & Music Store bietet eine erstaunliche Auswahl an Büchern, Platten und Videos über die Kultur der Prärieindianer an.

„Vor ein paar Jahren waren wir noch ein reiner Mail Order Store", berichtet Marcus Roubideaux, „seit 1994 expandieren wir und denken auch daran, Filialen in anderen Städten zu eröffnen. Ungefähr zweihundert Künstler arbeiten für Prairie Edge, haben aber keinen Vertrag und bieten ihre Kunstwerke freiwillig an. Ich gehöre dazu, arbeite wie die meisten von uns zu Hause, treffe mich aber oft mit meinen Kollegen, um Erfahrungen auszutauschen. Das macht großen Spaß und ist sehr interessant. Ich lerne bei jedem dieser Treffen dazu. Indem ich Waffen und Handwerkszeuge meiner Vorfahren herstelle, lerne ich viel über ihre Kultur und Religion. Als Kind hat mich das wenig interessiert. Erst nachdem ich

Marcus Roubideaux arbeitet für Prairie Edge.

öfter bei meiner Hunkpapa-Großmutter zu Besuch gewesen war, begeisterte ich mich für die Vergangenheit. Ich habe viel von meiner Großmutter gelernt."

Marcus Roubideaux ist vierzig Jahre alt und zu einem anerkannten Experten für die Kultur der Prärieindianer geworden. Wie alle Künstler, die für Prairie Edge arbeiten, konzentriert er sich auf die Northern Plains in der Zeit zwischen 1840 und 1900, auf die Sioux, Blackfeet, Cheyenne und Crow. „Die Arbeiten dieser Stämme unterscheiden sich kaum voneinander", weiß er, „das kommt wahrscheinlich daher, dass viele Krieger die Kleidung ihrer Feinde imitierten oder gewisse Muster übernahmen. Wenn man genau hinblickt, kann man die Arbeiten aber auseinander halten. Die Grundfarbe der Lakota-Perlenarbeiten ist fast immer weiß oder blau, die östlichen Stämme stellen Blumenmuster, die westlichen Stämme meist geometrische Muster her. Im Westen findet man kräftigere Farben. Die schönsten Perlenarbeiten kommen von den Crow, sie leg-

Indianische Kunst in der Prairie Edge Gallery.

ten am meisten Wert auf ihr Aussehen und wurden von ihren Feinden als ‚Angeber‘ verspottet.“

Als Vorlagen dienen dem Lakota-Künstler originale Museumsstücke und historische Abbildungen. „Bei Prairie Edge wird größter Wert auf Authentizität gelegt, kann man sich darauf verlassen, dass eine Replika dem historischen Vorbild entspricht. Wir wollen die Kultur der Prärieindianer am Leben erhalten. Nur wenn wir die Vergangenheit ehren, finden wir einen Weg in die Zukunft, können wir für die indianischen Anliegen werben.“

46. Auf den Spuren von Karl May: *Unter Geiern*

Yellowstone National Park, der erste Nationalpark der Welt, wurde 1872 gegründet und stand bereits unter Naturschutz, als Winnetou und Old Shatterhand gegen die Oglalas kämpften.

„Überall rauscht, kocht, brodelt, pfeift, zischt, braust und stöhnt es", schrieb Karl May in der Erzählung *Der Sohn des Bärenjägers*, enthalten in dem Band *Unter Geiern*, über den Yellowstone National Park. „Riesige Flocken von Wasser und Schlamm fliegen umher. Wirft man einen schweren Stein in eine so entstehende und wieder vergehende Öffnung, so ist es, als fühlten sich die Geister der Unterwelt beleidigt. Wasser und Schlamm kommen in eine wilde Aufregung. Sie steigen empor, sie wallen über, als wollten sie den Übeltäter ins grauenhafte Verderben ziehen. Das Wasser dieser Hexenkessel ist ganz verschieden gefärbt: milchweiß, knallrot, himmelblau, schwefelgelb, oft auch hell wie Glas. Obenauf sieht

Im Dampfzug auf Winnetous Spuren.

Mammoth Hot Springs im Yellowstone National Park.

man große weiße, seidenartige Fäden oder einen dicken bleifarbenen Schleim, der jeden erreichbaren Gegenstand in wenigen Minuten mit einer dicken, harten Kruste überzieht. Es kommt vor, dass das Wasser eines solchen Loches im schönsten Grasgrün schimmert. Plötzlich öffnen sich an den Seiten kleine Ventile und nun schießen daraus Strahlen in allen Tönungen des Regenbogens durch das grüne Wasser. Es ist herrlich, unvergleichlich…"

Yellowstone wurde von dem weißen Fallensteller John Colter für die Zivilisation entdeckt und in glühenden Farben beschrieben. Die ersten Besucher waren erstaunt, wie wenig der Mountain Man übertrieben hatte. Der spektakuläre Grand Canyon of the Yellowstone und die sprudelnden und blubbernden Geysire erinnern an drei gewaltige Vulkanausbrüche vor 2 Millionen, 1,2 Millionen und 600.000 Jahren. Über 300 dieser heißen Quellen gibt es im Park. Kaltes Wasser sinkt in fast zwei Kilometer tiefe Hitzekammern hinab, wird dort stark aufgeheizt und durch

Karl May beschrieb den Emerald Pool.

schmale Kanäle an die Oberfläche gepresst. Am bekanntesten wurde ‚Old Faithful', der Verlässliche, weil seine Fontäne in regelmäßigen Abständen (ungefähr alle 70 Minuten) aus der Erde schießt. Der Steamboat Geysir, der 1978 zum letzten Mal ausbrach, ist mit einer Fontäne von 100 Metern der höchste Geysir der Welt. Geschützte Plankenwege führen durch das Norris Geysir Basin und andere Quellengebiete und verlieren sich im übel riechenden Schwefelrauch der heißen Geysire. Auch den grasgrün schimmernden Tümpel, den Karl May beschrieb, gibt es: den Emerald Pool. Seine grüne Farbe hat er den Algen auf dem Grund zu verdanken.

Yellowstone wurde am 1. März 1872 als erster Nationalpark der Welt gegründet. Aber außer einigen Indianern und Waldläufern gab es kaum Besucher. Die einzige Straße, ein holpriger Feldweg, führte vom nördlichen Eingang nach Mammoth Hot Springs, und wer den Old Faithful oder den Yellowstone Lake sehen wollte, musste einen beschwerlichen Ritt durch die Wildnis auf

Bildseite 300/301: Old Faithfull im Yellowstone National Park.

Geisterstadt im südwestlichen Montana.

sich nehmen. Erst die Eisenbahn sorgte für den erwarteten Touristenansturm. 1883 wurde das Mammoth Hotel eröffnet und ein Jahr später ließ sich sogar der Präsident im Speisesaal blicken. Die meisten Besucher buchten eine Kutschenfahrt durch den Park. Lee Whittlesey, ein Historiker des National Park Service: „Damals nahm man sich noch Zeit, den Park kennen zu lernen. Man war fünf bis zehn Tage unterwegs und erlebte die Natur noch hautnah, man roch die Blumen und die Fichten und erlebte die Tiere ungestört. Heute sind die Besucher durchschnittlich anderthalb Tage unterwegs." 1915 fuhren die ersten Automobile über die holprigen Straßen im Yellowstone National Park und die Kutschen wurden durch ‚Touring Cars' ersetzt.

1916 wurde der National Park Service gegründet und die ersten Park Rangers kamen nach Yellowstone. Das U.S. Army Corps of Engineers räumte den Park und überließ der zivilen Organisation das Management. Seit der Gründung des Parks hat sich viel verändert. Es wurden Ho-

Bisons warten am Straßenrand.

tels und Straßen gebaut und die Ranger bieten eine Vielzahl von Programmen, informieren über Pflanzen, Tiere und heiße Quellen. Das Füttern der Bären, noch in den sechziger Jahren eine Lieblingsbeschäftigung der Touristen, ist streng verboten. Die Philosophie lautet jetzt, der Natur ihren Lauf zu lassen. „Im 19. Jahrhundert haben die Menschen auf alles geschossen, was sich bewegt hat“, sagt Lee Whittlesey, „heute ist die Jagd untersagt und wir empfehlen den Besuchern, die Tiere mit dem nötigen Respekt zu beobachten. Die Natur soll sich entfalten. Natürlich sind wir traurig, wenn ein Büffelkalb getötet wird, aber wenn es ein Wolf war, sollten wir nichts dagegen tun. Die Natur hat ihre eigenen Gesetze und das Fleisch eines getöteten Hirsches ernährt viele andere Tiere.“

„Wir lieben einen unserer schönsten Nationalparks zu Tode“, warnen die Ranger vor einer Zerstörung der Naturschutzgebiete, weil immer mehr Besucher nach Yellowstone drängen und die Abgase der Autos die Luft verpesten. Die

Auf den Spuren von Bären und Wölfen.

Straßen sind in einem jämmerlichen Zustand und nicht nur im Hochsommer kommt es zu langen Staus und Menschenaufläufen, wenn irgendwo ein Bär oder ein Hirsch gesichtet wird. „Nur fünf Prozent aller Besucher wandern ins Hinterland", verrät Doug Smith, ein erfahrener Biologe, der das ‚Gray Wolf Restoration Project' des Parks leitet und kanadische Wölfe im Yellowstone National Park ausgesetzt hat, „abseits der Asphaltstraßen ist noch alles in Ordnung. Auf dem Yellowstone Lake bin ich mit meinem Kanu meist allein."

47. Auf meiner Ranch bin ich König

Auf einer Guest Ranch in Idaho

Wie ein Cowboy (oder Cowgirl) durch die Wildnis der Rocky Mountains reiten – auf der Hidden Creek Ranch im nördlichen Idaho gehen Jugendträume in Erfüllung.

„Dies ist ein Pferd“, erklärt Elaine, die hübsche Reitlehrerin der Hidden Creek Ranch, und macht damit deutlich, dass sie uns für ausgemachte Greenhorns hält. Wir blicken respektvoll auf die stämmige Stute. Zwei Stunden später reiten wir bereits in einem leichten Trott durch die Koppel. Ein Verdienst der geduldigen Lady, die schon seit vielen Jahren reitet und sich nichts Schöneres vorstellen kann, als ihre Leidenschaft mit den Ranchgästen zu teilen. ‚Centered Riding‘ heißt ihre Lehrmethode; erst wenn man sich in die Denkweise seines Pferdes hineingedacht hat und mit dem Tier zu einem Körper verschmolzen ist, beherrscht man die Kunst des Reitens. Eine Methode, die Sally Swift aus Vermont entwickelt hat. Sie war gelähmt und schaffte

Elaine, die Reitlehrerin der Hidden Creek Ranch.

Blockhäuser auf der Guest Ranch in Idaho.

es, auf diese Weise aus dem Rollstuhl zu kommen. „Das Bewusstsein für den eigenen Körper wird gestärkt“, erklärt Elaine, „man wird lockerer und flexibler, die Balance stimmt und die Verständigung mit dem Pferd klappt besser. So sind auch die Indianer geritten, ihnen genügte schon eine Körperdrehung, um das Pferd zu lenken.“ Das kapieren selbst die ‚City Slickers‘ aus dem fernen Europa, und als wir Elaine auf einen ersten Ausritt in die Berge folgen, erkennen wir, warum sie so fröhlich und ausgeglichen ist. Auf dem Rücken eines Pferdes, in der urwüchsigen Wildnis des nördlichen Idaho, ist man meilenweit von der Hektik einer Großstadt entfernt.

Mit der Hidden Creek Ranch, ungefähr 45 Autominuten südlich von Coeur d'Alene gelegen, haben sich Iris Behr und John Muir einen Traum erfüllt. „Irgendwann hatte ich genug vom Stress“, berichtet die ehemalige Firmenchefin. In einem romantischen Tal, umgeben von endlosen Wäldern und malerischen Seen, kauften sie und ihr Mann einige Blockhäuser und bauten sie zu einer der schönsten Guest Ranches im amerikanischen Westen aus. Die Cabins sind gemütlich eingerichtet, mit Bad und fließend Wasser, aber ohne Fernseher und Telefon. „Selbst viel beschäftigte Manager hatten nach kurzer Zeit keine Sehnsucht mehr danach", erzählt die Ranchbesitzerin lächelnd. Im Haupthaus wird mit den Angestellten gegessen, „wir sind eine große Familie", und jede Woche wird ein Gourmet Dinner mit sieben Gängen serviert.

Iris und ihr Mann mussten lange suchen, bis sie das abgelegene Paradies gefunden hatten. „Als wir über den Hügel fuhren und die Hidden Creek im Tal liegen sahen, wussten wir sofort, dass wir unsere neue Heimat gefunden hatten", erzählt die Besitzerin. „Die Ranch ist auf drei Seiten von geschützten Wäldern umgeben, es gibt einsame Gipfel und herrliche Seen und die Leute brauchen keine Angst vor giftigen Schlangen zu haben." Wunderschöne Natur, die Iris in ihrem Urzustand erhalten will. Sie ist eine sehr umweltbewusste Frau, ohne sektiererisch zu sein,

Iris Behr, stolze Besitzerin der Hidden Creek Ranch.

und stolz darauf, dass fast alle Gäste ihre Einstellung übernehmen. Spätestens nach zwei, drei Tagen merken sie, wie angenehm das Leben im Einklang mit der Natur sein kann. Auf der Ranch wird nur biologisch angebautes Gemüse serviert, der Eistee ist mit Kräutern angereichert, das Fleisch kommt von gesunden Rindern. Die Reinigungsmittel sind biologisch abbaubar, der Abfall wird getrennt und für den Bau neuer Blockhütten wurde kein einziger Baum gefällt. „Wir haben totes Holz genommen."

„Wir sind keine Öko-Spinner", meint John, „wir leben einfach bewusster. So wie die Indianer, die im Einklang mit der Natur existieren mussten, wenn sie überleben wollten." Deshalb gehört auch indianische Philosophie zum Programm der Hidden Creek Ranch. Interessierte Gäste können an der Pfeifenzeremonie teilnehmen, in einem Tipi schlafen und in einer Schwitzhütte ihre Seele säubern. Auf einem ‚Medicine Trail' im nahen Wald erklärt Iris, welche Kräuter die Indianer benutzten. „Das ist Schafgarbe", deutet sie auf eine Pflanze mit weißen Blüten und gezackten Blättern, „die wird auf offene Wunden gelegt, um Infektionen zu verhindern. Aus den Blättern wird ein Tee gekocht, der selbst Fieber vertreibt." Wir gehen ein paar Schritte weiter. „Roter Klee", erklärt sie die nächste Pflanze, „wurde von den Indianerfrauen während der Menstruation gegessen, er linderte die Schmerzen. Löwenzahn ist gut bei Nierenproblemen." Aus Holunderblüten wird ein Tee gekocht, der gegen Kopfweh hilft. „Die Indianer waren der Natur sehr nahe, sie betrachteten die Erde als ihre Mutter. Mir hat diese Sichtweise geholfen, die Natur besser zu verstehen."

Auf der Ranch weiden hundert Pferde. „Wir kaufen die Tiere auf Auktionen und anderen Ranches", berichtet John, „einige Pferde hab' ich auf irgendeinem Hinterhof erstanden. Nur die besten behalten wir. Wenn sie furchtsam sind oder zu oft lahmen, werden sie verkauft. Wir züchten auch selber, aber die Pferde brauchen sieben Jahre, bis die Gäste sie reiten können. Wir kaufen vor allem Quarter Horses, das sind wendige Cowboypferde, die auch ungeübte Reiter ertragen." Er schmunzelt. „Aber wir besitzen auch Apaloosas und Araber. Wir haben für jeden Gast das passende Pferd, für blutige Anfänger und erfahrene Reiter. Die Gäste sollen spüren, dass sie die Kontrolle über das Tier besitzen."

„Die Leute sollen sich bei uns wohl fühlen", betont Iris, „auch die Kinder, die an einem besonderen Programm teilnehmen und auf Ponys reiten dürfen." Die Ausritte führen durch die Natur der nahen Berge und zu den Ufern malerischer Seen, ein Ganztagesritt bringt die angehenden Cowboys und Cowgirls zum Swan Peak hinauf. Auch Bogenschießen, Bootsfahren, Tontaubenschießen und Fly Fishing stehen auf dem Programm. Abends wird am Lagerfeuer gesungen und erzählt oder mit dem Lasso geübt. „Aber wir zwingen niemand zu diesen Aktivitäten, es gibt auch Leute, die lediglich die Natur genießen und tagelang auf der Veranda ihres Blockhauses sitzen wollen. Das ist völlig okay. Wir

Angehende Cowboys (und Cowgirls) auf ihrem ersten Ausritt.

versuchen, den Leuten jeden Wunsch von den Augen abzulesen."

Die Gäste können jeden Tag reiten, morgens, mittags, abends und manchmal sogar nachts. Auch wir sind den ganzen Tag unterwegs. Wir wollen zum Swan Peak hinauf, einem einsamen Berggipfel inmitten einer geschützten Waldlandschaft. Ich sitze auf Ace, der stämmigen Stute, die sich auch durch einen bellenden Hund nicht aus der Ruhe bringen lässt. Manchmal bleibt sie stehen, um Blätter von jungen Bäumen zu zupfen, und ich habe große Mühe, sie wieder anzutreiben. „Du musst ihr zeigen, wer das Sagen hat", empfiehlt Elaine, „lass sie nicht einfach hinter den anderen Pferden herlaufen!" Elaine reitet Cocoa, ihr Lieblingspferd, und sitzt locker im Sattel. Sie ist das geborene Cowgirl. Als junges Mädchen hat sie bei einigen Rodeos mitgemacht. Wenn ich in Schwierigkeiten gerate, ist sie an meiner Seite und bringt die eigenwillige Ace zur Vernunft. Mir tun schon jetzt alle Knochen weh, aber ein Indianer kennt keinen Schmerz und beißt

Die Aussicht belohnt für den langen Ritt.

die Zähne zusammen, auch wenn der Pfad immer steiler wird.

Der Ausblick vom Swan Peak entschädigt für die Anstrengung. Wir sitzen auf den Gipfelfelsen und blicken in die sonnenüberfluteten Täler hinab. Die Sandwiches schmecken herrlich. Weit unter uns spiegeln sich die Wolken in den kristallklaren Seen. Die Pferde zupfen das frische Gras und genießen die Erholungspause. Der Blick geht bis zum Horizont, schweift über ferne Flüsse und Täler und verliert sich am dunstigen Horizont. Das nördliche Idaho hat sich während eines Jahrhunderts kaum verändert, noch immer gibt es die unberührte Natur, die Indianer und Trapper gesehen haben. „Hier bin ich am liebsten“, sagt Mort, als Assistant Head Wrangler für die Pferde verantwortlich.

Mort Barnes arbeitet seit 1996 auf der Hidden Creek Ranch. „Ein gemütlicher Job, wenn man Zeit seines Lebens als Cowboy gearbeitet hat. Ich habe überall Vieh gehütet, in Utah, Wyoming, Montana und Nevada. Auch mein

Vater und mein Onkel waren Cowboys. Immer noch ein harter Job, so wie vor hundert Jahren. Einige Rancher besitzen Hubschrauber und Motorräder, aber in den entlegenen Gebieten bist du immer noch auf dein Pferd angewiesen. Du schläfst im Freien und deckst dich mit dem Himmel zu. Zu meiner Zeit wollte jeder kleine Junge ein Cowboy werden, so wie John Wayne, aber in den Westernfilmen hast du nie gesehen, was für eine harte Arbeit das ist!“ Er beißt lachend in sein Sandwich. „Aber nach ’ner Weile gewöhnst du dich daran! Mann, wenn ich reich werden wollte, würde ich was anderes tun!“

Nach einer Weile fügt Mort hinzu: „Ich mag diesen Job, ich bin von morgens bis abends auf den Beinen, aber die Arbeit macht großen Spaß. Auf einer Guest Ranch musst du nicht so rackern wie auf einer richtigen Ranch. Du musst vor allem dafür sorgen, dass jeder Gast ein passendes Pferd bekommt. Ich habe selber Pferde gezüchtet und kenne jedes Pferd unserer Herde. Ich weiß, welchen Charakter und welche Fähigkeiten es besitzt. Ich freue mich, wenn die Gäste mit den Tieren zurechtkommen und ihren Spaß haben. Selbst Anfänger entspannen sich nach einer Weile. Sie werden lockerer und nehmen sogar an unserem Rodeo teil.“

Am frühen Nachmittag reiten wir zur Ranch zurück. Ace ist nervöser geworden und ich bin nicht mehr so locker wie am Morgen. Elaine reitet mit fliegenden Haaren neben mir, erinnert mich an das, was wir in der Koppel gelernt haben. Nicht so verkrampft im Sattel sitzen und zu einer Einheit mit dem Pferd werden. Leichter gesagt als getan, wenn einem alle Knochen wehtun. Wir reiten über einen schmalen Pfad nach unten, im Gänsemarsch wie die Indianer, kürzen durch den Wald ab und lenken die Pferde durch einen schmalen Fluss. Das hätte auch John Wayne nicht besser gekonnt. Die Luft ist klar und frisch und die Begeisterung über die urwüchsige Wildnis vertreibt die Schmerzen. Ace schnaubt zufrieden. Ich lasse ihr ihren Willen, als sie sich nach dem Gras bückt. Ich nehme einen Schluck aus der Feldflasche.

Zwei Stunden später erreichen wir das Tipilager. Über die grüne Wiese geht es zum Stall, wo wir die Pferde absatteln und trockenreiben. Wir befreien uns von den Cowboystiefeln und massieren die müden Füße. Schon jetzt kündigt sich ein höllischer Muskelkater an. „He, das war richtig gut“, flunkert Elaine lachend und ich kehre mit steifen Beinen zu meinem Blockhaus zurück.

48. Im Land der Blackfeet

Zwei Künstler der Blackfeet-Indianer

Um 1830 gab es ungefähr 120.000 Blackfeet-Indianer, heute leben noch 15.000 Menschen auf der Reservation im nördlichen Montana. Sie leben vom Tourismus und vom Öl.

Aus den atemberaubenden Bergtälern des Glacier National Parks führt die Straße nach Browning, einem unscheinbaren Nest zwischen Rocky Mountains und Hochprärie. Dort treffen wir Darrell Norman und Leon A. Rattler, zwei Blackfeet-Indianer. Ihr Stamm blickt optimistisch in die Zukunft, profitiert am Rande des Glacier National Parks von den Touristen, die ihr ‚Museum of the Plains Indian' besuchen. Dort wird die Geschichte der Blackfeet lebendig, die in Ausläufern der Rocky Mountains lebten und erbittert gegen die Trapper kämpften. Später kapitulierten auch sie vor dem endlosen Strom der weißen Siedler. Das Öl, das auf ihrer Reservation gefunden wurde, hält den Stamm über Wasser und das Museum zieht Touristen an, obwohl

Darrell Norman und Leon A. Rattler.

Browning nicht gerade zu den schönsten Orten im nördlichen Montana gehört. Die kleine Stadt erinnert an die Dritte Welt, lediglich ein Motel und der McDonald's an der Hauptstraße lassen die Zivilisation erkennen.

Darrell Norman, der auch englisches und französisches Blut in seinen Adern hat, drückt seine Visionen und Träume in bildender Kunst aus. Seine Gemälde werden in Kunstgalerien gezeigt. „Ich wurde auf der Reservation geboren, aber schon als kleiner Junge begleitete ich meinen Vater nach Seattle. Er hatte dort einen Job bekommen. Viele Indianer wohnen in Washington State. Nach der Grundschule, die ich auf der Reservation besucht hatte, ging ich auf die Junior High School. Am North Seattle Community College studierte ich Kunst. Seit einigen Jahren lebe ich wieder in Browning. Ich brauche den Kontakt zu unserem Land, nur in der Heimat kann ich wirkliche Kunst ausüben. Ich engagiere mich politisch und versuche, meinem Volk zu helfen."

Auf der Veranda seines Blockhauses genießen wir den Blick auf die schneebedeckten Berge im Glacier National Park und die rollenden Hügel der Prärie. „Um 1830 gab es ungefähr 120.000 Blackfeet", berichtet Darrell, „um 1890 lebte nur noch ein Viertel unseres Volkes. Die meisten Blackfeet starben an den Pocken oder wurden von Soldaten getötet. Heute leben 15.000 Menschen auf der Reservation, viele Blackfeet sind in die Stadt gezogen. Ich bemühe mich, sie zurückzuholen. Nur noch zwanzig Prozent aller Black-

Browning, die Hauptstadt der Blackfeet Reservation im nördlichen Montana, erinnert an Dörfer in der Dritten Welt.

Bildseite 314/315: Nördliches Montana - die Heimat der Blackfeet-Indianer.

Mit Packpferden durch den Glacier National Park.

feet sprechen ihre Sprache und nur wenige kennen ihre Vergangenheit. Das muss sich ändern. Die meisten Geschichtsbücher wurden von Weißen geschrieben. Indianische Geschichte wurde mündlich weitergegeben. Wir müssen auf die alten Männer und Frauen hören, sonst stirbt unser Volk."

Auch als Künstler versucht er, indianische Geschichte weiterzugeben. „Am meisten habe ich von anderen Blackfeet-Künstlern gelernt", erklärt Darrell. „Indianische Kunst ist anders als weiße Kunst, dient oft praktischen Zwecken und drückt sich in geometrischen Mustern und abstrakten Symbolen aus. Selbst eine Federhaube ist ein Kunstwerk. Eine Trommel symbolisiert den Herzschlag. Wir verarbeiten unsere Visionen. Zurzeit sitze ich an einem Gemälde, das unsere Schöpfungsgeschichte erzählt, von Napi, dem alten Mann, der aus dem Süden kam und alle Menschen und Tiere erschuf. Ich benutze nicht nur Farbe, sondern auch kleine Fetische und Wildleder, alles außer Adlerfedern."

Leon A. Rattler ist ein reinrassiger Blackfeet. Er wurde im November 1952 in Browning geboren und von seiner Großmutter Mary Little Bull großgezogen, die ihn ermutigte, als Künstler zu arbeiten. Sie gehörte zur angesehenen Blackfeet Crafts Association, einige ihrer Kunstwerke und Gebrauchsgegenstände sind im ‚Museum of the Plains Indian' ausgestellt. „Für die Blackfeet gehört die Kunst zum Alltag", sagt er, „sie dient nicht nur der Unterhaltung. In den Kunstwerken, die meine Vorfahren hinterlassen haben, erfahre ich viel über die Geschichte meines Volkes."

Der bekannte Blackfeet-Künstler besuchte die Grundschule und die High School auf der Reservation und machte seinen Abschluss am Vocational Technical Center in Missoula, Montana. Später besuchte er das Flathead Valley Community College in Kalispell, das Blackfeet Community College in Browning und die University of Montana in Missoula, wo er als ‚Bachelor of Fine Arts' anerkannt wurde. In Spokane, Washington, kümmerte Leon A. Rattler sich vor allem um die Jugend. Als Direktor des Inter-tribal Youth Treatment Center versuchte er, jungen Leuten seines Volkes eine neue Perspektive zu geben: „Die Büffel kehren zurück", meint er lächelnd, „aber sie weiden auf Regierungsland und den Ranches des weißen Mannes. Wir müssen uns selbst helfen. Auf die Politik dürfen wir uns nicht verlassen. Auch die Kunst kann helfen, die Wirtschaft auf der Reservation anzukurbeln. Indem wir über unsere Kultur lernen, werden wir stark."

Lebendiger Geisterglaube im Blackfeet Country.

Leon A. Rattler, der auch als traditioneller Tänzer bei den Pow-wows auftritt, fühlt sich durch das Land und die Menschen auf den Indianerfesten inspiriert. Er vermischt traditionelle und moderne Muster und lässt in seinen Gemälden die Vergangenheit der Blackfeet aufleben. „Seit einigen Jahren ist das Interesse an unserer Kunst sprunghaft gestiegen", sagt er, „das liegt wohl daran, dass auch die Weißen in unserer technisierten Welt wieder zur Natur und den ursprünglichen Dingen zurückkehren. Wir besinnen uns auf unsere Wurzeln und ich denke, das ist gut so."

Bunt bemalte Tipis erinnern an das 19. Jahrhundert, als die Blackfeet als Nomaden über die Prärie zogen und Büffel jagten.

49. Auf den Spuren der Sioux

Unterwegs in South Dakota

Mit einem Krieger der Lakota durch die Black Hills, die heiligen Berge der Sioux, zum Custer State Park, dem Crazy Horse Mountain und auf die Pine Ridge Reservation in South Dakota.

Albert Red Bear spricht mit den Geistern. Auf dem Berg, der bei den Indianern ‚Mato Paha', der Berg des schlafenden Bären, und bei den Weißen ‚Bear Butte' heißt, hat er vier Tage und vier Nächte gefastet und ‚Wakan Tanka', das ‚Große Geheimnis', getroffen. So nennen die Lakota ihren Gott. Er hat den heiligen Atem der Sterne und die Berührung durch Sonne und Mond gespürt. In seinen Träumen hat er erfahren, dass der Weg in die Zukunft über diesen Berg und die Black Hills führt, die heiligen ‚hé sapa' der Lakota. In den Schwarzen Bergen des westlichen South Dakota liegt der Mittelpunkt der Erde, die Wiege der Sieben Ratsfeuer, die von ihren Feinden ‚Sioux' genannt wurden, das bedeutet ‚Schlangen', und sich selbst ‚Lakota',

Die Black Hills, die heiligen Berge der Lakota.

Opfergaben am Bear Butte in South Dakota.

‚Dakota' oder ‚Nakota' nennen, nach den Sprachfamilien, denen sie angehören. „Besinne dich auf die Vergangenheit, dann erfährst du die Zukunft", wiederholt Albert Red Bear die Worte des Großen Geistes. Er lässt einige Opfergaben auf dem Berg und bindet rote und blaue Bänder an die Bäume, zu Ehren von Crazy Horse, Sitting Bull und anderen legendären Anführern seines Volkes, die schon vor der Schlacht am Little Bighorn am Bear Butte beteten.

„Solange Gras wächst und Wasser fließt", waren die Black Hills den Lakota im Vertrag von Fort Laramie (1868) zugesichert worden, doch bereits sechs Jahre später wurde Gold in den Bergen gefunden und eine Flut von weißen Siedlern ergoss sich ins Land der Sioux. Über Nacht wurden Städte wie Deadwood und Lead aus dem Boden gestampft. In den Etablissements der Main Street gehörten Wild Bill Hickok, der legendäre Revolvermann und Spieler, und Calamity Jane, die gefährlichste Lady des Wilden Westens, zu den Stammgästen, bis Wild Bill im Saloon No. 10 erschossen wurde. Die ‚Asse und Achten', die er damals in der Hand hielt, wurden zur ‚Dead Man's Hand'. Calamity Jane hatte mehr Glück, starb erst im Alter von 53 Jahren. Von ihren Taten zehrt Deadwood noch heute, in den stimmungsvollen Saloons und Casinos, denn 1989 wurde das Glücksspiel in Deadwood wieder legalisiert – zum Nachteil der Oglala Lakota, die ein Casino auf der Pine Ridge Reservation betreiben.

Die Lakota mögen Deadwood nicht, verabscheuen den Rummel, der ihre Schwarzen Berge entwürdigt. Die Stadt ist eines der bekanntesten Touristenziele in South Dakota, lockt mit historischen Goldminen und stimmungsvollen Saloons, bleibt aber auch das Symbol für den Vertragsbruch, der zu den Indianerkriegen führte. Den vereinigten Sioux, Cheyenne und Arapaho gelang es zwar, die Seventh Cavalry unter George A. Custer vernichtend zu schlagen, aber nach diesem Aufbäumen blieb den Indianern nichts anderes übrig, als die Waffen zu strecken und in Reservationen zu gehen. Dort vollzog sich der endgültige Untergang der Prärieindianer.

„Am 15. Dezember 1890 starb unser Volk am Chankpe Opi Wakpala", berichtet Albert Red Bear, als wir mit unserem Geländewagen in der Pine Ridge Reservation unterwegs sind, „dem Fluss, den die Weißen ‚Wounded Knee' nennen. Auf dem Hügel mit dem kleinen Friedhof wurden Big Foot und seine Leute erschossen!" Der alte Häuptling war mit 120 Männern und 230 Frauen und Kindern nach Pine Ridge unterwegs und wurde von der Seventh Cavalry unter der weißen

In der Kleidung eines Häuptlings posiert ein alter Mann der Lakota für Touristen.

Die Weißen rissen die Tipis nieder und zerstörten die traditionelle Lebensweise der Indianer.

Flagge des Friedens bei Wounded Knee abgefangen. Während die Krieger ihre Waffen abgaben, löste sich ein Schuss und die Soldaten gerieten in Panik. Major Samuel Whitside ließ die beiden Hotchkiss-Kanonen auf die wehrlosen Indianer abfeuern. Über 250 Indianer, meist Frauen und Kinder, starben im Kreuzfeuer der weißen Soldaten. „Wir versuchten fortzulaufen", berichtete Louise Weasel Bear, eine Überlebende, „doch sie schossen auf uns, als wären wir Büffel. Ich weiß, dass es auch gute Weiße gibt, doch Soldaten, die auf Frauen und Kinder schießen, müssen böse sein." Und Black Elk sagte viele Jahre später: „Wenn ich heute von dem hohen Berg meines Alters zurückblicke, kann ich die niedergemetzelten Frauen und Kinder so deutlich liegen sehen, wie ich sie sah, als meine Augen noch jung waren. Ich kann sehen, dass noch etwas anderes im blutigen Schlamm starb und vom Schnee begraben wurde: Der Traum eines Volkes starb dort."

Auch am Eingang des kleinen Friedhofs hängen bunte Bänder und wir stehen lange auf dem Hügel, spüren den kühlen Wind, der aus dem Norden kommt und von den Frauen und Kindern erzählt, die an diesem heiligen Ort für Custer büßen mussten. Wir hören ihr Weinen und Flehen, ihre verzweifelten Schreie und den ohrenbetäubenden Lärm der Kanonen und Gewehre. „Ich lief weg und folgte den Flüchtenden", berichtete Hakiktawin, eine andere Überlebende, „Mein Großvater, meine Großmutter und mein Bruder wurden getötet, als wir die Schlucht durchquerten, und dann schlug eine Kugel durch meine

Am Wounded Knee starb die Hoffnung der Indianer.

rechte Hüfte und traf mein rechtes Handgelenk und ich konnte nicht weiter, weil ich nicht mehr laufen konnte, und nachdem der Soldat mich getroffen hatte, kam ein kleines Mädchen zu mir und kroch unter meine Decke." Zwei junge Indianer stehen auf dem Friedhof und weinen leise, als Albert Red Bear ein Klagelied anstimmt.

Mehr als fünfzigtausend Indianer leben in South Dakota. Die meisten gehören zur ‚Great Sioux Nation' in sechs Reservationen wie Pine Ridge, Rosebud und Standing Rock. Albert Red Bear und seine Frau wohnen in einem Trailer bei Pine Ridge, halten sich mit der Herstellung von Souvenirs über Wasser. „Den Oglala Lakota geht es schlecht", sagt der stämmige Mann, dessen fröhliche Augen mich an Kicking Bird in dem Film DER MIT DEM WOLF TANZT erinnern. Wir sitzen in einem Tankstellen-Imbiss in Pine Ridge und essen schlechte Hamburger, sind von enttäuschten Arbeitslosen und bettelnden Kindern umgeben. Ein Ort der Dritten Welt, der auch in Afrika liegen könnte. Die Verzweiflung der Men-

Pine Ridge Reservation, South Dakota.

schen ist fast körperlich zu spüren, vor den Zapfsäulen prügeln sich zwei Jugendliche. „Über drei Viertel aller Oglala sind arbeitslos und auf die Sozialhilfe angewiesen, aber Präsident Clinton hat die Gesetze geändert und die Arbeitslosen bekommen das Geld nur noch fünf Jahre lang. Was sollen sie tun, wenn auch die Essensmarken nur drei Jahre ausgegeben werden? Auf der Reservation gibt es kaum Arbeit!"

Einer möglichen Zukunft begegne ich in Kyle, einer kleinen Stadt am Highway 2, ungefähr anderthalb Stunden nordöstlich von Pine Ridge. Bis vor ein paar Jahren gab es dort nicht mal einen Imbiss oder einen Laden, und in den siebziger Jahren, als das ‚American Indian Movement' mit gewalttätiger ‚Red Power' am Wounded Knee protestierte, wurde ein Mann in seiner Wohnung ermordet. Keine Stadt, die von Touristen angefahren wurde, aber das soll sich ändern. Vor der Little Wound School stehen sieben Tipis, stellvertretend für die ‚Sieben Ratsfeuer' der Sioux-Stämme. ‚Edu(cational) Tourism' nennt Robert

Cook, der indianische Geschichtslehrer der High School, sein ‚Living History Village & Museum', ein Indianerdorf, in dem Besucher ein Wochenende verbringen und von den jungen Oglalas lernen können. Eine Idee, die auch den Kindern zugute kommt, weil sie wichtige Erfahrungen sammeln und sich mit den Referenzen bei einem Arbeitgeber der Touristikbranche vorstellen können. Robert Cook: „Im letzten Jahr wurden acht Jugendliche von der Cedar Pass Lodge im Badlands National Park übernommen."

Der Halbindianer stellte das Projekt zusammen mit seiner Frau auf die Beine und arbeitet bereits mit amerikanischen Reiseveranstaltern zusammen. „Auch Leute aus Europa waren schon hier. Unsere Gäste schlafen in Tipis, essen Büffelfleisch und Beerenpudding wie unsere Vorfahren und stellen traditionelle Perlenmuster oder Lederarbeiten her. Wir unterhalten sie mit indianischen Spielen und Tänzen und unternehmen Ausflüge in die Badlands oder nach Wounded Knee." Die Vergangenheit ist dem Geschichtslehrer sehr wichtig. „Hier gibt es überwiegend weiße High-School-Lehrer, die wenig Ahnung von der indianischen Geschichte haben. Sie erliegen den gleichen Klischeevorstellungen wie die meisten anderen Amerikaner, zumindest während der ersten Monate. Wir sind eine kleine Minderheit, wegen unserer farbigen Geschichte aber sehr sichtbar. Ich glaube, über die Sioux wurden mehr Filme gedreht und Bücher geschrieben als über jede andere Minderheit. Und in Pine Ridge sehen sie nur arbeitslose Indianer, die keine Zukunft mehr haben. Den

Robert Cook und seine Schüler schufen mit ihrem Tipi Village eine neue Einnahmequelle für die Sioux.

Crazy Horse, der Häuptling der Oglala-Lakota.

Kindern dieser Schule soll es einmal besser gehen, auch deshalb haben wir das Projekt gestartet. Das Living History Village könnte eine bessere Zukunft für sie bedeuten. Sie suchen ihre Identität und werden sie in der Vergangenheit finden."

Sichtbares Zeichen dieser besseren Zeit ist der Crazy Horse Mountain, die gigantische Statue des legendären Häuptlings der Oglala Lakota, die aus einem Granitfelsen im Süden der Black Hills gesprengt und gemeißelt wird. Henry Standing Bear, ein Häuptling der Lakota, hatte den Bildhauer Korczak Ziolkowski bereits 1939 darum gebeten: „Der Weiße Mann soll wissen, dass auch der Rote Mann große Helden hatte." Von 1949 bis 1982 arbeitete der Bildhauer aus New England an der gigantischen Skulptur, seit seinem Tod führt seine Familie die Arbeiten fort. Das Projekt wird allein durch Spenden und Eintrittsgelder finanziert. Über acht Millionen Tonnen Fels wurden bereits aus dem Berg gesprengt, seit einigen Jahren ist das Gesicht des Häuptlings sichtbar. Wie lange die Arbeiten noch dau-

Mount Rushmore: Pilgerstätte für unzählige Amerikaner.

ern werden, vermag niemand zu sagen. Nur eines ist schon sicher: Nach der Einweihung wird der Crazy Horse Mountain die Präsidentenköpfe am nahen Mount Rushmore um ein Vielfaches überragen.

Wir kehren auf Nebenstraßen in die Black Hills zurück, fahren über die Wildlife Loop Road durch den Custer State Park und erkennen die Bilder, die Albert Red Bear in unzähligen Träumen gesehen hat. Das endlose Grasland, wogend wie ein Ozean im frischen Wind, vereinzelte Cottonwoods und der weite Himmel, der sich über den fernen Wäldern der Black Hills verliert. Über 1.500 Büffel haben in dem Naturschutzgebiet eine Heimat gefunden, die größte Bisonherde der Vereinigten Staaten. Jährlich werden über 500 Kälber geboren. Wir spüren ein paar hundert der zottigen Tiere in einer Senke auf und denken an die Zeit, als tollkühne Jäger auf wendigen Ponys über die Hänge sprengten und mit erhobenen Lanzen in die Herden ritten. Die Büffelkultur der Prärieindianer, von den weißen

Ritt in eine bessere Zukunft?

Eindringlingen für immer zerstört. „Der Weiße Mann hat nur eines seiner vielen Versprechen gehalten", sagte der legendäre Rote Wolke einmal, „er hat versprochen, unser Land zu stehlen, und er hat es gestohlen!"

Albert Red Bear erinnert sich an diese Worte, als ich den Geländewagen über eine holprige Sandstraße lenke und zum Deerfield Lake fahre. Abseits der befahrenen Touristenstraßen wirken die Black Hills noch unberührt, und als wir am Seeufer aussteigen und unter einigen Bäumen rasten, spricht Wakan Tanka zu uns, das Große Geheimnis der Lakota. Seine Stimme ist im Wispern des Windes in den Baumkronen zu hören, im Plätschern des Sees, als ein silberner Fisch aus dem Wasser springt. „Dies sind die Heiligen Berge der Lakota", sagt Albert Red Bear, „und auch wenn die Weißen das Land mit Städten und Straßen überziehen – sie können nicht verhindern, dass wir die Berge als unsere Heimat betrachten. Hier hat das Leben begonnen und hier wird es einmal enden. Ich habe gesprochen."

50. Auf den Spuren von Karl May: *In fernen Zonen*

Ihre Amerika-Reise führte Karl May und seine Frau Klara nach New England, in die romantische Hügellandschaft der Berkshires. Kultur wird groß geschrieben im ehemaligen Indianerland.

Karl May hat den amerikanischen Westen nie gesehen, unternahm jedoch im Alter von 66 Jahren eine Reise durch den Nordosten der USA. Im September 1908 fuhr er mit seiner Frau Klara auf dem ‚Großen Kurfürst' nach Amerika, blieb vier Tage in New York und reiste durch New England bis zu den Niagara Falls an der kanadischen Grenze. Nachzulesen im 82. Band der Gesammelten Werke *In fernen Zonen – Karl Mays Weltreisen*. Dort ist auch Klara May zitiert, die über ihre mehrwöchige Reise durch das einstige Indianerland schrieb: „Wir hatten die schönen Berkshire Hills zu durchqueren. Sie haben Schweizcharakter, doch lieblicher, weil reicher an Pflanzen. Edler Wein wächst hoch in wilde Nussbäume hinein. Violette Winterastern und weisse Sternblumen blühen unter wilden Apfel- und Birnbäumen. Pfirsiche stehen im Laubholz – eine Farm war einst da, so berichtete unser Freund, ein alter Indianer. Das Holzhaus brannte einst nieder, die ungepflegten Obstfelder verwildern und verbinden sich wieder mit dem Urwald, der einst Beherrscher dieser Region war."

Ich folgte den Spuren des Autors durch Massachusetts, war genauso angetan von der anmutigen Natur der Berkshires, die besonders im Herbst mit leuchtenden Farben verzaubern und vergessen lassen, dass hier einst kriegerische Irokesen gegen französische Soldaten kämpften. Auf den Spuren von Chingachgook und Lederstrumpf geht es über die Route 2 in die Berkshires, den Schauplatz zahlreicher Romane von James Fenimore Cooper, der oft als amerikanischer Seelenverwandter von Karl May geschildert wird. Cooper Country. Die Straße führt ins 18. Jahrhundert. Damals war der ‚Mohawk Trail' noch ein schmaler Pfad, der sich durch die Berkshire Hills zog und von indianischen Kriegern benutzt wurde, die zwischen ihren Dörfern im heutigen New York und Massachusetts durch die dunklen Wälder liefen. Nachdem die Indianer ausgerottet waren, rodeten weiße Siedler die Wälder und verbreiterten den Trail zu einer Handelsstraße für die Bewohner der Mohawk und Hudson Valleys in New York State.

Ich fahre über eine zweispurige Asphaltstraße, die erste Autostraße der USA, die vor allem wegen der schönen Aussicht angelegt wurde. Verträumte Dörfer, einsame Seen und überdachte Brücken säumen den Mohawk Trail, der besonders im Oktober befahren wird, wenn die vielen Laubbäume in herbstlicher Farbenpracht leuchten. Kitschige Pappindianer und billige Souvenirläden mit Indianerpuppen und bunten Hühnerfedern sollen an die indianische Vergangenheit erinnern, verschandeln aber lediglich die anmutige Natur, die auch im Sommer mit sanften Tälern und silbernen Flüssen verzaubert. Hinter Charlemont

Ein Krieger der Mohawk betet zum großen Geist.

reckt ein bronzener Mohawk-Krieger seine Arme der Sonne entgegen, ein Denkmal für die ersten Bewohner dieser Wälder.

Die Route 7 bringt mich nach Süden, tiefer in die Berkshire Hills hinein. Eine blühende Landschaft mit sanften Hügeln, romantischen Städten und während der Sommermonate mit einem Kulturangebot, auf das sogar New York und Boston neidisch sein können. In Lenox, einem romantischen Städtchen im westlichen Massachusetts, verbringt das angesehene Boston Symphony Orchestra den Sommer. In Tanglewood, einem ausgedehnten Park mit grünen Wiesen, ruhigen Spazierwegen und offenen Konzerthallen, dirigieren Seiji Ozawa und zahlreiche Gastdirigenten das berühmte Orchester. Viele tausend Menschen strömen jeden Abend in den Park und hören die Musik.

Am Highway 20, inmitten einer ländlichen Idylle mit verstreuten Farmen und wogenden Feldern, liegt das Hancock Shaker Village, die ‚Stadt des Friedens', die ehemalige Heimat der

Herbstliche Idylle in New England.

Shaker, die auch Klara May ausführlich erwähnt: „Eine Wagenfahrt durch schöne, bewaldete Berge in tiefer Einsamkeit brachte uns zur Siedlung der Shakers. Dahin hatte sich einer der Freunde meines Mannes zurückgezogen – eine Lebensgeschichte fand dort ihren friedlichen Ausklang. Die Shakers sind eine Brüdergemeinde, einfach und gut und fromm." Hancock war das dritte von neunzehn Shaker-Dörfern, die im späten 18. und frühen 19. Jahrhundert in New England, New York, Ohio, Kentucky und Indiana gegründet wurden. Die Mitglieder der Sekte, die für ihre ekstatischen Ausbrüche während der Gottesdienste bekannt waren, schotteten sich von der übrigen Welt ab, um in Ruhe ihre Ideale verfolgen zu können. Sie weihten ihr ganzes Leben dem Glauben an Gott und suchten Perfektion in allen Lebenslagen. Sie glaubten an gemeinsamen Besitz, die Trennung der Geschlechter, übten Enthaltsamkeit und waren überzeugte Pazifisten. Ihr Glauben schlug sich in ihrer ehrlichen Einstellung zur Arbeit nieder, mit feurigem Eifer waren sie in Hausarbeit, Handwerk und Handel und auf den Bauernhöfen tätig. Luxus war ihnen verpönt. Ihr Leben war von Einfachheit und Sorgfalt geprägt.

In Hancock blieben zwanzig Gebäude der Nachwelt erhalten. Ein Bilderbuchdorf, das über den religiösen Eifer hinwegtäuscht, mit dem die Shaker ihre Gottesdienste zelebrierten. Am beeindruckendsten erscheint mir die Round Stone Barn, eine steinerne Rundscheune, die über fünfzig Kühen Platz bietet. Die Wagen fahren im oberen Stockwerk ein und laden das Heu auf den Schober im Zentrum ab. Die Kühe standen im Erdgeschoss. Ihr Mist fiel durch Falltüren in den Keller, wo er bis zur Düngung der Felder aufbewahrt wurde. Vor dem traditionellen Gebaude erstrecken sich Äcker und Gärten mit Kräutern und Gemüsen, die von den Shakern für den Eigenbedarf angepflanzt und kultiviert wurden.

Um 1830 wohnten in Hancock dreihundert Shaker, die in sechs Großfamilien aufgeteilt waren. Ihre Häuser standen im weiten Umkreis um das heute noch bestehende Kerndorf der so genannten Church Family. Das Gemüse wurde im Eishaus gelagert, die ehemalige Gerberei ist heute als Schmiede und Tischlerei in Betrieb. In der Schule erfahre ich, dass die Jungen im Winter und die Mädchen im Sommer unterrichtet wurden. In den Handwerksstätten werden heute noch Küchengeräte und Werkzeuge nach Art der Shaker hergestellt. Der Schreiner des kleinen Ortes verrät mir: „Die Shaker nahmen ihre Arbeit sehr ernst, die Herstellung eines Produkts war ein religiöser Akt."

Zurück zur Route 7, ins ländliche New England. Die Sonne sinkt hinter den Wäldern und über den Feldern liegt goldener Schein. Der Wagen summt über den Asphalt, im Radio erklingt leise Musik und begleitet mich auf der Fahrt in die Gegenwart.

Anhang

Nationalparks:

Arches National Park
P.O. Box 907
Moab, Utah 84532
Tel. (801) 259-8161
Mehrere hundert Gesteinsbögen, die in einem Zeitraum von 150 Millionen Jahren von Wind und Wetter aus dem Fels gewaschen wurden, stehen seit 1929 unter dem Schutz der Regierung. Seit 1971 gehören sie zum Arches National Park in der Nähe von Moab, Utah. Der Arches Scenic Drive führt zu den eindrucksvollsten Aussichtspunkten des Parks. Interessante Spaziergänge führen durch die Park Avenue, eine von steilen Felswänden gesäumte Allee, und zum Balanced Rock, einem 3.500 Tonnen schweren Felsbrocken, der auf einem schmalen Steinsockel balanciert. Weitere Attraktionen sind der Delicate Arch, der über einen drei Kilometer langen Wanderweg zu erreichen ist und die Höhe eines siebenstöckigen Hauses erreicht, und der Landscape Arch, der mit seinen neunzig Metern Länge sogar im Buch der Rekorde steht. Im Devil's Garden erheben sich über sechzig steinerne Bögen, ein kurzer Trail beginnt am Double O Arch.

Badlands National Park
P.O. Box 6
Interior, South Dakota 57750
Tel. (605) 433-5361
Die Heimat der Sioux-Indianer zwischen dem Cheyenne und dem White River. Unberührte Natur mit Felsen, Tälern und Schluchten. Zwei Campgrounds bieten sich als Ausgangspunkt für Wanderungen und Ausflüge an. In einem Museum sind Fossilien und indianische Geräte, Waffen und Kleidungsstücke ausgestellt. Die Rangers veranstalten Wanderungen und halten Vorträge über die Geschichte der Badlands.

Bryce Canyon National Park
Bryce Canyon, Utah 84717
Tel. (801) 834-5322
Wie Orgelpfeifen erheben sich die roten Felstürme des Bryce Canyon aus dem felsigen Boden. Die farbenprächtigen Kalksteinformationen, von Wind und Wetter in Jahrmillionen geschaffen, tragen fantasievolle Namen wie Thor's Hammer, Queen's Castle, Gulliver's Castle, Hindu Temples und Wall Street. Nirgendwo sonst, nicht einmal im Grand Canyon, war die Natur so launisch wie hier. Seit 1924 ist der Bryce Canyon ein Nationalpark. Bei den Indianern heißt er „Rote Felsen, die wie Männer in einer schüsselförmigen Schlucht stehen" – nach einer Legende sollen ungehorsame Krieger vom Großen Geist zu Stein verwandelt worden sein. Eine Asphaltstraße führt zu Aussichtspunkten wie Sunset Point und Rainbow Point, wesentlich interessanter ist eine Wanderung über den Under-the-Rim-Trail, der unterhalb des Canyonrandes entlangführt.

Canyonlands National Park
125W. 2nd South
Moab, Utah 84532
Tel. (801) 259-7164
Die Canyonlands im südlichen Utah gehören zu den aufregendsten Landschaften der Erde. Zahlreiche Trails führen in die tiefen Schluchten und versteckten Täler und erschließen eine märchenhafte Welt aus buntem Stein. Wie ein grünes Band zieht sich der Green River durch die Felsengebilde. Auf einer mehrtägigen Wanderung lernt man die ganze Schönheit dieses Parks kennen, im Hinterland entfaltet das Paradies seine volle Pracht. Autofahrer müssen sich mit zwei Stichstraßen begnügen: Vom Grandview Point Overlook hat man einen atemberaubenden Ausblick auf die Schluchten des Green River und Colorado River und beim Needles Visitor Center beginnen verzweigte Trails, die an den rotweißen Nadeln der südlichen Canyonlands vorbeiführen. Für Wanderer reserviert bleibt der Maze District im abgelegenen Hinterland des Parks.

Capitol Reef National Park
Torrey, Utah 84775
Tel. (801) 425-3791
Das Capitol Reef, ein Segment der über hundert Meilen langen Waterpocket Fold, einer riesigen Erdfalte, ragt über dem Fremont River empor. Das Sandsteinriff war vor etwa 250 Millionen Jahren von einem gewaltigen Ozean bedeckt, der sich tief in die Felsen grub und ein farbenreiches Steinparadies formte. Ein asphaltierter Scenic Drive führt zum Capitol Dome, einem gewaltigen Felsen, und zur Capitol Gorge, einer tiefen Schlucht mit bizarren Steinformationen. Zahlreiche Wanderwege führen in das Hinterland der verzweigten Felsenlandschaft, die Trails sind nach Gewittern oft überschwemmt und sollten nur nach Rücksprache mit einem Ranger benutzt werden.

Glacier National Park
West Glacier, Montana 59936
Tel. (406) 888-5441
Eindrucksvolle Berg- und Gletscherlandschaften im nördlichen Montana, die Going-to-the-Sun Road führt zum Logan Pass und quer durch den Park, eröffnet herrliche Ausblicke, ist aber nur im Hochsommer geöffnet. Weitere Highlights: die Wanderwege am Swiftcurrent Lake und im abgelegenen Hinterland.

Grand Canyon National Park
P.O. Box 129
Grand Canyon, Arizona 86023
Tel. (602) 638-7888
Die gewaltige Schlucht des Colorado River ist ein Naturwunder von überwältigender Schönheit, klafft über einen Kilometer tief in der rotbraunen Felswildnis des Colorado Plateaus. Die Gesteinsschichten sind bis zu 250 Millionen Jahre alt. Touristisches Zentrum ist der südliche Rand, der South Rim, mit zahlreichen Hotels und Aussichtspunkten. Den besten Ausblick hat man vom Grandview Point und vom Moran

Bildseite 337: Winter im Bryce Canyon National Park.

Point. Der Bright Angel Trail führt nach Indian Gardes und weiter zum Colorado River auf dem Grund der Schlucht. Von der Bright Angel Lodge zur Phantom Ranch werden auch geführte Maultierritte unternommen, die aber während der Ferienzeit unbedingt reserviert werden sollten. Zur größten Attraktion im Inneren des Grand Canyon gehört das Whitewater Rafting. In Schlauchbooten wird durch die tosenden Stromschnellen des Colorado River gefahren.

Grand Teton National Park
Bay Visitor Center
P.O. Box 170
Moose, Wyoming 82012
Tel. (307) 733-2880
Die wildromantische Bergkette der Teton Range und klare Seen wie der Jackson und der Jenny Lake. Zahlreiche Bären, Büffel und Hirsche, wunderschöne Ausblicke am Snake River Overlook und am Oxbow Bend. Weitere Highlights: der Wanderweg um den Jenny Lake und in den Cascade Canyon, die wildreichen Willow Flats und das Indianermuseum in Colter.

Yellowstone National Park
Box 168
Yellowstone National Park, Montana 82190
Tel. (307) 344-7381
Der erste Nationalpark der Welt mit heißen Quellen und urwüchsiger Natur. Zahlreiche Straßen (im lausigen Zustand) führen durch den Park und zu Attraktionen wie den Mammoth Hot Springs und dem verlässlichen Old Faithful. Weitere Highlights: der Grand Canyon of the Yellowstone und der Yellowstone Lake.

Zion National Park
Springdale, Utah 84767
Tel. (801)772-3256
Der Zion National Park liegt im südlichen Utah und fasziniert mit hohen Plateaus, tiefen Schluchten und klobigen Tafelbergen. Am Virgin River, einem Nebenfluss des Colorado River, führt ein asphaltierter Scenic Drive durch den Canyon und zum dreizehn Kilometer entfernten Temple of Sinawava, von dort läuft ein Wanderweg zum Weeping Rock, einem bewachsenen Felsüberhang, und nach Angel's Landing. Die Emerald Pools sind von schattigen Kiefernwäldern und rauschenden Wasserfällen umgeben. Im Nordwesten des Parks windet sich eine Straße durch die einsamen Kolob Canyons.

Empfehlenswerte Hotels:

Copper Queen Hotel
11 Howell Avenue
Bisbee, Arizona 85603
Tel. (520) 432-2216
Um die Jahrhundertwende erbautes Hotel, ist liebevoll restauriert und erinnert an die Blütezeit der Minenstadt. Die Zimmer sind ausgesprochen klein, aber charmant wie vor hundert Jahren, als die Gold- und Silberbarone hier abstiegen.

Navajo Land Days Inn
392 West Highway 264
St. Michaels, Arizona 86511
Tel. (520) 871-5690
Das erste Hotel in der Umgebung von Window Rock, das einem Navajo-Indianer gehört, liegt an der Hauptstraße westlich vom Stadtrand. Der große Pool ist überdacht und bietet eine willkommene Abwechslung nach einer Fahrt durch das heiße Land.

La Fonda Hotel
100 East San Francisco
Santa Fe, New Mexico 87501
Tel. (505) 982-5511
Historisches Luxushotel an der Plaza, ehemaliger ‚Inn at the End of the Trail', dort stiegen schon spanische Hacienderos mit ihren Senoras ab. Große und individuell eingerichtete Zimmer, teilweise mit Balkon und Kamin, in einem großen Adobe-Bau.

Historic Hotel Alex Johnson
523 Sixth Street
Rapid City, South Dakota 57701
Tel. (605) 342-1210
Zu Ehren der Sioux Nation gebaut und mit Originalstücken und Kunstwerken der Lakota ausgestattet. Denkmalgeschütztes ‚Grand Hotel' mit großen Zimmern und einem guten Restaurant.

Guest Ranches:

Lazy K Bar Ranch
8401 North Scenic Drive
Tucson, Arizona 85743
Tel. (520) 744-3050
Die stimmungsvolle Ranch gehört seit 1936 zu den beliebtesten Guest Ranches bei Tucson. Die Gäste schlafen in gemütlichen und sehr geräumigen Häusern aus Adobe-Lehm. Erfahrene Cowboys (und Cowgirls) reiten mit den Gästen durch die Wildnis, es gibt auch einen Pool und Tennisplätze.

Lucky Hills Ranch
c/o Fred Rai Reisen GmbH
Freizeitpark Western City
86453 Dasing
Tel. (08205) 225
In voller Harmonie zwischen Pferd und Reiter das hügelige Land erklimmen, ohne schmerzbringende Hilfsmittel wie Peitsche, Sporen und Kandare wie die Indianer reiten – mit Fred Rai, dem Westernsänger aus Dasing, auf seiner Lucky Hills Ranch bei Tucson. Man folgt den Spuren legendärer Westernhelden wie Wyatt Earp und Doc Holliday durch das zerklüftete Land.

Hidden Creek Ranch
7600 East Blue Lake Road
Harrison, Idaho 83833
Tel.: (208) 689-9115
Drei Sterne für diese preisgekrönte Guest Ranch

im nördlichen Idaho: gemütliche Blockhütten, behaglich eingerichtet und wunderschön gelegen, fachkundiges Personal, abwechslungsreiches Programm und sehr gutes Essen.

Camping:

Fast alle amerikanischen Campgrounds bieten einen hohen Standard. Von einem durchschnittlichen Platz in den USA kann man erwarten: gepflegte Anlage mit viel Platz zum Wenden und Rangieren, saubere sanitäre Anlagen (Duschen, WC), Waschmaschinen und Trockner (Münzbetrieb – eine Waschladung und das Trocknen kosten jeweils ca. 2 Dollar), einen ordentlich gewarteten Swimmingpool, Kinderspielplatz, einen kleinen Laden mit den notwendigsten Hilfsmitteln, Campingzubehör, Souvenirs und natürlich geräumige Stellplätze mit allen Anschlüssen für Wasser, Strom und Abwasser (‚full hook-up'). Für Wohnwagengespanne stehen so genannte ‚pull-through-sites' zur Verfügung, in die man auf der einen Seite hinein- und auf der anderen hinausfährt, also nicht wenden muss. Außerdem gibt es Grillstellen, Picknicktische und an Seen und Flüssen auch einen Bootsverleih. Sehr empfehlenswert sind die Campingplätze von KOA. Sie sind im ‚KOA Campground Guide' aufgeführt, der bei der Firma kostenlos erhältlich ist: Kampgrounds of America (KOA), P.O. Box 30558, Billings, MT 59114.

Wohnen wie die Indianer:

Navajos

Die traditionelle Behausung der Navajo-Indianer ist der Hogan, eine sechseckige oder kuppelförmige Lehmhütte mit Rauchabzug, aber ohne Fenster. Heute werden diese Hogans vor allem für zeremonielle Zwecke genutzt. Seit einiger Zeit werden Hogans an interessierte Besucher vermietet, die sich ernsthaft für die Kultur der Navajos interessieren und in der traditionellen Hütte schlafen wollen – auf Matratzen, die auf den blanken Erdboden gelegt werden. „In einem Hogan gibt es keinen künstlichen Boden", sagt Lorraine Nelson, die Besitzerin einer solchen Behausung, „in der heiligen Hütte wollen wir der Mutter Erde nahe sein." Der Hogan der Navajo Indianerin liegt im malerischen Goat Springs Valley bei Fort Defiance in der Nähe von Window Rock: Lorraine Nelson, P.O. Box 183, Fort Defiance, Arizona 86504, Tel. (502) 729-2543. Die Übernachtung kostet 75 $ (Stand 1999). Die beiden Hogans von Ray Bedonie liegen südlich vom Monument Valley in spektakulärer Umgebung. Mehrere hundert Meter ragen die rotbraunen Felswände hinter den Hütten empor. Der Silberschmied begleitet seine Gäste auf Ausritten zur nahen Hunt's Mesa. Geschlafen wird auf Schafsfellen. Raymond R. Bedoni, P.O. Box 2984, Tuba City, Arizona 86045, Tel. (520) 283-4125. Die Übernachtung kostet 125 $ (im Sommer) und 90 $ (im Winter), auch für Paare (Stand 1999).

 Bildseite 341: Im Wohnmobil auf Winnetous Spuren.

Blackfeet
Wie die Indianer im Tipi übernachten: in den Indianerzelten der Lodge Pole Gallery and Tipi Village. Darrell Norman, der Gastgeber, ist ein Viertelindianer der Blackfeet und ein angesehener Künstler. Er veranstaltet auch indianische Führungen über die Blackfeet Reservation und die Prärie. Reservierungen: Lodge Pole Gallery & Tipi Village, P.O. Box 1832, Browning, Montana 59417, Tel. (406) 338-2787.

Sioux
In einem Tipi-Dorf der Oglala-Lakota auf der Pine Ridge Reservation in Kyle übernachten: Robert Cook und seine Schüler unterrichten ihre Gäste in traditionellen Fertigkeiten und servieren Büffelfleisch und andere Mahlzeiten aus der Indianerküche. Reservierungen: Little Wound School, Living History Village & Museum, Kyle, South Dakota 57752, Tel. (605) 455-2461.

Empfehlenswerte Restaurants:

Lil' Abner's Steak House
Die ehemalige Postkutschenstation der Butterfield Overland Stage war bereits im 19. Jahrhundert ein beliebter Treffpunkt. Die Steaks werden über einem Mesquite-Feuer gebraten, wie im Wilden Westen, und schmecken sensationell. Gegessen wird im rustikalen Innenraum oder auf der Terrasse.
8500 N. Silverbell Rd.
Tucson, Arizona 85743
Tel: (520) 744-2800

The Shed
Rustikales Ambiente in einer historischen Hacienda, seit 1954 eine Institution in Santa Fe. Nur mittags geöffnet und besonders bei den Einheimischen beliebt, oft lange Warteschlangen. Traditionelle Pueblo-Küche mit scharfen Chile-Gerichten (viel Wasser bestellen!). Empfehlenswert: Blue Corn Tortillas und Green Chile Soup.
113 1/2 East Palace Avenue
Santa Fe, New Mexico 87501
Tel. (505) 982-9030

The Fort
19192 Highway 8
Morrison, Colorado 80465
Tel (303) 697-4771
Das beste Büffel-Restaurant des amerikanischen Westens, hier gibt es sogar Büffelmarkknochen

 Bildseite 343: Die Campingplätze von KOA haben einen hohen Standard.

KOA
KAMPGROUND

und Büffelzunge, bei den Helden von Karl May eine Delikatesse. Das Fort ist eine originalgetreue Nachbildung des historischen Bent's Fort.

Santa Fe School of Cooking
Küchenchefs der besten Restaurants von Santa Fe unterrichten in der renommierten ‚Santa Fe School of Cooking' (116 West San Francisco Street, Santa Fe, New Mexico 87501, Tel. 505/ 983 4511), die auch Touristen offen steht. Schon in einem vierstündigen Lehrgang bekommt man einen Einblick in die Geheimnisse der ‚New Mexico Cuisine' und den richtigen Gebrauch des Chile.

Kunstgalerien:

Altermann and Morris Galeries
225 Canyon Road
Santa Fe, New Mexico 87501
Tel. (505) 983-1590
Hier bekommt man die Skulpturen (Pferde, Pionierfrauen) von Veryl Goodnight, einer bekannten Bildhauerin, und anderen Künstlern aus Santa Fe und Umgebung.

Tony Abeyto Gallery
St. Francis Plaza
Ranchos de Taos, New Mexico 87557
Tel. (505) 751-9671
Tony Abeyto gehört zu den erfolgreichsten Künstlern des amerikanischen Südwestens. In seinen farbenfrohen Gemälden vereint er indianische und abstrakte Motive. Seine Kunst verklärt die geheimnisvollen Mythen der Navajos zu mystischen Symbolen.

Prairie Edge Trading Company
Sixth & Main Street
Rapid City, South Dakota 57701
Tel. (605) 342-3086
Der größte Indianerladen der Welt. Zwei Stockwerke voller einmaliger Kunstwerke und Gebrauchsgegenstände, von indianischen Künstlern und Kunsthandwerkern (teilweise nach historischen Originalvorlagen) hergestellt. Riesige Auswahl an Büchern und CDs über die Kultur der Prärieindianer.

Rodeos:

Cheyenne Frontier Days
Zehntägiges Super-Rodeo im Frontier Park von Cheyenne, Wyoming mit Wildpferdreiten, Bullenreiten, Kälberfangen, Wagenrennen, Paraden und abendlichen Country Music Shows. Tickets per Post: Cheyenne Frontier Days Tickets, P.O. Box 2477, Dept. CACVB, Cheyenne, Wyoming 82003-2477, Tel. (307) 778-7222, Fax (307) 778-7229.

National Finals Rodeo
Jedes Jahr im Dezember wird die Meisterschaft der Rodeo-Cowboys beim National Finals Ro-

 Bildseite 345: Traditionelles Tipi-Lager.

deo in Las Vegas entschieden, beim ‚Superbowl of Rodeos'. Hier sind die besten Cowboys des ‚Rodeo Circuit' am Start, das Ereignis wird in den USA live im Fernsehen übertragen. Informationen und Tickets: Professional Rodeo Cowboys Association, 101 Pro Rodeo Drive, Colorado Springs, Colorado 80919-9989, Tel. (719) 593-8840, Fax (719) 548-4889.

Prescott Frontier Days
Das älteste Rodeo der USA in einer Westernstadt, die sich ihren ursprünglichen Charakter bewahrt hat. In der Arena von Prescott erlebt man das aufregende Geschehen noch hautnah. Informationen und Tickets: Prescott Frontier Days, P.O. Box 2037, Prescott, Arizona 86302.

Dodge National Finals Rodeo
Noch ein Superrodeo mit den Meistern der verschiedenen ‚Circuits', die in hochklassigen Events um die goldene Gürtelschnalle kämpfen. Die Veranstaltung findet in Pocatello, Idaho, statt. Informationen und Tickets: Professional Rodeo Cowboys Association, 101 Pro Rodeo Drive, Colorado Springs, Colorado 80919-9989, Tel. (719) 593-8840, Fax (719) 548-4889.

Pow-wows:

Crow Nation Fair
Die ‚Crow Nation Fair' wird am dritten August-Wochenende in der Nähe von Crow Agency, Montana, veranstaltet und gilt als größtes Pow-wow des amerikanischen Westens. Über tausend Tipis, Wohnmobile und Camper. Getanzt wird am Nachmittag und am Abend. Informationen: Crow Tribal Council, P.O. Box 159, Crow Agency, Montana 59022, Tel. (406) 638-2601.

Northern Cheyenne Pow-wow
Das ‚Northern Cheyenne Pow-wow' findet jedes Jahr am amerikanischen Unabhängigkeitstag (4. Juli) statt, ein sehr familiäres Indianertreffen mit Teilnehmern mehrerer Stämme. Informationen: Northern Cheyenne Chamber of Commerce, P.O. Box 328, Lame Deer, Montana 59043, Tel. (406) 477-8844.

Scottsdale All-Indian Pow-wow
Winnetous Erben tanzen auf der Salt River Reservation, nahe den ehemaligen Jagdgründen der Apachen. Informationen: Salt River Pima-Maricopa Indian Community Route 1, P.O. Box 216, Scottsdale, Arizona 85256, Tel. (602) 569-0728.

North American Indian Days
Zahlreiche Stämme aus dem amerikanischen Westen treffen sich bei den Blackfeet in Browning, Montana, mit Pow-wow, Paraden und Ausstellungen. Informationen: Blackfeet

Bildseite 347: Im Geländewagen über kaum sichtbare Trails.

Tribal Business Council, P.O. Box 850, Browning, Montana 59417, Tel. (406) 338-7522.

Northern Arapahoe Pow-wow
Großes Indianertreffen in Arapahoe, Wyoming. Informationen: Northern Arapahoe Tribe, P.O. Box 8066, Ethete, Wyoming 83520, Tel. (307) 255-8265.

Standing Rock Annual Pow-wow
Großes Pow-wow der Hunkpapa, Sihaspa und Yanktonai Sioux in North Dakota, immer am ersten Wochenende im August. Informationen: Standing Rock Sioux Tribal Council, Fort Yates, North Dakota 58538, Tel. (701) 854-7202.

Annual Rosebud Fair & Pow-wow
Eines der besten Pow-wows in South Dakota mit Tanz- und Singwettbewerben. Drittes Wochenende im August. Informationen: Rosebud Sioux Tribal Council, Rosebud, South Dakota 57570, Tel. (605) 747-2381.

Bildnachweis

Alle Fotos wurden von Thomas Jeier aufgenommen, außer: Archiv des Karl-May-Verlages (historische Fotos), Ekkehard Bartsch (S. 82, 84/85), Udo Bernhart (S. 79, 121, 133, 159), Christian Heeb (S. 110/111, 113, 132, 135), Dietmar Kuegler (S. 36).

KARL-MAY-ATLAS

von Hans-Henning Gerlach

Der Karl-May-Atlas ist die ideale Ergänzung zu den Gesammelten Werken, ein unentbehrliches Hilfsmittel, um die Reisewege von Karl Mays Helden durch alle Länder und Erdteile zu verfolgen. Sämtliche wichtigen Schauplätze sind rasch auffindbar und werden auf rund 350 übersichtlichen und gleichzeitig detailreichen mehrfarbigen Karten vorgestellt. Das große Register erleichtert den schnellen Zugriff auf gesuchte Handlungsorte. Stadtpläne und viele historische Abbildungen bereichern den Atlas, der in der Art der Gesammelten Werke in grünem Ganzleinen mit Goldprägung und farbigem Titelbild ausgestattet ist.
Der interessierte Leser findet nicht nur eine Fülle von Materialien zu Karl Mays Reiseerzählungen, sondern auch weiterführende wissenswerte Informationen über die Geschichte der Indianer, die Lebensräume und Reservate der verschiedenen Stämme sowie über das Osmanische Reich, dessen einstigen Ausdehnungsbereich und historischen Werdegang.
Nicht zuletzt sind auch alle Stationen von Karl Mays Leben ausführlich dokumentiert: angefangen von der Heimat im sächsischen Erzgebirge, über alle Orte, an denen sein Leben entscheidende Wendungen nahm, bis zu den eigenen Reisen des Schriftstellers nach Nordamerika und in den Orient.
Neben dem Karl-May-Freund wird auch jeder allgemein an Geschichte und Geographie Interessierte sowie der Liebhaber edler, schöner Bücher von diesem Prachtband im ungewöhnlichen und eleganten Format (17 x 17,5 cm) begeistert sein.

432 Seiten, ISBN 3-7802-0150-X

KARL MAY
GESAMMELTE WERKE

1 Durch die Wüste
2 Durchs wilde Kurdistan
3 Von Bagdad nach Stambul
4 In den Schluchten des Balkan
5 Durch das Land der Skipetaren
6 Der Schut
7 Winnetou I
8 Winnetou II
9 Winnetou III
10 Sand des Verderbens
11 Am Stillen Ozean
12 Am Rio de la Plata
13 In den Kordilleren
14 Old Surehand I
15 Old Surehand II
16 Menschenjäger
17 Der Mahdi
18 Im Sudan
19 Kapitän Kaiman
20 Die Felsenburg
21 Krüger Bei
22 Satan und Ischariot
23 Auf fremden Pfaden
24 Weihnacht
25 Am Jenseits
26 Der Löwe der Blutrache
27 Bei den Trümmern von Babylon
28 Im Reiche des silbernen Löwen
29 Das versteinerte Gebet
30 Und Friede auf Erden
31 Ardistan
32 Der Mir von Dschinnistan
33 Winnetous Erben
34 „ICH"
35 Unter Geiern
36 Der Schatz im Silbersee
37 Der Ölprinz
38 Halbblut
39 Das Vermächtnis des Inka
40 Der blaurote Methusalem
41 Die Sklavenkarawane
42 Der alte Dessauer
43 Aus dunklem Tann
44 Der Waldschwarze
45 Zepter und Hammer
46 Die Juweleninsel
47 Professor Vitzliputzli
48 Das Zauberwasser
49 Lichte Höhen
50 In Mekka
51 Schloß Rodriganda
52 Die Pyramide des Sonnengottes
53 Benito Juarez
54 Trapper Geierschnabel
55 Der sterbende Kaiser
56 Der Weg nach Waterloo
57 Das Geheimnis des Marabut
58 Der Spion von Ortry
59 Die Herren von Greifenklau
60 Allah il Allah!
61 Der Derwisch
62 Im Tal des Todes
63 Zobeljäger und Kosak
64 Das Buschgespenst
65 Der Fremde aus Indien
66 Der Peitschenmüller
67 Der Silberbauer
68 Der Wurzelsepp
69 Ritter und Rebellen
70 Der Waldläufer
71 Old Firehand
72 Schacht und Hütte
73 Der Habicht
74 Der Verlorene Sohn
75 Sklaven der Schande
76 Der Eremit
77 Die Kinder des Herzogs
78 Das Rätsel von Miramare
79 Old Shatterhand in der Heimat
80 Auf der See gefangen
81 Abdahn Effendi
82 In fernen Zonen

– Die Reihe wird fortgesetzt –

Sonderbände:
Mein Hengst Rih
Karl May auf sächsischen Pfaden
Vinnetu (latein)

Großbände:
Karl-May-Atlas
Karl-May-Filmbuch
Karl-May und die Musik (mit CD)
Karl-May-Bibliografie 1913–1945

KARL-MAY-VERLAG BAMBERG · RADEBEUL
www.karl-may.de

HÖRBUCH „WINNETOU I“

Karl Mays „Winnetou I“ (Buchauflage über 3,7 Millionen) jetzt auch als Hörbuch in einer dramaturgischen Textfassung von Carl-Heinz Dömken, gelesen von Stefan Wigger.

Wigger ist zweifellos einer der bedeutendsten Charakterdarsteller tragender Rollen der klassischen und modernen Theaterliteratur auf den großen deutschsprachigen Bühnen (u.a. Berlin, Düsseldorf, München, Stuttgart, Wien, Zürich). Vielen Zuschauern wurde er auch durch die Mitwirkung in anspruchsvollen Produktionen des Fernsehens bekannt. Er arbeitete mit Regisseuren wie Fritz Kortner, Samuel Beckett, George Tabori oder Axel Corti. Seine Lesungen auf Podien und im Funk sind stets ein Hörgenuss, seine mitreißende Erzählkunst fasziniert. Wigger, in Leipzig geboren, ist Sachse wie Karl May, dessen Bücher er las und liebt, und „Winnetou“ war für ihn in der Jugend die große Begegnung mit packender Literatur.

„Winnetou I“, der populärste May-Band, ist, so wie hier dargebracht, sicherlich eine Sternstunde allerbester Unterhaltung.

4 Doppelpacks, insgesamt 7 MCs, 658 Minuten.

KARL-MAY-VERLAG BAMBERG · RADEBEUL

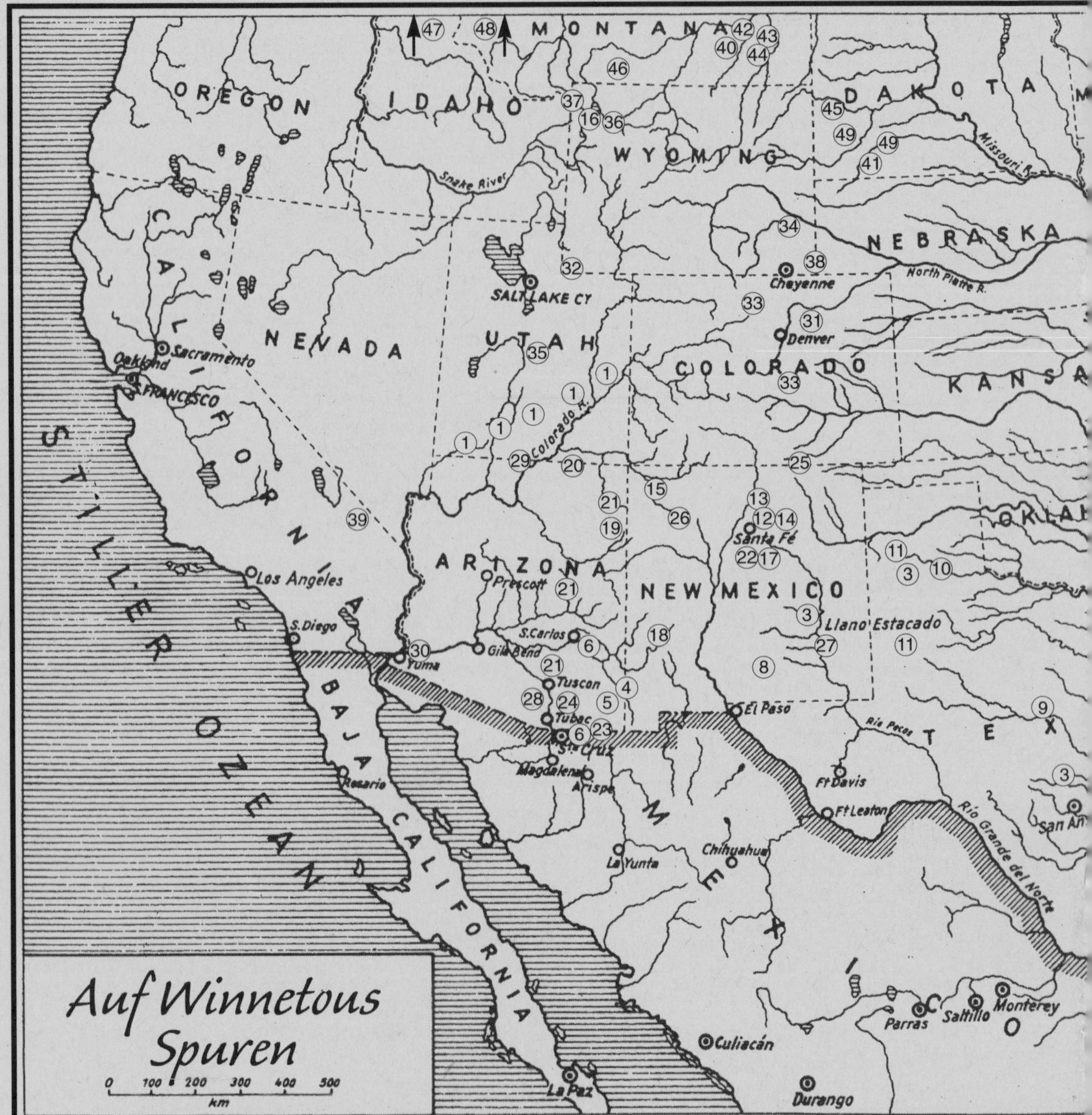
Auf Winnetous Spuren
0 100 200 300 400 500
km
MONTANA
OREGON
IDAHO
DAKOTA
WYOMING
NEBRASKA
NEVADA
UTAH
COLORADO
KANSA
CALIFORNIA
ARIZONA
NEW MEXICO
OKLA
TEX
STILLER OZEAN
BAJA CALIFORNIA
MEXICO
Snake River
Missouri R.
North Platte R.
Colorado R.
Rio Pecos
Rio Grande del Norte
Llano Estacado
Salt Lake CY
Cheyenne
Denver
Sacramento
Oakland
S. Francisco
Los Angeles
S. Diego
Yuma
Gila Bend
Prescott
S. Carlos
Tuscon
Tubac
St. Cruz
Magdalena
Arispe
Santa Fé
El Paso
Ft Davis
Ft Leaton
Chihuahua
La Yunta
Rosario
La Paz
Culiacán
Durango
Parras
Saltillo
Monterey
San An